警察官Ⅲ類・B最新時事情報 !!

JN001080

警察官Ⅲ類・B試験では、最新の時事情〔報が出題されることが〕あります。ここでは、令和7年度試験に出〔題が予想される時事を厳選〕して紹介します。

●離婚後の共同親権を導入—改正民法成立—
2024年5月、離婚後も父母双方が子どもの親権を持つ「共同親権」の導入を柱とした改正民法が成立した。現在の単独親権に加え、父母の協議によって共同親権を選ぶことができるようになる。父母が合意できない場合は家庭裁判所が判断しDV等が認められた場合は単独親権となる。改正法の付則には、共同親権を選ぶ場合、父母双方の真意によるものか確認する措置を検討することなどが盛り込まれた。2年後の2026年までに施行される。

●自転車違反に反則金—改正道路交通法成立—
2024年3月、自転車による交通違反への反則金制度（青切符）を定めた改正道路交通法が成立した。2026年までに施行される。改正法は自転車に、車やバイクと同様、交通違反に対して反則金を納付させる青切符を導入するもので、16歳以上の運転に適用される。信号無視や一時不停止、逆走、携帯電話使用、徐行せず歩道通行、傘をさしたりイヤホンをしたまま運転、ブレーキが利かない自転車に乗るなどが対象となる。特に悪質な場合は刑事罰の対象となる赤切符が交付される。

●合計特殊出生率が過去最低に
厚生労働省が2024年6月に公表した2023年の人口動態統計の概数によると、2023年の合計特殊出生率が1.20となり、1947年に統計を取り始めて以降、最低となった。都道府県別に見てもすべての都道府県で前年を下回っており、最も低かったのは東京都で、0.99と初めて1を下回った。次いで北海道の1.06、宮城県が1.07だった。最も高かったのは沖縄県で1.60、次いで宮崎・長崎が1.49、鹿児島県が1.48だった。政府は6月に少子化対策関連法案を成立させるなど、必要な取り組みを加速させたいとしている。

●世界の難民・避難民数が日本の人口規模に匹敵
6月20日の世界難民の日を前に、UNHCR（国連難民高等弁務官事務所）は世界各地で紛争や迫害などによって住まいを追われた人は2023年末の時点で1億1730万人となり、過去最高であったと報告した。このうち2023年10月からイスラエル軍とイスラム組織ハマスの戦闘が続くパレスチナのガザ地区では、人口の75%にあたる170万人が避難民となった。国連はこの報告に強い懸念を示し、国際社会の支援を訴えている。

●相続登記が義務化
登記簿を見ても所有者がわからない所有者不明土地が全国で増加し、公共工事の阻害や空き家問題などの社会問題となっている。この解決のため、民法及び不動産登記法が改正され、2024年4月から相続登記が義務化された。相続人は不動産を相続で取得したことを知った日から3年以内に相続登記することが法律上義務付けられた。なお、2024年4月より前に相続した不動産も義務化の対象となる。

本書の使い方

CONTENTS

警察官Ⅲ類・Ｂ合格テキスト

CONTENTS

採用試験ガイダンス

　警察官は地域の安全を守る地方公務員です。警察官になるためには、各自治体の警察官採用試験に合格しなければなりません。**受験資格、受験申し込みの手続きなどについては、各自治体や警察署の HP などでご確認ください。**

　共同試験が行われる自治体もありますので、**必ず確認しましょう。**

■警察官採用試験について

　年に複数回の試験が実施される自治体が多くあります。学力のみならず、体力などの身体能力も求められます。

◎第 1 次試験

・教養試験：五肢択一の問題を 50 問程度。80 〜 150 分程度。

・論文試験：与えられたテーマに対して 600 〜 1000 字程度で論文を書きます。60 〜 90 分程度。

・国語試験：自治体によっては漢字の読み書き試験が行われます。

　※その他、第 1 次身体検査、第 1 次適性検査が行われる場合があります。

◎第 2 次試験

・面接試験：受験者の人物をみるための面接が行われます。多くは個別面接です。

・身体検査：身長・体重測定、視力、聴力、色覚、運動機能などの検査。

・適性検査：各種の検査方法で警察官としての適性をみます。

・体力検査：腕立て伏せ、バーピーテスト、上体起こし、反復横跳び、握力、肺活量など。

　※身長、体重、胸囲等の身体基準や、体力試験の一部項目を廃止した自治体もあります。

■試験日程と受験手続き

　第 1 次試験は、5 月頃に実施される自治体、9 月から 10 月頃に実施される自治体などさまざまです。

　受験申し込みは HP から申込書をダウンロードして行うことができる自治体も増えています。

※受験資格、申し込み受付期間などについては、**必ずご自身でご確認ください。**

警察官 III類・B 合格テキスト

1章

社会科学

重要度
★

レッスン 01 国家と政治の原理

国家論と近代政治思想までの流れ、権力の正当性、民主政治の基本原理である法の支配、社会契約説、三権分立制について学習する。思想家とその主張、影響なども押さえておく。

◆国家の起源論

国家の起源を何に求めるかについては、以下の説がある。

①王権神授説（帝王神権説）

君主の権力は神から授けられたものであり、人民に反抗の権利はないとする説。絶対主義国家において唱えられた政治学説。ボシュエ、フィルマーなどが提唱。

②社会契約説

人類は最初は自然状態の中で法律も政府もなしに生活していたが、その後個人の自然権を抑制し社会全体の利益を守るために主権者を立てることに自発的に合意し、国家が形成されたとする説。ホッブズ、ロック、ルソーなどが提唱。

③国家征服説

有力な種族あるいは階級が、他を征服して形成するという説。オッペンハイマー、グンプロヴィッツなどが提唱。

④国家法人説

国家を法律関係の主体となり得る法人と見て、主権は君主にも人民にも属さず、国家自体にあるとする説。ゲルバー、イェリネックなどが提唱。

⑤国家有機体説

国家を生命ある有機体とみなして、その成員たる個人は全体の機能を分担するという説。ブルンチュリ、スペンサーなどが提唱。

⑥多元的国家論

国家は多様な社会集団の一つに過ぎず、諸集団の利害や機能を調節する役割を持つ点で相対的な優越性を持つとする説。ラスキ、マッキーバーなどが提唱。

⑦階級国家説

国家は一階級が他の階級を抑圧、支配するための機関とみる説。マルクス、エンゲルス、レーニンなどが提唱。

◆国家と政治

現在では、国家とは一定の支配権力により統一された、一定の地域に定住する人間の社会集団をいうのが一般的である。

すなわち、国家には、権力（主権）・領域（領土・領空・領海）・人民（国民）の三要素が必要である。そこには異なる社会集団や個人間の対立が生じる可能性があるために、権力により調整を図り秩序を形成し、社会生活を運営する必要がある。その営みが政治である。

> **用語　主権：**フランスの法学者ボーダンがその著書『国論論』（1576 年刊）において最初に用いたとされている。主権には、国家の最高決定権や統治権という対内的な意味と、他国の干渉を許さない（独立性）という対外的な意味がある。

◆政治形式

国家の歴史は、氏族共同体としての古代国家（首長制）、大土地所有制を基礎とする封建主義的中世国家（君主制）、国王・貴族・豪商が結束して支配する絶対主義的近世国家（絶対君主制）、立憲

主義的民主主義的近代国家（象徴的君主制または共和制）と展開してきた。

国の政治形式を政体といい、主権の所在を基準に、主権が君主にあるものを君主制、国民にあるものを共和制とする。政治の方法を基準に、特定の権力者または権力団体が中央集権的に強権を行使し、被支配者の政治的自由を無視して支配するものを独裁制、政治の組織と運営を、国民の直接、間接の意思により決定するものを民主制とする。政治権力の抑制、人権の保障を目的とする憲法の有無を基準として、憲法のない政治体制を専制、憲法による政治体制を立憲制とする。

歴史的には、少数者支配の寡頭政治や貴族制、また旧帝国憲法下では「政体」とは別に天皇制国家を特徴付ける「国体」という独特の概念があった。

＋アルファ　現在多くの国の名に「共和国」という名称が用いられているが、ある程度恣意的に使われている節が見える。かつて貴族支配に反対する政治的意味を持つ一般名詞として「共和制」という言葉がもてはやされた歴史的経緯があり、実体を伴わない共和国も少なくない。

◆権力の正当性

国家の支配関係を維持するには、被治者（支配される者）がその支配者の支配を正当であると認めるだけの根拠（正当性）が必要となる。

ドイツのマックス・ヴェーバーは、権力の正当性について次の3つの類型を挙げている。

①伝統的支配

支配者の権力が国家や民族の歴史的伝統を持ち、それらに対する信頼感によって正当性が与えられる支配形態である。例としては天皇制や君主制が挙げられ

る。

②カリスマ的支配

特定の個人の天才的・超人的能力、理想的模範性などに対する畏敬の念が被治者の服従の基礎となる。アレクサンドロス大王、カエサル、ナポレオンなどがこの例である。

③合法的支配

一定の法の規定する権限に基づき、法に従うことが被治者の国家に対する服従の根拠となるもの。近代国家における民主政治が代表例であり、最も強い正当性を持つとされている。

◆民主政治の基本原理

（1）自然法

法律の条文以前に存在する、人間が人間であるがゆえに守られるべき法を自然法といい、具体的には、生命、自由、財産を指す。この自然法の下に暮らす権利を自然権といい、これは人間が人間であるがゆえに天から与えられている、譲渡できない権利である。

（2）法の支配と法治主義

近代民主政治の大原則は、「法の支配」という言葉に表されている。「法の支配」というのは、中世のイギリスにおいて生まれたもので、「法」が国家のありようを統制し、いかなる権力者も法によって拘束されるといったものである。ここにいう「法」は為政者や議会が決めた法律ではなく、それらの基になる基本法とされている。

17世紀のイギリスの法学者クック（コーク）は、時の国王ジェームズ1世を諫めるときに、13世紀の法学者ブラクトンの「国王といえども神と法の下に立つ」という著述を引用して、王権を抑制して法の支配の原則を示した。

これに対して「法治主義」というのは、簡単に言うと、法律に則って政治を

行うという原則のことで、王の統治権の絶対性を否定し、法に準拠する政治を主張する。ドイツを中心としたヨーロッパ大陸の国々で生まれた考え方である。議会法によって統治が行われるとする原理であって、法の内容が適正であるか否かを問わないため、「悪法も法なり」ということがいえる。

　両者の決定的な違いは、法が縛る相手が違うということである。「法治主義」では、法律によって統治する対象は国民であるのに対して、「法の支配」によって支配されるのは権力（者）である。

◆社会契約説

　近代の政治思想として重要なものは社会契約説である。これは、個人が権利（自然権）を守るために契約を結んで社会を形成し、成員間の契約により国家を形成したという国家観である。17〜18世紀に有力になった。絶対王政による支配を正当化する王権神授説に代わり、商工業者層を中心とする市民階級によって支持され、市民革命の理論的根拠となった。代表的なものに下表のものがある。

◎社会契約説の比較

思想家	主著	内容
ホッブズ	『リヴァイアサン』（1651年刊）	人はもともと利己的であって、「万人の万人に対する闘争」の状態（戦争状態）にあり、この状態を回避し、生命の保障を得るために、個人は統治者に自己の自然権を全面的に譲渡する。その結果専制政治を認める。
ロック	『統治（市民政府）二論』（1690年刊）	個人は相互に自然権を保護するという契約を結んで社会を形成する。その社会が統治者との間で自然権を信託し、自然権の保障を期待する。もし統治者がその信託を怠れば、抵抗権（革命権）が認められる。アメリカの独立宣言や各州憲法に影響を与えた。
ルソー	『社会契約論』（1762年刊）	人は自然状態において自由で平等な存在であったが、私有財産の発生と文明の発展によって不自由で不平等となった。個人は自然権を社会全体に譲渡する。そして、人民全体の共通利益を目指す一般意思が、立法者の立案した法に同意を与えることによって、権利は守られる。人民主権に基づく直接民主制を提唱。フランス革命に影響を与えた。

◆権力分立論

　国家の権力を一つの機関に集中するとその機関の権力が強大となり専制化・独裁化する危険がある。そこで国家権力の行使をいくつかの機関に分担させ、これらの機関を互いに牽制させるような仕組みが考えられる。これを権力分立といい、多くの場合、国家の作用を立法、行政、裁判（司法）に分け、それぞれを議会、政府、裁判所に帰属させる制度を三権分立という。

　ロックは、国家権力を立法権、執行権、同盟権（外交権）の3つに分けていたが、執行権と同盟権は今日の行政権に当たるので、実態は立法権と王権（行政権＝執行権、同盟権）の二権分立制である。

　最も有名なのがモンテスキュー（フランス）が『法の精神』で展開した三権分立論である。これは国家権力を立法権・行政権・司法権に三分し、相互の抑制・均衡の上に立って、権力の濫用から人権を守ろうとしたものである。後にアメリカ合衆国憲法やフランスの人権宣言に採り入れられた。

レッスン 02 憲法の特質と基本的人権

民主政治における憲法の特質を学び、日本国憲法の三大原理、基本的人権の分類と内容を学習する。特にわが国憲法における基本的人権に関する規定は重要なので明確に押さえておく。

◆**憲法の一般的特質**

憲法は、国民の自由・人権を保障するためにその国の政治権力の組織・構成・運用・機能などを定める根本法で、憲法の名を冠した法規をいう。

1215年制定のイギリスのマグナ・カルタ、1356年制定のドイツの金印勅書（きんいんちょくしょ）は、歴史上よく知られた根本法ではあるが、形式の上では「憲法」とはされない。

世界最初の憲法はアメリカ合衆国憲法（1787年制定）である。憲法による政治体制を立憲制と呼ぶが、立憲国家でありながら具体的に憲法という名を冠した法を持たない国もある（イギリスなど）。また、アメリカやフランスでは憲法に統治機構のみを規定し、人権保障については権利章典に委ねている。

近代憲法の本質は、基本的人権の保障にあり、国家権力の行使を拘束・制限し、国民の権利・自由の保障を図ることを目的としている。そのため、自由の基礎法・制限規範性・最高法規性の3つの特質が認められる。

＋アルファ 憲法を制定し、それに従って統治するという政治のあり方を立憲制というが、この場合の憲法とは、人権の保障を宣言し、権力分立を原理とする統治機構を定めた憲法を指す。そうでない場合は外見的立憲主義という。

◆**憲法の分類**

形式的意味により憲法を分類すると、成文憲法（せいぶん）と不文憲法（ふぶん）に分けられる。

成文憲法とは、憲法典（体系的に編集された一団の法律のこと）として制定された憲法のことをいう。今日、世界の大多数の国々が憲法典を制定している。

これに対して不文憲法とは、憲法典として制定されていない憲法のことで、憲法がないわけではない。イギリスでは、歴史的に承認されてきたマグナ・カルタ、権利請願、権利の章典、人身保護法、王位継承法、大臣法、国会法などの一群の重要法律が憲法と考えられている。スウェーデンでは、統治法、王位継承法、出版自由法を憲法と総称していて、いずれもいわゆる政治制度の根本を規定した成文の憲法典はない。

改正手続きの難易度を基準として、硬性憲法（こう）と軟性憲法（なんせい）に分けることもある。硬性憲法とは憲法改正手続きに普通の法律改正以上に厳格な手続きを要求する憲法であり、軟性憲法は憲法改正を普通の法律改正と同様の手続きで行うことができる憲法のことである。

わが国の憲法の改正には、一般の法律のように国会議員の過半数の議決ではなく、3分の2以上の賛成を得た改正案を、さらに国民投票にかけ過半数の承認を要する。

制定主体による分類では、君主によって制定された欽定（君定）憲法（きんてい）（プロイセン憲法やそれを参考にした大日本帝国憲法など）、国民によって制定された民

定（民約）憲法（日本国憲法や世界の大多数の憲法）、君主と国民との間の合意の形式をとって制定された協定（協約）憲法（1830年のフランス憲章など）の別がある。

以上の他にも、アメリカ、カナダ、ドイツ、スイスのような州（または邦、支分国）から成り立つ連邦国家には、連邦憲法と州憲法とが併存する。これに対してわが国をはじめ世界の大多数の国は一国一憲法である。

◆**日本国憲法の基本原理**

日本国憲法（以下単に「憲法」ともいう）は次の三大原理を規定している。

（1）**国民主権**

ここでいう「国民主権」とは、国民に国政に関する最終的な決定権があることを意味する（憲法前文、1条）。明治憲法において主権者であった天皇は、象徴としての地位を保つことになった。現憲法では天皇は国事に関する行為を行うが、内閣の助言と承認を要し、政治的な責任を一切負わない（1章全体）。

憲法においては、国民主権は国民代表制として具体化されている。国民は正当に選挙された国会における代表者を通じて行動し、国政の権力は国民の代表者が行使する（憲法前文）。

（2）**基本的人権の尊重**

基本的人権を侵すことのできない永久の国民の権利として、広く保障するという原理（11条、97条）。基本的人権は、自然権として認められていたものを憲法が追認したに過ぎないのであって、国家の存在理由はこの基本的人権を保障することにあるといえる。行政権や司法権はもとより、立法権をもってしても基本的人権を侵害することはできないという人権不可侵の原則が保障されている。

（3）**平和主義**

永久平和主義を宣言し（憲法前文）、平和を具体的に保障するために戦争放棄と軍備の禁止、交戦権の否認を定めている（9条）。

重要ポイント 基本的人権について、憲法では国民に義務と責任を課している。すなわち、**保持義務**（国民の不断の努力によって保持すること）と**濫用の禁止**（濫用してはならず、常に公共の福祉のために利用すること）である（12条）。この意味で「法律の留保」を認めず、「法の支配」を徹底することになっている。

出題パターン

日本国憲法に定める平等原則に関する記述として、最も妥当なのはどれか。

(1) すべての国民は、法の下に平等であると明文で規定されているが、性別や社会的身分などによって差別されないことは明文では規定されていない。

(2) 華族その他の貴族の制度は、将来については認めないが、現在貴族であるものについては引き続きその身分を認めると明文で規定されている。

(3) 栄誉、勲章その他の栄典の授与は、授与に伴う特権の有無にかかわらず明文で禁止されている。

(4) すべての国民は、法律の定めるところにより、その能力に応じて等しく教育を受ける権利を有することは明文で規定されている。

(5) 選挙人資格を性別や財産によって差別することは、衆議院議員については明文で禁止されているが、参議院議員については明文では禁止されていない。

解答（4）

◆**基本的人権の分類**

人間が生まれながらに有する自由に生きる権利は、人権または基本的人権と呼

ばれてきた。近代の人権宣言における人権はこの意味である。しかし、現代国家においては、自由を内容とする個人の権利だけではなく、国家に対して国民が人権保障の具体的措置を要求する権利（一般的には社会権と呼ばれる）を憲法で保障する傾向が強く、今日では後者の権利をも広く基本的人権と呼ぶようになっている。

現在では、一般的に基本的人権は次の5つに分類される。

（1）自由権

国民が国家に対し、自由への干渉をやめることを要求し得る権利で、以下の3種類に分類できる。

①精神的自由

・思想および良心の自由（19条）

・信教の自由（20条）

・言論・出版その他表現の自由（21条）

・集会・結社の自由（21条）

・検閲の禁止・通信の秘密（21条）

・学問の自由（23条）

②身体的自由

・奴隷的拘束・苦役からの自由（18条）

・刑罰を科す法定手続きの保障（31条）

・不当逮捕の禁止（33条）

・抑留・拘禁の制限（34条）

・住居侵入・捜索・押収の制限（35条）

・拷問・残虐刑の禁止（36条）

・刑事被告人の諸権利（37条）

③経済的自由

・職業選択の自由（22条）

・居住・移転の自由（22条）

・海外移住および国籍離脱の自由（22条）

・私有財産制の保障（29条）

（2）平等権

憲法では「すべて国民は、法の下に平等であって、人種、信条、性別、社会的身分又は門地により、政治的、経済的又は社会的関係において、差別されない」と規定している（14条1項）。

個人の人格価値が等しいことから生じる権利であり、人格価値は個性そのものであるから、国家が保障する平等権の意味は相対的な価値の平等であって、合理的差別を許容するものと考えられている。また、法の適用に関するものだけでなく、法の内容そのものにも及ぶと考えられている。

・法の下での平等（14条）

・家庭生活における個人の尊厳と両性の本質的平等（24条）

・教育の機会均等（26条）

・参政権の平等（44条）

（3）社会権

国民が国家に対して人間に値する生活を要求し得る権利。

・生存権（25条）

・教育を受ける権利（26条）

・勤労の権利（27条）

・勤労者の労働基本権（団結権・団体交渉権・団体行動権）（28条）

（4）参政権

国民が政治に参加することを国家に対して要求し得る権利。

・公務員の選定・罷免権（15条）

・選挙権・被選挙権（15、44、93条）

・最高裁判所裁判官の国民審査権（79条）

・地方特別法制定同意権（95条）

・憲法改正国民投票権（96条）

（5）請求権

国民が国家に対して何らかの作為（行動）を要求し、他の基本的人権を守ることに資する権利。受益権ともいう。

・請願権（16条）

・国家賠償請求権（17条）

・裁判請求権（32条）

・刑事補償請求権（40条）

◆基本的人権の制約

基本的人権は国家以前に存在するものであるから、この憲法がなくても個人である以上だれでも享有することができるが、わが国においては一部制約されているものがある。

①天皇（皇族）

天皇は象徴であり世襲制であることから、参政権は認められず、婚姻の自由、財産権、言論の自由にも制約がある。

②外国人

国民主権を前提にした国政レベルの参政権と、その者の属する国が第一次的に負う社会権には限界がある。

③公務員

職務の公共性から団結権・団体交渉権は制約を受け、団体行動権は認められていない。

これとは別に、居住・移転の自由（22条）、職業選択の自由（22条）、私有財産制の保障（29条）については憲法に「公共の福祉」に反しない限りにおいて認められることが規定されている（公共の福祉による制約）。

◆憲法の改正

憲法の改正については、以下の手順で行うとしている（96条）。

①国会の発議

衆議院・参議院でそれぞれ総議員の3分の2以上の賛成で発議する。

②国民投票

特別の国民投票または国会の定める選挙の際に行われる投票において、その過半数の賛成で国民がこれを承認する。

③公布

国民の承認を得ると、天皇は国民の名で直ちにこれを公布する。

憲法の規定を受けて、国民投票の手続きと発議に係る手続きを定めた「国民投票法」が制定されている。国民の直接投票を定めたものである。

レッスン 03 国会と地方自治

日本国憲法で定める三権分立制の中で国会が占める役割と構成、権限、国会の構成員たる国会議員の権限について学習する。また、地方自治の本旨に基づく地方公共団体の組織と運営についても押さえておく。

◆三権分立と国会

日本国憲法は、三権分立制の中で、「国会は国権の最高機関であって、国の唯一の立法機関である」（41 条）と定めている。ここで最高機関の意味は、国会が内閣や裁判所に優越し、主権者たる国民の代表者が構成する機関としての重要性を意味する。最高機関ということで、法的に裁判所、内閣の上に立つわけではない。

国会の権能としては、立法権、予算議決権、条約承認権、弾劾裁判所設置権、内閣総理大臣指名権、憲法改正発議権がある。また、国会の各院は、国政に関する調査を行い、これに関して証人の出頭、証言や記録の提出を要求することができる。

ワン・ポイント 国会中心立法の原則の例外として衆議院と参議院の議員規則（58 条）や最高裁判所の規則制定権に基づく裁判所規則（77 条）が、国会単独立法の原則の例外として一部の地方公共団体に適用される特別法（95 条、住民投票が必要）がある。

◆国会の組織

国会は、衆議院と参議院の二院で構成される。両議院は、全国民を代表する選挙された議員で構成される（43 条）。

国会には、次の 4 つの種類がある（52 ～ 54 条）。

①常会（通常国会）

毎年 1 回通常 1 月に召集され、予算の関連法案の審議が議題となる。

②臨時会（臨時国会）

臨時の審議のため、内閣またはどちらかの議院の総議員の 4 分の 1 以上の要求があったときに召集される。

③特別会（特別国会）

衆議院の解散による総選挙後に召集される。召集とともに内閣が総辞職するので、両議院において内閣総理大臣の指名が行われる。

④参議院の緊急集会

衆議院が解散されると参議院は同時に閉会となる。総選挙を経て特別国会が召集されるまでの間、内閣は参議院の緊急集会を求めることができる。

◆衆議院の優越性

国会は二院で構成されるが、衆議院の議決が優越される取り決めがある。

国会の議決は、原則として両議院で可決したときに成立するが、衆議院で可決し、参議院でこれと異なった議決をした法律案は、衆議院で出席議員の 3 分の 2 以上の多数決で再議決したときは法律となる。また、予算は、必ず先に衆議院に提出しなければならず、参議院で衆議院と異なった議決をした場合には、法律に定めるところにより両院協議会を開き、なお意見が一致しないとき、または衆議院の可決した予算を参議院が受け取った後、国会休会中の期間を除いて 30 日以内に議決しないときは、衆議院の可決を国会の議決とする。

条約締結の国会承認も同様である。

内閣総理大臣は国会議員の中から国会

の決議で指名されることになっているが、その際、衆議院と参議院とが異なった議決をした場合には、両院協議会を開いても意見が一致しないとき、または衆議院が指名の決議をした後、国会休会中の期間を除いて10日以内に参議院が指名の議決をしないときは、衆議院の議決が国会の議決となる。

さらに、衆議院特有の権能として、内閣不信任（信任）の発議権がある。衆議院はこの決議案が提出された場合は、先決問題として議決しなければならない。

> **用語** **両院協議会：**両議院の議決が一致しない場合に開催されるもので、各議院で選出された10名ずつで構成され、協議案は出席委員の3分の2以上の多数決で成案となる。
> 予算、条約または内閣総理大臣の指名について両議院で一致しないときは必ず開催され、法律案については衆議院が求めれば開かれる。

出題パターン

国会法に定める両院協議会に関する記述として、最も妥当なのはどれか。
(1) 両院協議会は、各議院において選挙された各々8名の委員でこれを組織する。
(2) 両院協議会は、各議院の協議委員の各々半数以上の出席があれば、議事を開き議決することができる。
(3) 両院協議会においては、協議案が出席協議委員の過半数で議決されたとき成案となり、成案については、更に修正することができない。
(4) 各議院の議長は、両院協議会に出席して意見を述べることができる。
(5) 一方の議院から両院協議会を求められたときは、他の議院は、必ず応じなければならない。

解答（4）

◆議員の特権と義務

衆議院議員の任期は4年であり、衆議院解散の場合にはその期間満了前に終了する。参議院議員の任期は6年であり、3年ごとに議員の半数を改選する。
①両議院の議員と選挙人の資格は法律で定めるが、人種、信条、性別、社会的身分、門地、教育、財産または収入によって差別されない（44条）。
②両議院の議員を兼職することはできない（48条）。
③法律に定める場合を除いて国会会期中は逮捕されず、会期前に逮捕された議員はその議院から要求があれば会期中釈放される（50条）。
④国会議員は、議院で行った演説、討論または評決について、院外では責任を問われない（51条）。
⑤国会議員は天皇（摂政）、国務大臣、裁判官、公務員と同じく、憲法を尊重し擁護する義務を負う（99条）。

◆地方自治の本旨

地方自治は、その地域の政治や行政を国の行政から切り離し、地域住民の意思と責任において行う地方行政のやり方である。憲法92条が述べる「地方自治の本旨」の中身については、住民が地域の問題を処理・運営するという「住民自治」の要素と、地域の問題は国とは切り離して別個の組織（地方公共団体）に処理・運営させる「団体自治」という2つが相補い結び合って地方自治は完成すると説明されている。

 重要ポイント 憲法94条では、地方公共団体の権能として、財産の管理、事務の処理、行政の執行、法律の範囲内での条例の制定ができるとしている。

◆**住民の直接請求**

　地方自治は住民が地域の問題を処理・運営するものであるから、間接民主制を原則としていても、住民の直接参加を認めて民意を反映することが制度の趣旨にかなう。地方自治法は、住民の直接請求権を以下の通り制度化した。

①条例の制定・改廃請求（イニシアティブ）
②事務の監査請求
③議会の解散請求（リコール）
④議員と首長の解職請求（リコール）
⑤副知事・副市町村長・選挙管理委員・監査委員・公安委員会の委員の解職請求（リコール）

◆**地方公共団体の組織**

　地方公共団体の機関としては、執行機関としての首長（都道府県知事、市町村長）と議決機関としての地方議会（都道府県議会、市町村議会）がある。どちらも住民によって直接選挙（いずれも任期は4年）される二元代表制を採用している。

　この他には補助機関として、都道府県では副知事、市町村では副市町村長が議会の同意を得て首長により任命される。

◎地方政治の仕組み（二元代表制）

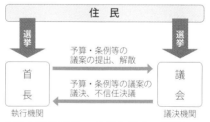

◆**地方公共団体の首長と議会の関係**

　議会は総議員の3分の2以上の出席で、4分の3以上が賛成した場合、首長に対する不信任を可決できる。その際、首長は10日以内に議会を解散しない場合、辞職しなければならない。

　また、首長は議会の条例の制定・改廃または予算の議決に異議がある場合には、議会に対して再議決を求めることができる（拒否権）が、議会が出席議員の3分の2以上で再可決すれば、議会の決定通りとなる。

◆**地方分権改革**

　地方の力を強くし、地方の自主裁量を高めること（地方分権）を目的に改革の機運が盛り上がり、通称「地方分権一括法」が2000（平成12）年4月に施行された。これにより、国の機関が地方の機関に委任していた事務（機関委任事務）が廃止され、法定受託事務と自治事務に再編された。また、地方公共団体は地方税法に規定されていない普通税（法定外普通税）を設けることができるようになった。

出題パターン

　わが国の地方公共団体に関する記述として、最も妥当なのはどれか。
(1) 地方公共団体の住民には直接請求権が認められており、首長や議員の解職を求めることができるが、議会の解散を求めることはできない。
(2) 地方公共団体の議会は、法律の範囲内で条例を制定できるが、その公布は総務大臣が行う。
(3) 1999年に成立した地方分権一括法により、機関委任事務が廃止され、それにより地方公共団体に存続する事務は自治事務だけとなった。
(4) 地方公共団体は、それぞれの人口に応じた地方交付税交付金を国から交付されている。
(5) 地方公共団体の自主財源には、住民に課せられる住民税や企業に課せられる事業税などがある。

解答（5）

レッスン 04 内閣と内閣総理大臣

日本国憲法の定める三権分立制の中で内閣が占める役割、構成、権限、さらに内閣総理大臣と国務大臣の関係、権限を学習するとともに、歴代内閣の歴史も押さえておく。

◆三権分立と内閣

日本国憲法では、行政権は内閣に属するとしている（65条）。内閣は、行政が全体として整合性を持って行われるようにする責任を持つ行政の最高機関であり、行政権の行使については、国会に対して連帯責任を負う（66条3項）。

このように内閣を国会の強い民主的なコントロールの下に置いた理由は、国民の意思（民意）が議会の多数派に反映されて、その主導の下に内閣が構成され、行政権が行使されるという代表民主制の実現にある（民主的責任行政）。

用語 議院内閣制：権力分立の原則に基づきながら、立法部と行政部との厳格な区別を行わないで、相互の依存関係を強くすることによって成立する制度のことをいう。イギリスの内閣が典型であり、わが国も議院内閣制を採用している。対照的なのは大統領制である。

◆議院内閣制下の内閣

議院内閣制における内閣を特徴付ける制度としては、次のものがある。

①内閣総理大臣の指名

内閣の首長たる内閣総理大臣は、国会議員の中から国会の議決で指名する（67条）。

②国務大臣の任命

内閣の構成員たる国務大臣は、内閣総理大臣が任命権を有する（国会の承認を要しない）。

重要ポイント 内閣総理大臣は国会議員でなければならないが、必ずしも衆議院議員である必要はなく参議院議員でもよい。実際には衆議院議員の方が民意に近い人が指名できるなどの理由で衆議院議員から選ばれている。国務大臣は必ずしも国会議員である必要はなく民間の人でもよいが、その過半数は国会議員の中から選ばなければならない。

用語 任命・指名・認証：「天皇は、国会の指名に基づいて内閣総理大臣を任命する」というように任命と指名が使い分けされている。複数の候補者から特定の人が名指しされるのが「指名」であり、この場合天皇により法律上の根拠を与える「命を任ずる」のが任命である。国務大臣は総理大臣により任命されたあと、天皇により「認証」されるが、これは儀礼的な意味が強く、総理大臣が任命権者として責任を問われる。

③衆議院の内閣不信任決議

衆議院が内閣不信任の決議をした場合、内閣は10日以内に総辞職するか、衆議院を解散しなければならない（69条）。

◆内閣の組織

内閣は、内閣総理大臣とその他の国務大臣で組織する（66条）。内閣総理大臣もその他の国務大臣も全員文民でなければならない。

用語 **文民**：確定した定義はない。職業軍人ではない者という点では異論がないが、軍人の経歴がない者、軍人の経歴があっても軍国主義の思想に染まっていない者、軍人の経歴がなく自衛官でない者など、異説がある。

◆閣議

内閣がその職権を行うために集合する会議は閣議と呼ばれる。非公開の閣議は内閣総理大臣が主宰し、原則的に全国務大臣が出席する。

閣議での決議は多数決によらず全員一致制を採っている。これは内閣一体性の原則により、内閣の構成員はその職務の決定・遂行に関して、国家に対して一体として責任を負っているからである。一体性確保のため、内閣総理大臣に国務大臣の任免権（68条）と訴追同意権（75条）とが付与されている。

◆内閣の総辞職

内閣は、衆議院で不信任決議が可決されたときは総辞職するが、その他以下のような場合にも総辞職する。

①衆議院で内閣不信任が可決あるいは内閣信任案が否決され、10日以内に内閣が衆議院を解散しなかった場合

②衆議院総選挙後に初めて国会が召集された場合

③内閣総理大臣が欠欠した（欠けた）場合

④内閣が改めて民意を問う必要があると判断した場合

内閣が総辞職した場合、新たに内閣総理大臣が任命されるまでは引き続きその職務を行うことになっている。

◆内閣の権限

内閣は、一般行政事務の他、次の仕事を行うこととされている（①～⑦は73条）。

①法律の誠実な執行と国務の総理
②外交関係の処理
③条約の締結
④官吏に関する事務の掌理
⑤予算の作成と国会への提出
⑥政令の制定
⑦恩赦、刑の執行の免除、復権の決定
⑧天皇の国事行為に対する助言と承認（3条）
⑨最高裁判所長官の指名（任命は天皇）（6条）
⑩最高裁判所長官以外の裁判官の任命（79条）
⑪下級裁判所裁判官の任命（最高裁判所の指名名簿に基づく）（80条）
⑫臨時国会の召集の決定（53条）
⑬参議院の緊急集会開催要求（54条2項）
⑭衆議院の解散決定（69条）

用語 **天皇の国事行為**：国事に関する形式的・儀礼的な行為をいう。実質的・法的・政治的に効果を生ずる国政権に関する権能を有しないと定められている。具体的には、国会の指名に基づく内閣総理大臣の任命、内閣の指名に基づく最高裁判所長官の任命、国会の召集などが該当する。

◆内閣総理大臣の権限

内閣の首長たる内閣総理大臣には、以下の権限が与えられている。

①国務大臣の任免権（閣議や国会の了承・承認は不要）
②行政各部を指揮監督
③内閣を代表して議案を国会に提出
④一般国務および外交関係に関して国会に報告
⑤法律や政令への連署
⑥国務大臣に対する訴追同意権
⑦自衛隊に対する最高指揮監督権

◆国務大臣の権限

国務大臣は、内閣総理大臣が任命する
（原則17名以内）。国務大臣の人数と省
庁の数とは必ずしも一致せず、国務大臣
は兼務（内閣総理大臣が兼務することも
可能）する場合もある。

国務大臣の権限は以下の通り。

①議院への出席

国会議員であるか否かに関係なく、い
つでも議案に関して発言するために議院
へ出席することができる。逆に議院から
出席を求められたら出席しなければなら
ない。

②法律・政令への署名

法律・政令にはすべて主任の国務大臣
が署名し、内閣総理大臣が連署すること
が必要である。

③閣議の開催要求

内閣総理大臣に対して閣議の開催を求
める権利がある。

④内閣総理大臣の臨時代理

内閣総理大臣が外遊・療養などの場合、
内閣総理大臣が指定する国務大臣がその
職務を代行する。

⑤国務大臣の臨時代理

主任の国務大臣が事故などにより職務
ができない場合、内閣総理大臣が指定す
る国務大臣がその職務を代行する。

⑥不訴追の特権

国務大臣は、在任中に、内閣総理大臣
の同意がなければ刑事責任を検察庁によ
り追及されない。内閣の統一性確保と司

法機関による行政機関への介入排斥を配
慮したものである。

◆主な歴代内閣と出来事

戦後の主な出来事と時の内閣（内閣総
理大臣名）をまとめると以下の通り。

内閣 （内閣総理大臣名）	出来事
吉田茂	サンフランシスコ平和条約 （1951年）
鳩山一郎	国際連合加盟（1956年）
佐藤栄作	日韓基本条約（1965年）
田中角栄	日中共同声明調印（1972年）
大平正芳	東京サミット（1979年）
中曽根康弘	国鉄分割民営化（1987年）
竹下登	消費税制度導入（1989年）
宮沢喜一	PKO協力法成立（1992年）
森喜朗	中央省庁再編（2001年）
小泉純一郎	郵政民営化法成立（2005年）
安倍晋三（第2次）	安全保障関連法成立（2015年）

レッスン 05 選挙制度と政党

選挙制度の種類、その長所・短所を学び、わが国の選挙制度が抱える課題についても押さえておく必要がある。

◆選挙制度の種類

選挙の方法には、直接選挙と間接選挙がある。前者は有権者が直接に議員を選挙することで、後者は有権者が議員などを選挙する「選挙人」を選挙し、その選挙人が議員などを選挙する。

日本国憲法では、地方選挙につき直接選挙を規定しているが、国会議員の選挙については別の法律（公職選挙法）で定めるとしている。

◆普通選挙

選挙は国民主権・民主制を支える重要な制度である。日本国憲法では、公務員の選挙について、「成年者による普通選挙を保障する」（15条）とともに、両議院の議員およびその選挙人の資格を「人種、信条、性別、社会的身分、門地、教育、財産又は収入によって差別してはならない」と定め（44条）、また「すべて国民は、法の下に平等であって、人種、信条、性別、社会的身分又は門地により、政治的、経済的又は社会的関係において、差別されない」と定める（14条）。これを普通選挙という。

🔔 出題パターン

次のA～Eの場合において、憲法上、直接民主制が規定されているものの組み合わせとして、最も妥当なのはどれか。
A 内閣総理大臣の選出
B 憲法改正
C 一つの地方公共団体のみに適用される特別法の制定
D 衆議院の解散請求
E 最高裁判所裁判官の審査
(1) A、B、E
(2) A、C
(3) B、C、E
(4) B、D
(5) C、D、E

解答（3）

◆選挙区制

わが国の憲法では、選挙区、投票の方法その他両議院の議員の選挙に関する事項は、法律で定めるとしていて、選挙区制については公職選挙法に委ねている。

選挙区制については以下のような制度がある。

◎選挙区制

	大選挙区制	小選挙区制	比例代表制
内容	1選挙区から2名以上選出	1選挙区から1名選出	政党ごとの得票率に応じて議席を配分
長所	少数党も当選可能	選挙費用軽減、政局安定	死票が少ない
短所	選挙民との接触薄い、選挙費用増大	死票が多い	小党が分立・政局不安定
日本での例	参議院選挙区	衆議院小選挙区	参議院比例区・衆議院比例区（代表並立制）

用語 ドント方式：各政党の総得票数をそれぞれ1、2、3…と自然数で割っていき、得られた商（得票数）の大きい順に議席を配分する方式。参議院、衆議院の比例代表選挙などに用いられている。

◆議員定数不均衡

　国会議員の選挙において、各選挙区の議員定数の配分に不均衡があり、選挙人の投票価値（一票の重み）に不平等が存在することが違憲ではないかということが裁判で争われている。政党間でも意見の一致を見ないでなお結論が持ち越されている。

> **用語 アダムズ方式**：人口に応じて議席を配分する方式で、各選挙区の人口を「一定数」で割り、出た商に応じて議席数の振り分けを決める。議員定数不均衡訴訟の違憲判決を受け、国会で検討されている。

◆選挙違反

　選挙の際、特定の候補者または政党の当選・議席獲得を目的として選挙運動が行われるが、立候補者の保護を図るとともに運動が無秩序に行われるのを規制するために公職選挙法では、期間・施設・文書・図書・演説会などにつき制限を規定している。主なものとしては戸別訪問の禁止、事前運動の禁止、有権者への飲食物提供の禁止、署名運動の禁止などがある。

◆政党政治

　国会（両議院）は、全国民を代表する議員で組織されるが、この場合に共通の主義・主張を持つ人々が政治権力（政権）を獲得して自らの政策を実現しようと考えるのは当然である。このようにして結成した政治団体を政党と呼び、政党が中心となって政治を行っていく政治のあり方を政党政治という。

　政党は国民の意見を集約し、政策として国政に反映する役割を担う。普通には議院内閣制下における政党政治をいい、国により二大政党制、多党制、一党制の種別がある。

◎各政党制の長所と短所

	長所	短所
二大政党（アメリカ、イギリスなど）	・政権が安定 ・世論の変化による政権交代が容易	・国民の政策選定の余地が限定
多党制（ドイツ、フランス、日本、イタリアなど）	・国民各層の意見を反映 ・連立政権による政権の弾力化と腐敗への牽制力	・政治責任の不明確性 ・少数党の離反による政治的不安定
一党制（中国など）	・政局の長期安定 ・強力な政策推進力	・政党幹部による独裁の可能性 ・官僚主義と腐敗

> **用語 マニフェスト**：政策の具体的な数値目標や手順、実施期限などを記したものであり、政党が選挙に際して投票者に発表する。わが国では2003（平成15）年の地方選挙で始まり、同年11月の総選挙で民主党がマニフェスト選挙を呼び掛けて、国政レベルでも広まった。

◆政治資金

　わが国では政治（家）とカネに関する問題は古くから存在し、国民の大きな関心事になっている。一つには企業・団体等からの献金が政治に影響力を持ち、カネと利権が結び付く腐敗政治の温床となってきたことがある。

　そこで、政治資金規正法では政治家個人への献金を禁止し、政治家自身が代表となっている資金管理団体への献金を大幅に制限することと併せて政治資金の流れを透明化するようにしている。2024（令和6）年6月には、罰則の強化策を盛り込んだ改正政治資金規正法が成立した。

　一方で政党のために政党助成法により、国庫から一定の要件を満たす政党に対して政党交付金を交付している。

社会科学：政治

重要度
★★

レッスン 06 司法権と裁判所

三権分立制における裁判所が果たす役割と組織、権限について学び、わが国で採用されている裁判員制度についても押さえておく。

◆司法権

司法とは、実質的な意味では、具体的事件に関して当事者から提起された訴訟に対し、法を適用し宣言することによってこれを裁定する国家作用である、と考えられる。そして、このような作用を本来的に営む機関が裁判所であるから、裁判所が営む司法作用を「司法」と解釈しても間違ってはいない。

現在の日本国憲法では、行政事件の裁判権を含めてすべての司法権を通常裁判所に付与し、特別裁判所の設置禁止、行政機関による終審裁判の禁止を明文で規定している（76条2項）。

このように日本国憲法では、「すべて司法権は、最高裁判所及び法律の定めるところにより設置する下級裁判所に属する」とし（76条1項）、さらに裁判官については「その良心に従い独立してその職権を行い、この憲法及び法律にのみ拘束される」として（76条3項）司法権の独立を保障している。

さらに裁判官の身分を保障するために、裁判により心身の故障のため職務を果たすことができないと決定された場合以外には、公の弾劾によらない限り罷免されず、行政機関は裁判官を懲戒処分できない（78条）。

最高裁判所には、裁判所の内部規律や司法事務処理に関する事項について、規則を定める権限（規則制定権）が認められている。

用語 **弾劾**：公務員が重大な法律上の義務違反や反社会的行為をしたとき、これを処罰すること。弾劾による罷免の裁判は、国会に設けられる弾劾裁判所により行われる。

重要ポイント 最高裁判所の裁判官については、任命後最初の衆議院議員総選挙（その後10年ごと）において国民の審査を受けることになっている。過半数の罷免票があった裁判官は罷免されることになるが、過去には例がない。

◆違憲法令審査権

法律は三権分立制下においては立法府（国会）において多数決によって制定される。しかし、多数であることは必ずしも法が正義であることを保障するものではない。そこで日本国憲法においては、一切の法律、命令、規則または処分が憲法に適合するかしないかを審査し、決定する権限「違憲法令審査権」を最高裁判所に認めている（81条）。これを、立法・行政両機関以外の国家機関に求める制度を違憲審査制と呼ぶ。

違憲審査制には大きく分けて、抽象的違憲審査制と付随的違憲審査制がある。前者は、違憲審査を専門に行う憲法裁判所が具体的事件とは関係なく、法令そのものを審査する。ドイツやイタリアなどに見られる。これに対して、後者は具体

的な事件について司法裁判所が付随的に審査するもので、アメリカに見られる制度であり、わが国もこの方式によっている。

ワン・ポイント 憲法の条文を字面通り受け取ると、違憲法令審査権は最高裁判所だけに認められているようであるが、最高裁は下級裁判所にも認められると肯定する判決をしている。

重要ポイント 違憲判決が出た法律としては、刑法における尊属殺人に対する重罰規定、民法に規定する非嫡出子に対する相続分の減額規定、女性の再婚禁止期間の規定などがある。いずれの判決もその後の国会において、刑法・民法の改正が行われている。さらに、在外国民が参加できなかった国民審査法が2022年5月の違憲判断ののち改正され、在外国民審査制度が創設された。

◆裁判所の構成

裁判所には、最高裁判所と下級裁判所がある。下級裁判所には高等裁判所、地方裁判所、家庭裁判所、簡易裁判所の4種がある。家庭裁判所は、家庭事件や少年事件の審判などを行うため特に設けられた裁判所である。最高裁判所は、長官1人、判事14人で構成される。長官は、内閣の指名に基づいて天皇が任命する。最高裁判所裁判官は内閣において自由に任免する権限があり、下級裁判所裁判官は最高裁判所の指名した者の名簿により内閣が任命する。

出題パターン

次は、日本国憲法第76条の1項と2項であるが、空所A〜Cに当てはまる語句の組み合わせとして、最も妥当なのはどれか。

1 すべて司法権は、（ A ）及び法律の定めるところにより設置する（ B ）に属する。

2 （ C ）は、これを設置することができない。行政機関は、終審として裁判を行ふことができない。

	A	B	C
(1)	司法裁判所	最高裁判所	特別裁判所
(2)	最高裁判所	下級裁判所	特別裁判所
(3)	通常裁判所	下級裁判所	簡易裁判所
(4)	最高裁判所	簡易裁判所	弾劾裁判所
(5)	司法裁判所	特別裁判所	通常裁判所

解答（2）

◆裁判の種類

裁判には、大きく分けて刑事裁判と民事裁判がある。刑事裁判は、犯罪が発生したときに公益を代表する検察官が被疑者を裁判所に起訴し、その処罰を求める裁判である。起訴の後は、被疑者から裁判の当事者である被告人になる。

民事裁判は、私人間での財産上・身上の生活関係に関する紛争を解決する裁判である。民事裁判では、裁判所に自分の権利を主張して訴えた者を原告と呼び、その相手方を被告と呼ぶ。

行政機関と私人間の紛争である行政裁判もこの民事裁判の一つとして捉えられている。ただし、適用される法律は民事訴訟法ではなく、行政事件訴訟法である。

◆三審制

わが国の裁判所においては、通常の裁判では三審制が採用されていて、最初に行われる裁判を第一審と呼び、その第一審の判決に不服で、上級の裁判所に裁判を求めることを控訴という。この第二審にも不服でさらに第三審を求めることを上告という。

簡易裁判所が第一審の場合には民事事件では地方裁判所が控訴する裁判所に、刑事事件では高等裁判所が控訴する裁判所となる。

◆**公開の原則**

　裁判官に職務の独立性が認められていても、それだけでは裁判官が国民の権利意識から離れて独善に陥るおそれがある。そこで裁判を公開して、国民の監視下に置くことにしている。裁判官の全員一致で公の秩序または善良な風俗を害するおそれがあると決した場合には、対審は、公開しないことができる。ただし、政治犯罪、出版に関する犯罪、憲法が保障する基本的人権に関する事件については、絶対に非公開にはできない。また、判決はいかなる場合でも公開される。

> **用　語**　**対審**：対立する当事者（刑事裁判では検察官と被告人・弁護人）が法廷に出頭し、裁判官の面前でそれぞれの主張を述べること。

◆**一事不再理**

　ある刑事事件の裁判について、確定した判決がある場合には、その事件について再度、実体審理をすることは許さないとする刑事訴訟法上の原則を、一事不再理の原則という（憲法39条）。

◆**裁判員制度**

　18歳以上の国民の中から選ばれた裁判員が裁判官とともに刑事事件について裁判を行う制度で、2009（平成21）年に施行された。国民の司法参加により市民が持つ日常感覚や常識といったものを裁判に反映する一方で、司法に対する国民の理解の増進とその信頼の向上を図ることが目的とされている。

　裁判員制度が採用される事件は、地方裁判所で行われる刑事裁判（第一審）のうち殺人罪、傷害致死罪、強盗致死傷罪、現住建造物等放火罪、身代金目的略取等罪など一定の重大な犯罪についての裁判である。裁判は、原則として裁判員6名、

裁判官3名の合議体で行われる。

> **重要ポイント**　裁判員は審理に参加して裁判官とともに証拠調べを行い、有罪か無罪かの判断と、有罪の場合の量刑の判断を行う。証人や被告人に質問できる。

　裁判員は、衆議院議員選挙の18歳以上の選挙人名簿から無作為に裁判員候補者が選ばれ、この中から事件ごとに裁判員が原則として6名選任される。やむを得ない理由で裁判員の職務ができない人などを除き、選任された人は辞退できないことになっている。

> 🏀 **出題パターン**
>
> 　わが国の裁判員制度に関する記述として、妥当なのはどれか。
> (1) 裁判員制度は、18歳以上の日本国民から選ばれた裁判員が裁判官とともに、殺人等の重大な刑事事件の第一審の裁判に参加する制度であり、2009年5月から実施されている。
> (2) 裁判員は、選挙人名簿をもとに作成される裁判員候補者名簿から、一つの事件ごとに住民の投票によって選ばれる。
> (3) 裁判員は、裁判官とともに刑事事件の審理に出席するが、証拠の取調べや、被告人に対する質問を行うことはできない。
> (4) 裁判員は、証拠をすべて調べた後、事実を認定するが、被告人が有罪か無罪か、有罪である場合は、どんな刑罰を科すべきかについては、裁判官だけで決定する。
> (5) 裁判員は、法的な知識が求められており、裁判員に選任された場合、正当な理由がなくても自由に辞退することができる。
>
> **解答（1）**

国際政治と外交

国際社会における国際法、国際平和機構について学習する。また、戦後日本の外交政策の動きと主な出来事を押さえておくことも重要である。

◆**国際政治**

国際政治の歴史は、三十年戦争を終結させた講和条約である1648年のウェストファリア条約を契機に成立したといわれる。この講和会議は史上初の国際会議といわれるものであって、この条約の秩序は国際政治の秩序を成立させるに十分な内容を持っていた。

◆**国際法**

国際法は、国家と国家の間で、合意に基づいて権利・義務を定めたものである。不文の「国際慣習法」と成文国際法としての「条約」とに分けられる。

16世紀から17世紀のヨーロッパにおける宗教戦争の混乱を経て、オランダの法学者グロティウスは、『戦争と平和の法』（1625年刊）を書き、国際法を提唱し国際慣習法の体系化に努めた。このことから、彼は国際法の父と呼ばれる。以後、各国とも成文法としての条約に取り組み、国家間の合意による紛争解決を図っていくようになった。

◆**国際連盟、国際司法裁判所、国際連合**

第一次世界大戦終了後にアメリカのウィルソン大統領の提唱で国際平和機構として国際連盟が生まれ（1920年）、1922年には国際連盟における国際司法機関として常設国際司法裁判所が登場した（オランダ・ハーグ）。この常設国際司法裁判所は国際社会における本格的な常設の司法裁判所であり、国境問題、漁業の管轄権などの国際紛争の解決に当

たった。

しかし、国際連盟は第二次世界大戦を防ぎ得ず、常設国際司法裁判所も国際連盟とともに消滅した。第二次世界大戦後、国際連盟に代わって設立された国際平和機構が現在の国際連合（国連）（ニューヨーク）である。

◆**国際連合（国連）の組織**

国連の目的は、集団的安全保障方式による国際協調と人権の保障である。国際連盟では議決は全会一致を原則としていたが、国際連合では多数決制を採り、また、軍事的制裁手段を認めなかった（経済的制裁のみ）国際連盟に対して、国際連合では認めるなど、国際連盟の反省に立っての改革が行われた。

国連の組織は、国連憲章により組織化されており、6つの主要機関（総会、安全保障理事会、経済社会理事会、信託統治理事会（1994年以降作業停止中）、国際司法裁判所、事務局）と委員会、専門機関を持つ。中心的な役割を果たす機関が常任理事国（5か国）と非常任理事国（任期2年の10か国）で構成される安全保障理事会である。常任理事国は第二次世界大戦の戦勝国であるアメリカ、イギリス、フランス、ロシア、中国であり、手続事項以外の評決で拒否権を持つ（大国一致の原則）。

専門機関としては、世界保健機関（WHO）、国際労働機関（ILO）、国際通貨基金（IMF）などがある。

出題パターン

国際連合に関する記述として、妥当なのはどれか。

(1) 国際連合は 1945 年に設立され、その本部は設立当初から現在までスイスのジュネーヴに置かれている。
(2) 加盟国数は、新たに独立国の加盟などにより 2000 年代まで増加を続けて 200 か国を超えていたが、その後減少し、2024 年現在では 170 か国を下回っている。
(3) 安全保障理事会の常任理事国には、そのうちの 1 か国でも反対すると決議が成立しないという拒否権が認められている。
(4) 設立から 50 年を経過した 1995 年には、主として開発途上国からの要求を受け組織改革が行われ、その結果日本はドイツ、ブラジルとともに常任理事国入りした。
(5) 事務総長は、これまで欧米及びアフリカ諸国から選出されており、アジア諸国から選出されたことはない。

解答（3）

◆国際会議

わが国が参加する主なものとして次のものがある。

①主要国首脳会議（サミット）

7 か国（G7。日本・アメリカ・イギリス・フランス・ドイツ・カナダ・イタリア）の首脳と欧州理事会議長、欧州委員会委員長が参加して開催される国際会議。1975 年より毎年 1 回、参加国の輪番制で開催地を決定し、開催している。議題は経済、政治・外交など多様である。

また、G7 に新興国の首脳などを加えた G20 による会合が、リーマンショックを機に 2008 年より開催されている。

②アジア太平洋経済協力（APEC）

日本、アメリカ、オーストラリア、東南アジア諸国連合（ASEAN）のうち 7 か国、中国、韓国など 21 の国と地域が参加する経済協力の枠組みである。

◆わが国の主な戦後外交

◎戦後のわが国の外交に関する出来事

年	出来事
1950 年	警察予備隊発足
1951 年	サンフランシスコ平和会議（日米安全保障条約締結）
1954 年	防衛庁設置、自衛隊発足
1956 年	日ソ共同宣言調印（10 月）、国連加盟（12 月）
1958 年	国連の非常任理事国に初選出
1960 年	日米新安全保障条約調印
1965 年	日韓基本条約調印
1967 年	武器輸出三原則表明（佐藤首相）
1970 年	核拡散防止条約調印
1972 年	沖縄復帰
1975 年	第 1 回先進国首脳会議参加
1978 年	日中平和友好条約調印
1979 年	東京サミット開催
1991 年	湾岸戦争後、ペルシア湾に自衛隊の海外派遣
1992 年	PKO 協力法成立
2001 年	テロ対策特別措置法成立
2003 年	自衛隊イラク派遣
2015 年	安全保障関連法成立
2019 年	G20 大阪サミット開催
2023 年	G7 広島サミット開催

> **用語　安全保障関連法：** 改正自衛隊法や改正国際平和協力法など、10 の改正法をまとめた平和安全法制整備法と、新たに制定された国際平和支援法から成り、これにより集団的自衛権の行使が合法化された。

重要度
★★

レッスン **08**

外国の政治制度

主要国の政治制度について、議院内閣制と大統領制の違いなど、わが国の政治制度と対比しつつその特色を学習する。特に、大統領、首相、内閣、国会のそれぞれの関係は重要事項である。

◆アメリカ合衆国の政治制度

アメリカの大統領は、形式的には間接選挙であり、国民が大統領選挙人を選出し、その選挙人が大統領および副大統領をペアで選出する選挙制度で選任される。任期は1期4年である（3選禁止）。

その政治体制の特色は、立法府と行政府が完全に分離した大統領制を採ることにある。すなわち、行政権は国家元首である大統領にあり、軍の統帥権、各省長官・大公使・連邦最高裁判所判事の任命権、条約の締結権、連邦議会への教書送付権を持つ。

一方、大統領には議案の提出権も予算提出権もなく、大統領は教書を通じて立法措置の勧告・要請を行うだけである。大統領は連邦議会を解散する権限を持たない一方で、連邦議会に責任を負わないため議会から不信任決議を受けることはない。議会が大統領を罷免できるのは、大統領に非行があった場合の弾劾決議だけである。大統領は、議会が可決した法律案への署名を拒否して、議会に送り返せる法案拒否権を持っているが、大統領が拒否権を使っても、両院が出席議員の3分の2以上の多数で再議決すれば、法律案は成立する。

用語 元首： 一定の主権を持った一国の代表者をいう。イギリスの国王は象徴であるが、同時に代表的権限も有するから元首でもある。

アメリカ連邦議会は上院と下院の二院で構成され、議案の提出権は議員だけが持つ。どちらも解散はない。立法上の権限は両院対等であるが、高官の任命や条約締結の同意権は上院にある。予算の先議権と連邦官吏の弾劾発議権は下院が持つ。任期は、下院議員が2年、上院議員が6年である。

ワン・ポイント アメリカの政治制度に似た制度を持つ国に、ブラジルやメキシコなどの中南米諸国、韓国、インドネシア、フィリピンなどがある。

◆イギリスの政治制度

イギリスの政治制度は議院内閣制である。行政権は内閣に、立法権は国会にある。内閣は下院の信任の上に立ち、下院が不信任案を可決した場合、内閣は総辞職するか、下院を解散する。

首相は下院の第一党の党首が国王により任命されるのが慣例になっている。日本のように総選挙後の首班指名投票は行われない。首相と国務大臣はすべて国会議員から選出する。国務大臣は首相が任命する。法案提出権は内閣にもある。

用語 影の内閣： イギリス議会では、野党第一党の党首が影の首相に就任し、党所属国会議員から影の閣僚を任命して影の内閣を組織する。目的は、次の政権を取ったときの準備と現政権の監視にあるといわれる。

上院（貴族院）と下院（庶民院）の二院制を採用しているが、下院の優越が確立しており、予算などの重要法案は下院さえ通過すれば、国王の裁可を得て成立する。

上院議員は貴族と聖職者の非民選議員で構成され、その任期は終身である。下院議員は全員、小選挙区から選出され、任期は5年である。

ワン・ポイント　イギリスの政治制度に似た政治制度は、わが国以外にもカナダ、オーストラリアなどで採用されている。

◆その他の国の政治制度

共和国では多くの国は大統領制を採用しているが、国により違いがある。

フランスも大統領制を採用していて、大統領は国民から直接選挙され、任期は2期まで（10年）に制限されている。大統領は強力な権限を持ち、大統領から任命された**首相**が内閣を構成し、元首である大統領と議会に対して責任を負う。大統領は議会（国民議会）を解散できる権限を持つが、議会は内閣に対して**不信任決議権**を持つだけである（半大統領制）。

議会は、元老院（上院）と国民議会（下院）で構成される。元老院議員は県選出代議士・県会議員・市町村会議員で構成される選挙人団による間接選挙で選出され、任期は6年である。

国民議会議員は、国民の直接投票により選出され、任期は5年で解散がある。

ワン・ポイント　同様の政治制度を採用している国に、ロシア、ルーマニアなどがある。

中国（中華人民共和国）は、一党（中国共産党）下にある民主集中制を採用している。

国家の最高権力機関は全国人民代表大会（全人代）で、立法機関であると同時に中国における最高の国家権力機関でもある。地方人民代表大会の間接選挙により選出された代表と在外中国人から選ばれた代表とで構成され、任期は5年。会期は2週間ほどで毎年1回開催される。

用語　**民主集中制**：民主制と中央集権制を折衷・統一した制度で、実際の内容は国や時期によって異なる。

ドイツにも大統領が存在するが、日本の天皇に近い儀礼的な存在である。大統領は連邦会議により選出され、大統領が連邦議会で選出された首相を任命する仕組みになっている。権限は首相が持ち、実質的には議院内閣制といってもよい。イタリアやインドにも大統領は存在するが、首相が実権を持っていて、ドイツ型の議院内閣制である。

出題パターン

イギリスの政治機構についての記述として、最も妥当なのはどれか。
(1) 議会は、貴族や聖職者からなる上院と、国民による直接選挙によって選出される任期5年の下院から構成され、上院が優越する。
(2) 野党は「影の内閣」を組織し、議会での論戦を通して次の選挙での政権奪還の準備をする。
(3) 裁判所は、違憲法令審査権を持つ。
(4) 議会は内閣に対し、不信任決議を行うことができず、内閣は、議会を解散することができない。
(5) 大選挙区制を採用しており、国民は二大政党の間で選択を行うことによって政治に影響を与えてきた。

解答（2）

重要度
★★

レッスン
01

経済思想と市場機構

経済思想が、どのような歴史的出来事があり、また、どのような理論が生まれたことで構築されていったのかを学習する。さらに、市場に関するメカニズム、市場価格、弊害などを知り、理解を深めていく。

◆経済思想の系譜

経済思想とは、経済という側面において、人間の生き方や生活を探る一つの指針となるものである。経済思想には、倫理や哲学をはじめさまざまな要素が含まれる。

（1）重商主義

重商主義とは、絶対主義の時代に提唱された殖産興業論（生産物を増やし、産業を盛んにする）である。貨幣（金銀）を唯一の富とみなし、その蓄積のために保護貿易・産業の保護育成が図られた。

（2）重農主義

重農主義は、農業のみを富の源泉とみなすもので、重商主義により疲弊していた農業の重要性とその救済を訴えた。重農主義における剰余価値の概念や経済循環の考え方は、後の古典派経済学やマルクス経済学派に影響を与えた。

（3）古典派経済学（イギリス古典学派）

産業革命期、イギリスの経済学者であるアダム・スミスは、富の源泉を人間の労働と考え（労働価値説）、商品の価値をその生産に費やされた労働量に置き換え、そこから市場におけるプライス・メカニズム（価格機構）を想定した。そして、個人の経済活動を自然のまま、自由に放任しておくこと（自由放任主義：レッセ・フェール）が、富を拡大していく道であると説いた。

市場における競争が経済秩序を破壊するおそれがあるという批判に対しては、「市場の自動調節機能」という「見えざる手」によって、価格はおのずと調整されると考えた。

 ワン・ポイント　古典派経済学における代表的な学者による著書には、アダム・スミス『国富論（諸国民の富）』（1776年刊）、リカード『経済学および課税の原理』（1817年刊）、マルサス『人口論』（1798年刊）、J.S.ミル『経済学原理』（1848年刊）が挙げられる。

（4）マルクス経済学

産業資本から独占資本への移行期、マルクスは労働価値説を基礎に剰余価値（生きるのに必要な労働を超えた労働（剰余労働）を対象とした価値）概念を導入して、資本主義経済の諸法則を体系的に解明した。そして、失業や恐慌などの矛盾を解決できない資本主義社会が崩壊し、社会主義へ移行せざるをえない必然性を主張した。それまでの社会主義思想と対比して、自身の思想を「科学的社会主義」と名付けた。

用　語　**社会主義思想**：社会が財産や生産手法を管理し、平等な社会を実現しようとする思想。
科学的社会主義：歴史上の出来事や社会構造を分析しながら、社会主義の必要性を科学的に求める思想。

＋アルファ　マルクス経済学における代表的な学者による著書には、マルクス『資本論』（1867年刊）、レーニン『帝国主義論』（1917年刊）が挙げられる。

◆近代経済学

近代経済学とは、おおよそ1870年代以降において、マルクス経済学を除いた経済学のことをいう。

（1）新古典派経済学

新古典派経済学は、古典派経済学の考えを引き継ぎ、さらに発展させた経済学である。

経済行動の決定が、最後に投下される単位量によってなされるという考え方、いわゆる「限界効用概念」に基づく経済学体系が作り出された。

なお、経済主体の行動決定を研究対象とする経済学を、後にミクロ経済学と呼ぶことになる。

（2）ケインズ経済学

イギリスの経済学者であるジョン・メイナード・ケインズが提唱した経済学を、ケインズ経済学という。

ケインズ経済学と、それまでの主流であった古典派経済学との違いは、非自発的失業（働くことを望んでいても就業できず、失業の状態にあること）が含まれたままでも、市場の均衡が成立することを明らかにしたことである。このことを、有効需要の原理（国民所得＝消費＋投資）といい、完全雇用を実現するためには、政府が有効需要（投資または消費）を創出して、完全雇用を実現する水準まで国民所得を増大させる必要があるとした。

その意味で、有効需要の原理は、大恐慌後の世界に、政府が行う財政支出の役割を支持する理論的な根拠を提示した。

このように、国全体の失業率・経済成長・物価などを研究対象とする経済学を、後にマクロ経済学と呼ぶことになる。

＋アルファ　これらのほかに、独自の経済学体系を築き上げた学者としては、企業家の行う不断のイノベーション（技術革新）が経済を変動させるという理論を構築したシュンペーターが挙げられる。シュンペーターの代表的な著作には、『経済発展の理論』（1912年刊）が挙げられる。

（3）新自由主義（マネタリズム）

新自由主義においては、経済は市場を通じて調整されるため、政策当局が裁量的な政策介入を行うことは意味がなく、貨幣供給はルールに基づいて行うべきだと主張した。

また、貨幣供給量の変動が、短期における実質経済成長と長期におけるインフレーションに対して、決定的に重要な影響を与えることを指摘し、オイルショック後の巨額の財政赤字とスタグフレーションの克服策を示した。

この理論が米国のレーガン政権や英国のサッチャー政権の経済政策に取り込まれ、大幅な減税と福祉・公共サービスの縮小、大幅な規制緩和が実施された。

用語　**オイルショック：**原油価格の高騰によって社会的混乱が生じたことをいう。1973年に第一次オイルショックが、1979年に第二次オイルショックが起こり、失業、インフレ、貿易収支の悪化などが引き起こされた。
インフレーション：インフレともいい、これは、モノの値段が全体的に上がり続け、相対的に貨幣の価値が下がることをいう。

なお、インフレーションに対する現象として、デフレーションがある。デフレーションはデフレともいい、インフレとは逆に、モノの値段が全体的に下がり、相対的に貨幣の価値が上がることをいう。

・インフレ

⑳１年後に物価が２％上昇した場合、100万円の車は102万円出さないと購入できない。

・デフレ

⑳１年後に物価が２％下落した場合、100万円の車が98万円で購入できる。

◆市場機構

（1）市場価格の決定

自由競争市場では、需要供給の法則により、価格は需要と供給の関係で決まる。この価格を均衡価格といい、市場価格は均衡価格に近づき一致する。各経済主体間では、市場価格を目安に取引が行われる。

具体的には、ある財やサービスに対する需要が供給を上回ると、価格が上昇する。価格の上昇は需要を減らす一方、供給を増やすので、価格は下落する。この動きは、需要と供給が一致するまで続く。

逆に、需要が供給を下回ると、価格が下落する。価格の下落は需要を増やす一方、供給を減らすので、価格は上昇する。この動きも、需要と供給が一致するまで続く。

そして、その需要と供給が一致して均衡しているときの価格を均衡価格、取引量を均衡取引量という。

このメカニズムにより、社会的に必要とされる企業や産業が発展し、不要な企業や産業は、規模が縮小する。これによって、社会全体の資源が最も効率的に配分されることになる（資源の最適配分）。

◎需要・供給と均衡価格の関係

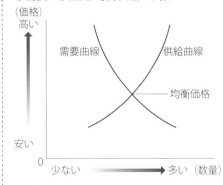

用語 **市場**：財・サービスの買い手と売り手が出会って、自由に売買を行う場のことである。商品市場、労働市場、金融市場、証券市場、外国為替市場など、さまざまな市場がある。

（2）市場の失敗

市場における自由な経済活動ばかりでは、望ましい資源の配分ができない場合がある。経済活動の費用や便益が取引当事者以外に及ぶ「外部性」が存在する場合がそれに当たる。

外部性には、プラスの外部性である外部経済と、マイナスの外部性である外部不経済の２種類がある。

外部経済を、例えば、養蜂所と果樹園の関係で説明すると、養蜂所と果樹園が隣り合っている場合、果樹園にある果物の花より、養蜂所の蜂は蜜を集めることができるため、養蜂所にとってプラスの外部効果を得ることができる。一方、果樹園においても、蜂の採蜜行動によって果樹の受粉が行われ、果樹園にとってプラスの外部効果を得ることができる。

そして、外部不経済を、例えば、騒音

などの公害を生み出す工場と、隣接する住民の関係で説明すると、住民は公害によりマイナスの外部効果を得て、工場も住民に対する対応などにかかるコストなど、マイナスの外部効果を得る。

これらのほかに市場の失敗には、道路・橋・警察・消防など社会で必要とされる公共財の供給が困難であること、独占や寡占により売買する市場が不完全であること、買い手の知りえない商品情報を売り手が持っている「情報の非対称性」の存在、新規参入が困難な電力会社などの費用逓減産業の存在などが挙げられる。

用語　費用逓減産業：逓減とは、数量が次第に減ることを意味する。このことより、費用逓減産業とは、生産量が増加するほど、平均費用が減少する産業のことをいう。

(3) 市場の失敗の是正

市場の失敗を是正するためには、政府の経済的役割が重要になってくる。その一つとして、独占・寡占市場に対する独占禁止法による対処が挙げられる。

外部不経済に対しては、公害規制や汚染者負担の原則など、環境保全政策が必要となる。

さらに、公共財の不足については、政府による財の供給増加が必要であり、情報の非対称性に関しては、情報開示や消費者保護立法などの措置が必要となる。

そして、新規参入が困難で、特定の複数の企業が市場を独占する状態となる寡占市場が生まれることも問題となっている。

用語　寡占市場：競争が激化して企業が規模の拡大を図ると、一部の大企業に生産が集中することになる。このようになると、少数の大企業が市場の大部分を支配する状態になり、市場における価格の自動調節機能は十分に機能しなくなる。このような市場を寡占市場という。

寡占市場においては、有力企業がプライス・リーダー（価格先導者）として一定の利潤が出る価格を設定する管理価格が形成されやすい。

価格競争が弱まると、価格以外での競争（広告・宣伝、デザインなどの非価格競争）が激しくなり、その費用が価格に上乗せされて、消費者に販売される。たとえ需要が減少して、生産コストが下がっても、価格が下がりにくくなる価格の下方硬直性が見られるようになる。

出題パターン

市場の失敗のうち外部不経済の例として、最も妥当なのはどれか。
A　養蜂場と果樹園が隣接し、養蜂場のミツバチが果樹園の受粉を助けている。
B　鉄道会社により駅が新設され、駅前の商店街がにぎわうようになった。
C　自動車の排気ガスが道路周辺の住民の健康に害を及ぼしている。
D　川上の工場から河川に流れ出た汚水が川下の企業に悪影響を与えている。
E　市が新たに整備した公園は無料で、市内外の多くの人が利用している。
(1) A、B
(2) A、D、E
(3) B、E
(4) C、D
(5) C、D、E

解答（4）

レッスン 02 経済主体と財政・金融

生産の主体が企業、消費の主体が家計、財政の主体が政府であることを理解し、各経済主体の役割について学習する。また、財政と金融について理解を深め、経済全体に対する影響を学習する。

◆経済主体

経済においては、生産の主体を企業、消費の主体を家計、財政の主体を政府として考えることができる。

◆企業

企業は誰が出資するかによって、公企業・私企業・公私混合企業に分類される。

私企業は利潤の追求を目的として、私人が出資・経営する企業である。私企業の中で代表的なものが、会社企業と呼ばれるもので、2005（平成17）年に制定された会社法によって、株式会社、合資会社、合名会社、合同会社の4種類が定められている。

株式会社においては、出資者である株主は出資をする義務を負うが、会社債権者には直接義務を負わない（間接有限責任）。なお、株主総会における議決権の行使は、所有する株式数に応じて、行使することになる。

＋アルファ 株式会社に関連して、従来、会社債権者を保護するために、設立時の資本金の下限が定められていたが、会社法においては、この定めが撤廃された。

◆企業の社会的責任（CSR）

私企業は、利潤を追求する目的があるが、活動が社会へ与える影響に責任をもち、あらゆるステークホルダー（消費者や投資家などの利害関係者）からの要求に対し適切な意思決定をする責任を負う。

そのためには、企業の不正行為の防止と競争力・収益力の向上を総合的に捉え、長期的な企業価値の増大に向けた企業経営の仕組みであるコーポレートガバナンス（企業統治）の確立と、公正・適切な企業活動を通じ社会貢献を行うコンプライアンス（法令遵守）が強化される必要がある。

ワン・ポイント 企業の社会的貢献活動には、企業が文化・芸術活動を支援するメセナや企業による公益活動であるフィランソロピーが挙げられる。いずれも、企業の長期的なイメージアップやブランドイメージの向上に役立つと考えられる。

◆企業形態

企業は、事業の目的、規模、出資者などによって、さまざまな形態に分類できる。

◎独占形態

カルテル（企業連合）	同一産業内の各企業が、価格・生産量・販売地域などについて協定を結ぶことをいう
トラスト（企業合同）	同一産業内の各企業が競争を排除し、1つの企業として合併したものをいう
コンツェルン（企業連携）	大企業が中心となりさまざまな産業分野を、株式所有・融資などの方法を通して、支配・結合している企業形態をいう。金融機関かそれに相当する企業の持株会社が多種多様な産業を支配した状態を示す

◎企業形態

コングロマリット（複合企業）	巨大企業が異種産業の企業を吸収または合併し、経営の多角化を進めていく企業形態のことをいう
多国籍企業	多数の国々に支店や子会社などの関連会社をもつ企業のことをいう。多国籍企業の中には、租税回避地（タックスヘイブン）を利用して利益を圧縮し、租税負担を軽減する企業もある

◆家計

　家計の支出は、税・社会保険料などの義務として支払う非消費支出、食料費、住居費（家賃）、教育費などの消費支出、銀行預金などの貯蓄に分けられる。

　家計の消費支出のうち、食料費の占める割合を示すエンゲル係数が低いほど、生活水準が高い傾向がある。日本の場合、2023（令和5）年の2人以上世帯では27.8％となっており、前年より1.2ポイント上昇した。

◆消費性向

　消費性向とは、給与やボーナスなどの個人所得から、支払い義務のある税金や社会保険料などを差し引いた残りの可処分所得のうち、消費に充てる割合を示す。

　日本の場合、2人以上世帯（勤労者世帯）で見てみると、2023（令和5）年は64.4％であった。前年から0.4ポイントの上昇となった。

> **用語　平均消費性向と限界消費性向：**
> 可処分所得に占める消費支出の割合を平均消費性向、所得の増加分のうち消費の増加分に回す割合を限界消費性向と呼ぶ。

◆政府

　政府は、国や地方公共団体が、税の徴収や公共サービスの提供などを通して、経済活動全体が円滑に進むようにする役割を担っている。

◎企業、家計、政府の関係

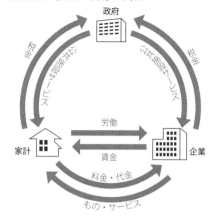

◆財政

　財政の機能には、経済の安定化機能、所得再分配の機能、資源配分の機能がある。

（1）経済の安定化機能

　景気の変動は資本主義社会において避けられないが、変動の波をできるだけ小さくして、経済を安定化させることが望ましいと考えられる。

　そのための経済の安定化機能には、補整的財政政策（フィスカル・ポリシー）と財政の自動安定化装置（ビルト・イン・スタビライザー）がある。

　補整的財政政策は、景気の動向を見て、政府が税の増減と財政支出の増減により景気を調整する政策である。これに対し、自動安定化装置は、あらかじめ財政の中に組み込まれている累進課税制度・社会保障制度により、景気の波を自動的に調整する政策となる。

　したがって、意図的に景気を安定させようとする補整的財政政策に比べて、自動安定化装置はタイム・ラグが少ないというメリットがある。

（2）所得再分配の機能

　所得再分配の機能は、市場機構を通じ

てなされる所得分配では、著しい格差が生じる可能性があると考え、そのために、財政がその格差を是正し、社会全体の公平を図る役割を担う。

（3）資源配分の機能

資源配分の機能は、市場機構を通しては満足に配分されない資源（道路・橋・警察・消防などの公共的な財・サービス）は、財政が公共財を供給し、資源の偏在を適切な形にしていく役割を担う。

◆租税の種類

税は、徴税主体の違いによって国税と地方税、性質の違いによって直接税と間接税に分けられる。

◆直接税と間接税の違い

直接税と間接税の違いは、納税者と税負担者が同一かどうかで判断される。同一ならば直接税であり、同一でなければ間接税である。

間接税ならば、製品やサービスに課せられた税金分を他に転嫁できるという特徴がある。さらに、間接税は広く浅く課税されることによって、誰もが負担することができる（水平的公平）。

これに対し直接税は、累進課税制をとることにより、経済上の負担能力の大きい者ほど税負担が重くなる(垂直的公平)。

間接税が生活必需品に課せられると、低所得者ほど負担割合が大きくなり（逆進課税）、直接税は高い累進税率が勤労意欲を低下させることにつながる。

用 語 **累進課税制度：**金額が増えると、税率が高くなる税。所得税、贈与税、相続税などがある。

戦前から戦後の一時期、日本の国税は間接税主体であったが、1949年のシャウプ勧告以来、直接税中心の税体系となり、この税体系が貧富の差の少ない社会

を実現してきた。

しかし、少子高齢化に伴い生産年齢人口（満15歳以上65歳未満）の割合が減り、その所得に頼る税体系では高齢化に対応できなくなってきた。そこで、直間比率の見直しが進められてきた。

◆国債の発行

日本においては、建設国債の発行が原則とされ、社会資本整備などの公共事業費の財源とされる。建設国債は資産となって次世代に残るため、財政法でその発行が認められている。

一方、特例国債（赤字国債）は一般会計予算の赤字を補うためのもので、次世代に負担のみを残す。特例国債は原則として財政法で禁止されており、特例国債の発行は、財政法上では認められていないため、発行には特別の立法（特例法）が必要とされる。

特例国債は1965（昭和40）年度の補正予算で戦後初めて発行され、また1975（昭和50）年にはその発行を認める1年限りの特例公債法が制定されて以来、1990（平成2）年度から1993（平成5）年度を除き、毎年度発行されている。その結果、2024（令和6）年3月末時点で、国の借金は約1297兆円で過去最大となっている。なお、国債にはこれらのほかに復興債、借換債などがある。

◎普通国債の種類と主な特徴

名称	発行目的
建設国債	公共事業の財源を調達
赤字国債	歳入が不足する場合、公共事業費以外の資金を確保
年金特例国債	基礎年金に係る費用の財源を確保するまでのつなぎに充てる
復興債	東日本大震災の復興費用の財源に充てる
借換債	国債の償還費の一部を借り換える資金として調達

◆金融

　金融とは、経済主体間で資金の貸借を行うことをいう。

◎企業の資金調達の方法

内部（自己）金融	企業が資金を企業内部で調達すること。内部留保と減価償却による資金を源泉とする
外部金融	企業が資金を外部から調達する。株式、社債の発行、金融機関からの借り入れなど。大きく直接金融と間接金融に分けられる
直接金融	企業が株式や社債を発行して、投資家から直接資金を調達すること
間接金融	企業が必要な資金を金融機関から調達すること

◆日本銀行（日銀）の役割

　日本銀行は日本の中央銀行であり、通貨の発行を行うことができる。

　日銀の主な業務（三大業務）には、紙幣の発行を行う「発券銀行」、金融機関からの預金受け入れや手形の再割引、市中金融機関への貸し付けを行う「銀行の銀行」、国庫金の出納・保管や政府への貸し付けを行う「政府の銀行」がある。

◆日銀の金融政策の手段

　日銀の金融政策には、日銀が市中銀行に対して債券の売買を通して、出回っている通貨の流通量を調節する「公開市場操作（オペレーション）」がある。これには、国債等の債券を売却して、出回っている通貨を回収するもので、景気が過熱してインフレのときに有効な「売りオペ」、国債等の債券を市中銀行から買って、出回るお金の量を増やすもので、不況でデフレのときに有効な「買いオペ」などがある。

> **＋アルファ**　金融機関全体から、経済全体に通貨がどの程度供給されているかを見るために利用される指標で、民間部門（金融機関と中央政府は除く）の保有する通貨量残高を集計したものをマネーストックという。

出題パターン

　日本銀行の「銀行の銀行」としての機能に関する記述として、最も妥当なのはどれか。
(1) 市中金融機関に資金を融通すること。
(2) 銀行券を独占的に発行できること。
(3) 国庫金の出納や政府への貸し出しを行うこと。
(4) 日本で唯一、金の保有量に基づいて通貨を発行すること。
(5) 景気の変動を緩和し、物価の安定を図ること。

解答（1）

◎中央銀行の3つの機能

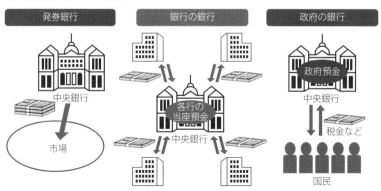

発券銀行	銀行の銀行	政府の銀行
中央銀行 / 市場	各行の当座預金 / 中央銀行	政府預金 / 中央銀行 / 税金など / 国民

重要度

レッスン03 国民経済計算と経済指標

 国民所得の諸概念と経済成長について学習する。経済に関する用語や、その数値を導くための計算式は、必ず押さえること。また、重要な経済指標とその意義についても学習する。

◆国民経済計算

国民経済計算とは、一国の経済の状況について、生産・消費・投資といったフロー面や、資産・負債といったストック面を体系的に記録したものである。

> **用語 フロー：**一定期間（1年間）における生産量や消費量などの貨幣の流れを示す概念。
> **ストック：**一定時点（年末）における資産・負債の量（残高）を示す概念。毎年のフローの蓄積が、ストックを形成していくという関係にある。

◆国民所得の諸概念

（1）GDP（国内総生産）

GDP（国内総生産）は、国内で1年間に新たに生産された財やサービスの付加価値の合計である。国内の経済活動の規模を示すもので、経済成長測定の尺度としても利用されている。

> GDP（国内総生産）＝
> 　1年間の国内総産出額－中間生産物の総額

中間生産物を控除するのは、二重計算を避けるためである。

> **＋アルファ** 日本のGDPの約50%は、個人消費（個々の家計の消費）で占められている。個人消費の動向は、経済全体に大きな影響を及ぼしている。

（2）GNI（国民総所得）

GNI（国民総所得）は、GDP（国内総生産）に海外からの純所得を加えたもの
である。

> GNI（国民総所得）＝
> 　GDP（国内総生産）＋海外からの純所得

> **用語 国民所得の三面等価の原則：**国民に分配される所得GNI（国民総所得）は、生産面のGNP（国民総生産）と支出面のGNE（国民総支出）に等しい。

（3）NNP（国民純生産）

NNP（国民純生産）は、GNP（国民総生産）から固定資本減耗を控除したものである。

> NNP（国民純生産）＝
> 　GNP（国民総生産）－固定資本減耗

固定資本減耗を差し引いたのは、機械や建物などの固定資本は、生産活動を行えば、擦り減っていくからである。

（4）NI（国民所得）

NI（国民所得）は、一国において一定期間（1年間）に新たに生み出された付加価値の総額であり、狭義（狭い意味）の国民所得である。

> NI（国民所得）＝
> 　NNP（国民純生産）－間接税＋補助金

間接税を控除したのは、間接税が生産物の価格を押し上げているからであり、補助金を加えたのは、補助金を使った生産物はそうでない生産物よりも、価格が安く抑えられているからである。ここでも、生産国民所得・分配国民所得・支出国民所得の三面等価が成立する。

◆経済成長率

経済成長率は、国民経済の規模が、一定期間にどれだけ拡大したのかを表した割合のことをいう。一般的に、GDP（国内総生産）の年間増加率で表している。

名目経済成長率（％）＝

$$\frac{\text{ある年の GDP} - \text{基準年の GDP}}{\text{基準年の GDP}} \times 100$$

◆実質経済成長率

実質経済成長率は、四半期ごとに集計される国民所得統計で求める。日本の経済拡張の度合いを示すもので、景気の動向を判断する基準の一つとして用いる。

> **用語** **名目値と実質値：**名目値とは、実際に市場で取引されている価格に基づいて推計された値であり、実質値とは、ある年（参照年）からの物価の上昇・下落分を取り除いた値のことをいう。

◆その他重要な経済指標

（1）完全失業率

労働力人口（就業者と完全失業者の合計）に占める完全失業者の割合をいう。景気の動向と企業がどの程度の人員を雇用するゆとりがあるかを示している。

（2）消費者物価指数（CPI）

消費者の段階での財・サービス価格の総合的な水準を示すものをいう。ある年の物価を 100 として、指数化された数値が用いられる。一般的に用いられるのは、天候などの影響を受けやすい生鮮品を除いたコア CPI である。

（3）鉱工業生産指数

生産業に従事する企業のある月の生産量が、前年同月に比べてどれだけ増減したかで表される。生産量の変動は、景気の動きを示す指針である。

（4）日銀短観

日本銀行が年に 4 回行う企業へのアンケート調査結果をまとめた、全国企業短期経済観測調査の通称である。経営者の景況判断を知ることができる。

（5）ダウ平均株価

アメリカの経済関連の通信社であるダウ・ジョーンズ社が、アメリカのさまざまな業種の代表的な株銘柄を選び出し、平均株価をリアルタイムで公表する株価平均型株価指数のことを指す。

（6）日経平均株価

日本の株式市場の代表的な株価指標の一つである。東京証券取引所（東証）プライム市場に上場する約 2000 銘柄の株式のうち 225 銘柄を対象にし、ダウ式と同様にして株価指数を導いている。

（7）TOPIX（東証株価指数）

東証上場株の時価総額の合計を終値ベースで評価し、基準日（1968 年 1 月 4 日）の時価総額を 100 として、新規上場・上場廃止などにより修正され、指数化したもの。2025 年 1 月にかけての構成銘柄の見直しが、2022 年 10 月に始まっている。

出題パターン

経済指標に関する記述として、最も妥当なのはどれか。
(1) フローの概念の代表例である国富は、資産の残高であり、実物資産と対外純資産で構成される。
(2) 三面等価の原則とは、政府・家計・企業からみた国民所得の大きさが一致することである。
(3) GNI が生産面からみた指標であるのに対し、GNP は分配面からみた指標である。
(4) 名目経済成長率とは、実質経済成長率から物価上昇率を差し引いたものである。
(5) 実質 GDP は、名目 GDP を GDP デフレーターで割ることにより算出される。

解答（5）

重要度
★★★

レッスン
04 **国際経済総合**

国際経済として、外国為替相場の変動と国内経済に与える影響、国際通貨体制と貿易体制の推移、EUを中心とした地域的経済統合などについて学習する。覚えるべきことは多いが、いずれも国際経済を知る上で基本となることである。

◆**国際収支**

国際収支とは、一定の期間における居住者と非居住者の間で行われたあらゆる対外経済取引を体系的に記録した統計である。

国際収支は大きく捉えると、経常収支・資本移転等収支・金融収支・誤差脱漏の4項目に分けられる。

◎国際収支の体系（2014年～）

経常収支	・貿易・サービス収支（貿易収支の輸出入とサービス収支の運賃・保険・特許使用料など） ・第一次所得収支（雇用者報酬・投資収益・その他第一次所得収支） ・第二次所得収支（外国への無償資金援助・国際機関の拠出金・外国人労働者の郷里送金など）
資本移転等収支	・資本移転（資本形成のための無償資金援助等） ・非金融生産資産の取得処分（鉱業権等の取引）
金融収支	直接投資、証券投資、金融派生商品、その他投資、外貨準備
誤差脱漏（統計上の不整合の処理）	誤差脱漏の値は、次の式の合計がゼロになるように決められる。 経常収支＋資本移転等収支－金融収支＋誤差脱漏＝0

ワン・ポイント 経常収支が黒字ということは、為替市場における円の価値が高くなり、円高基調となる。反対に、経常収支が赤字になれば、円の価値は低くなって、円安基調となる。

◆**外国為替相場（レート）**

為替相場は、ある国の通貨に対する市場の需給で決定する。その相場の決定に影響を与える大きな要因として、経済の基礎的条件（ファンダメンタルズ）がある。

経済の基礎的条件の代表的なものには、貿易収支、経常収支、インフレ率、生産性上昇率があるが、最近では金利水準、失業率、個人消費、鉱工業生産なども含むようになってきた。

日本の為替相場は、1949年から1971年までは固定相場制で1ドル＝360円が長く続き、円が切り上げられて1ドル＝308円に、さらに1973年以降は、現在の変動相場制に移行した。

◆**円高・円安の国内経済に与える影響**

(1) 円高・ドル安（1ドル＝200円⇨1ドル＝100円）の場合

①輸出

日本から自動車100万円（5000ドル）→アメリカへ

為替レートの変動後、日本が受け取る金額は50万円となり、50万円の損

②輸入

日本←アメリカから牛肉5000ドル（100万円）

為替レートの変動後、日本が支払う金額は50万円となり、50万円の得

(2) 円安・ドル高（1ドル＝100円⇨1ドル＝200円）の場合

①輸出

日本から自動車100万円（1万ドル）→アメリカへ

為替レートの変動後、日本が受け取る金

額は 200 万円となり、100 万円の得
②輸入
日本←アメリカから牛肉 1 万ドル（100
万円）
為替レートの変動後、日本が支払う金額
は 200 万円となり、100 万円の損

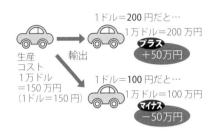

　2012 年頃までは全体的に円高基調
だったので、円高による為替差損と国内
のコスト高を回避するために、輸出関連
企業は海外に生産拠点をシフトしてき
た。そのために、国内における産業の空
洞化が進行した。

◆国際通貨体制と貿易体制

　第二次世界大戦の要因が、世界恐慌後
のブロック経済体制にあったことから、
自由貿易の拡大と安定した国際通貨制度
の確立が望まれた。

　そこで、1944 年に連合国 44 か国が
米国のニューハンプシャー州ブレトン・
ウッズに集まり、第二次世界大戦後の国
際通貨体制等に関する会議を開き、IMF
（国際通貨基金）と IBRD（国際復興開発
銀行）を創設するブレトン・ウッズ協定
を締結した。

◆ IBRD の役割

　IBRD は世界銀行とも呼ばれ、資本調
達が困難な加盟国や民間企業などに長期
的な融資を行う機関である。創設当初は
戦災を受けた国々に対する復興資金の融
資を行っていたが、現在は主に開発途上
国を対象とした財政融資を行っている。

◆ IMF の役割

　IMF の主な役割は国際金融システムの
監視である。資金の融資も行うが、融
資の対象は IBRD が行うような開発プロ
ジェクトではなく、あくまで、通貨の信
用回復のために、その国の通貨を買い上
げて外貨を供与することにある。した
がって、IMF の融資を受けるためには、
IMF がつくる経済改革を受け入れること
が前提となる。その経済改革には、国民
生活に不便を強いる内容も含まれてい
る。

　国際投機筋が一斉に資金を引き上げて
引き起こされたアジア通貨危機（1997 年）
に際しても、同様のことが行われ、各国
の民衆から反発を受ける事態になった。

◆国際通貨体制の流れ

（1）ブレトン・ウッズ体制の崩壊

　当初は、金と交換できるドルを基軸通
貨として、各国の通貨との交換比率をあ
らかじめ設定し、それを維持していく固
定為替相場制がとられていた（金・ドル
本位制）。しかし、1971 年に米国は金の
海外流失を防止するために、突如として
金とドルの交換を停止した。これをニク
ソン・ショックと呼ぶ。

（2）スミソニアン体制～変動為替相場制

　その後、10 か国蔵相会議で新体制に
ついて合意され、スミソニアン体制が出
来上がった。この体制によって、ドルの
切り下げと固定為替相場の変動幅を決め
たが、ドル売りが続いたため維持するこ
とができず、1973 年から日本を含む主
要国は変動為替相場制に移行することに
なった。

　1976 年には、ジャマイカの首都であ
るキングストンにおいてキングストン合
意が結ばれ、IMF が変動為替相場制への
移行を正式に承認した。

（3）プラザ合意～ルーブル合意

　為替レートの安定化を図るため、

1985 年に開催された G5（先進 5 か国蔵相・中央銀行総裁会議）で、ドル高是正が討議され、一連の合意が成立した（プラザ合意）。しかし、ドイツと日本がドルに対する急激な通貨高にみまわれたために、1987 年、パリのルーブル宮殿で、ドル安の歯止めを図った一連の合意が成立した（ルーブル合意）。

◎国際通貨体制の推移

1944 年	ブレトン・ウッズ協定締結
1945 年	IMF の正式発足・IBRD の事業開始
1947 年	1 オンス＝ 35 ドルで金と交換することを保証する固定相場制へ（金・ドル本位制）
1960 年代～	対外経済援助や軍事費の増大によって、米国の貿易収支が赤字になる→ドルを金に交換する動きが強まり、大量の金が米国から流出（ドル危機）
1971 年 8 月	ニクソン大統領が金とドルの交換停止を発表
1971 年 12 月	スミソニアン協定締結（固定為替相場制の調整）
1973 年	主要国は変動為替相場制に移行
1976 年	キングストン合意（変動為替相場制の正式承認）
1985 年	プラザ合意でドル高の是正
1987 年	ルーブル合意でドル安の是正

◆自由貿易体制

　ブレトン・ウッズ体制によって、貿易面での GATT（関税と貿易に関する一般協定）を定め、為替の安定・発展、途上国への援助、自由貿易の促進によって、貿易の拡大を図り、資本主義諸国の経済を発展させることを目指した。

◎自由貿易体制の推移

1947 年～61 年	第 1 回～ 5 回まで
1964 年～67 年	ケネディ・ラウンド 関税一括引き下げの実現
1973 年～79 年	東京ラウンド 関税一括引き下げと非関税障壁低減
1986 年～94 年	ウルグアイ・ラウンド 農業・サービスの自由化、知的所有権分野のルール作成、WTO の設立
2001 年～	ドーハ・ラウンド

用　語　**ラウンド**：多国間において貿易交渉を行うこと。
GATT 三原則：GATT は自由貿易を推進するために、自由（貿易制限措置の関税化及び関税率の引下げ）、無差別（最恵国待遇、内国民待遇）、多角（多国間交渉）を原則とした。その原則は、WTO にも引き継がれている。

ワン・ポイント　GATT は 1944 年のブレトン・ウッズ会議で構想されたような貿易のための常設の国際機関ではなかった。そのことが、貿易ルール規定の不明瞭な箇所と紛争処理に費やされる多大な時間などの問題を引き起こしていた。そこで、GATT の機能を強化するために、ウルグアイ・ラウンドの最終合意であるマラケシュ宣言によって、GATT を発展解消させ、国際機関として WTO（世界貿易機関）が生まれたのである。

◆地域的経済統合

　経済的に密接な関係にある複数の国が、それぞれ協力して地域的な経済圏をつくり、経済を発展させることを地域的経済統合という。

(1) ヨーロッパ
・EU（欧州連合）
　現時点（2024 年 8 月現在）での参加国はイギリスが離脱（2020 年 1 月）したため 27 か国。世界最大の共同市場である。ロシアの侵攻を受けたウクライナと周辺国であるモルドバは、2022 年 6 月に加盟候補国として認定された。

◎ EU 地域統合の歩み

1948 年	マーシャルプラン受け入れに際し、受け皿の機関として OEEC（欧州経済協力機構）が発足
1952 年	ECSC（欧州石炭鉄鋼共同体）がフランス外相ロベール・シューマンの提唱により発足
1958 年	EEC（欧州経済共同体）、EURATOM（欧州原子力共同体）の発足
1967 年	EC（欧州共同体）の発足
1968 年	EC 内で関税同盟が成立
1992 年	マーストリヒト条約が調印され、EU（欧州連合）の発足を決定
1993 年	EU の発足
1999 年	統一通貨ユーロの導入
2002 年	各国の通貨をユーロに統合（イギリス・デンマーク・スウェーデンを除く）
2009 年	リスボン条約の発効

（2）アジア
・AEC（アセアン経済共同体）

　2015 年に発足した ASEAN（東南アジア諸国連合）加盟 10 か国で構成する経済共同体。

（3）北アメリカ
・USMCA（米国・メキシコ・カナダ協定）
　NAFTA（北米自由貿易協定）に代わる

新協定。一時的に米国の自動車産業を保護するなど、管理貿易の要素が強い。

（4）南アメリカ
・MERCOSUR（南米南部共同市場）

　1995 年に発足した、域内の関税撤廃と貿易自由化を目指すために結ばれた関税同盟である。

（5）アジア太平洋地域
・APEC（アジア太平洋経済協力）

　1989 年に、オーストラリアの提唱により発足した政府間公式協議体である。環太平洋地域の経済協力の推進、貿易・投資の自由化などを図っている。

ワン・ポイント　世界的にみると、FTA（自由貿易協定）や EPA（経済連携協定）を通して地域的経済統合が進められていく傾向にあるが、近年、その中でも注目されるのが TPP（環太平洋パートナーシップ協定）である。もともとは、シンガポール・ブルネイ・チリ・ニュージーランドの 4 か国（P4）の経済連携協定として 2006 年に結ばれた。その後、日本をはじめ交渉参加国 12 か国が加わって新協定に向けた交渉が続けられたが、2017 年アメリカが離脱した。2018 年、11 か国による TPP11 協定が発効し、さらに 2024 年中にイギリスの加入議定書が発効される予定である。

◎世界の主な経済圏

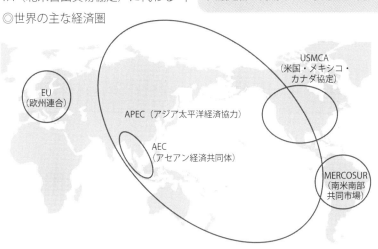

レッスン 01 少子高齢社会と社会保障

少子高齢社会の現状とその課題について、また、社会保障制度と今後の課題について学習する。これらは、今後も日本が長く抱えていくであろう課題であるため、最新の情報を自発的に確認するよう努めること。

◆少子高齢社会

　日本の 65 歳以上の人口が総人口に占める割合（高齢化率）は、1970 年の国勢調査で 7％超（高齢化社会）、1994 年の推計で 14％超（高齢社会）となった。さらに、2007 年には 21％を超える超高齢社会になったとされている。

　日本は、高齢化のスピードにおいて、世界一の少子高齢社会といえる。総務省が発表した 2023 年 10 月 1 日時点の推計人口によると、65 歳以上の人口は 3,623 万人となり、総人口に占める割合は 29.1％であり、実に 4 人に 1 人を超える人が高齢者である。このまま少子高齢化が進むとすると、2070 年には、2.6 人に 1 人が 65 歳以上、4 人に 1 人が 75 歳以上になるとされている（出生中位・死亡中位仮定）。

◆少子高齢社会の要因と課題

　日本の少子高齢化の原因は、出生数が減る一方で、平均寿命が延びて高齢者が増えているためである。この少子高齢化

◎高齢化の推移と将来推計

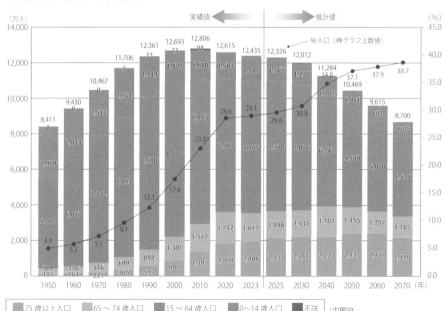

（内閣府「令和 6 年版高齢社会白書」より）

が進行していく社会の最大の課題は、どのようにして高齢者を支えていくかということである。既に高齢者を支える現役世代の人口割合は低下しており、このまま少子高齢化が進むとなると、現役世代の負担はますます重くなる。

そのように考えると、今までの働き方や社会保障のあり方などを変えていく必要に迫られている。

> **用語　高齢化社会・高齢社会・超高齢社会**：世界保健機関（WHO）や国連の定義によると、高齢化率が7％を超えた社会を「高齢化社会」、14％を超えた社会を「高齢社会」、21％を超えた社会を「超高齢社会」としている。

◆社会保障

社会保障は、国民が老齢や疾病、事故、障害などで生活に困り、苦しんでいる場合、国がその生活を保障する日本国憲法第25条の生存権に基づいて創設された社会制度である。社会保障は、大きく以下の4つの分野に分けることができる。

①社会保険

社会保険は、加入者があらかじめ将来に備えて「掛け金」を積み立て、積み立てた人が保障を受ける仕組みである。医療・年金・介護・雇用・労災（労働者災害補償保険）の5種類の保険がある。ただし、労災については、事業者が保険料を全額負担する。

> **用語　労災**：労働災害の略称であり、労働者が業務中や通勤時に、負傷する、疾病にかかる、障害が残る、死亡することなどをいう。

②公的扶助

公的扶助は、生活に困り、苦しんでいる人が、国から生活の援助を受けることができる仕組みである。生活保護法による生活保護が中心となる。公的扶助は、福祉事務所が担当している。

③社会福祉

社会福祉は、老人、児童、身体障害者、母子家庭など、社会的にハンディを背負っている弱者が支援を受ける仕組みである。

④公衆衛生

公衆衛生は、すべての国民が恩恵をうけるように、病気の予防や清潔な環境を維持する国の事業である。公衆衛生は、保健所などが担当している。

なお、社会保険のひとつに含まれる医療保険の制度には、健康保険、船員保険、共済組合、国民健康保険、後期高齢者医療制度などがある。日本では、労働人口の減少、医療保険の税収の減少、平均寿命の長寿化、高齢者の医療費の増大、医療技術の高度化による高額な医療費用などを要因として、医療保険のための財源が圧迫されているという問題が生じている。収入と支出のバランスが崩れている今、それぞれの要因をどのように解消していくかは、喫緊（きっきん）の課題といえる。

◎日本の社会保障制度

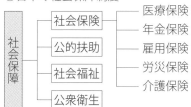

◆現状と今後の課題

国の一般会計（令和6年度当初予算）に占める社会保障関連費の割合は、少子高齢化が進行していく中で、30％を超えており、今後、金額・割合とも増えていくことが予測される。

社会保障に必要な財源をどのように調達していくのか、税と社会保障の一体化改革が進められている。

社会科学：社会

レッスン 02 公害と地球環境問題

公害とはなにか、その種類と影響、そして、四大公害病について学習する。公害の被害が発生した地域なども、あわせて覚えること。また、地球環境問題に対する国際的な取り組みについても学習する。

◆公害

公害とは、企業の事業活動などが原因となって、生活環境を汚染し、人の健康に悪影響を及ぼすことを指す。

> **用語　典型7公害**：公害対策基本法では、大気汚染・水質汚濁・土壌汚染・騒音・振動・地盤沈下・悪臭を公害と定めていたので、これを典型7公害と呼んでいる。公害対策基本法を引き継いだ環境基本法でも、典型7公害を規定している（2条3項）。

◆公害問題に関する法令

公害問題は、日本が高度経済成長の繁栄にある中、地域社会でより深刻さを増してきた。そのため、国における施策よりも、地域住民の生活に密着した問題として、各地方自治体が率先して対策に取り組み、公害規制のための条例を制定してきた。

国においては、1967年に制定された公害対策基本法を皮切りに、大気汚染防止法や水質汚濁防止法などの環境汚染に対応した、個別の立法がなされてきた。

さらに、自然保護のための基本理念を明確にし、自然保護の政策を推進するために、1972年に自然環境保全法が制定された。

しかし、1992年に地球サミットが開催され、地球環境問題に対処する必要性が生じると、これまでの枠組みでは不十分だったことがわかり、1993年、環境政策

の基本となる環境基本法が制定された。

この基本法は、環境保全についての新たな理念や試みは提示しているものの、具体的な措置は示されていなかった。

そこで、大規模公共事業などによる環境破壊を未然に防ぐため、1997年に環境影響評価法（環境アセスメント法）が制定された。

> **用語　四大公害裁判**：四大公害裁判とは、1960年代後半に相次いで起こされた、四大公害病（水俣病・四日市ぜんそく・イタイイタイ病・新潟水俣病）に関する裁判である。いずれの裁判も、住民側が勝訴した。

◎四大公害病

病名	水俣病	四日市ぜんそく	イタイイタイ病	新潟水俣病
地域	熊本県水俣湾周辺	三重県四日市市周辺	富山県神通川流域	新潟県阿賀野川流域
発生企業	チッソ	昭和四日市石油など6社	三井金属鉱業	昭和電工
原因物質	有機水銀	亜硫酸ガス	カドミウム	有機水銀

◎国際的な環境問題への取り組み

年	出来事
1971年	ラムサール条約採択 ・正式名称「特に水鳥の生息地として国際的に重要な湿地に関する条約」 ・日本は1980年に批准

1972 年	国連人間環境会議 ・ストックホルムで開催 ・人間環境宣言「かけがえのない地球」
1973 年	ワシントン条約採択
1987 年	モントリオール議定書採択 ・オゾン層を破壊する物質の段階的削減を目的とした規制措置を定める
1992 年	国連環境開発会議（地球サミット） ・リオデジャネイロで開催 ・「持続可能な開発」が基本理念 ・「国連気候変動枠組条約」と「生物多様性条約」を調印 ・アジェンダ 21 で持続的発展が可能な開発を実現するために、各国の行動計画を具体的に規定
1997 年	気候変動枠組条約第 3 回締約国会議（COP3） ・温室効果ガスの排出削減を目的とする京都議定書を採択
2002 年	持続可能な開発に関する世界首脳会議（環境開発サミット） ・ヨハネスブルグで開催
2015 年	気候変動枠組条約第 21 回締約国会議（COP21）でパリ協定を採択 「持続可能な開発のための 2030 アジェンダ」採択、SDGs を共有
2021 年	気候変動枠組条約第 26 回締約国会議（COP26） ・「グラスゴー気候合意」を採択
2022 年	気候変動枠組条約第 27 回締約国会議（COP27） ・シャルムエルシェイクで開催
2023 年	気候変動枠組条約第 28 回締約国会議（COP28）、パリ協定第 5 回締約国会合（CMA5）、京都議定書第 18 回締約国会合（CMP18）

用語　京都メカニズム：京都議定書では、温室効果ガスの削減目標の達成を容易にするために、京都メカニズムを採用した。先進国間で行われる排出量取引（温室効果ガスの排出する量を、国または企業間で取引する制度）、削減方法を共同開発した分を削減分に回せる共同実施、先進国が発展途上国で対策をとった削減分を自国分にカウントできるクリーン開発メカニズムがそれである。

ワン・ポイント　2013 年以降は、ポスト京都議定書と呼ばれており、2020 年までの第 2 約束期間は、EU など一部の先進国が引き続き削減義務を負う一方、日本やロシアなどは離脱した。発展途上国を含めた合意を得る交渉は難航を極めたが、2015 年の第 21 回締約国会議（COP21）で、締約国は温室効果ガスの削減目標を 5 年ごとに提出・更新し、世界全体としての実施状況を検討することで合意して、パリ協定を採択した。2023 年にドバイで開かれた COP28 では、目標達成に向けた進捗を評価する GST（グローバル・ストック・テイク）に関する決定がなされた。又、化石燃料からの脱却に向けたロードマップが各国に承認された。

出題パターン

公害問題と環境保全に関する記述として、妥当なのはどれか。
(1) 1960 年代に、被害者である住民が加害者側の企業を提訴した四大公害裁判について、その公害の原因はいずれも廃棄物の焼却により排出されたダイオキシンである。
(2) わが国では、事業者の経済活動を保護するため、汚染者負担の原則を採用せず、国や地方自治体が、公害の発生源者に代わって公害防止や被害救済の費用を負担している。
(3) わが国では、効率的な廃棄物処理を進め、環境保全を図るため、三つのRとよばれる、リザーブ（貯蔵）、リユース（再利用）、リサイクル（再生利用）の取組みを推進している。
(4) わが国では、廃棄物対策とリサイクル対策を総合的、計画的に推進する目的で、2000 年に循環型社会形成推進基本法が制定されている。
(5) 環境アセスメントとは、工場などの生産工程全体で、廃棄物を管理し有効活用することで、汚染物の排出をゼロにする取組みである。

解答（4）

練習問題

No.1　次の基本的人権に関する記述のうち、最も妥当でないものはどれか。

(1) 生存権を保障した世界最初の憲法は、ワイマール憲法である。

(2) 大日本帝国憲法においても、人権は法律の範囲内で保障されていた。

(3) 日本国憲法では、集会、結社及び言論の自由は、公共の福祉に反しない限り保障すると明文で規定している。

(4) 基本的人権には、自由権、参政権、請求権、社会権があり、現在では肖像権も新しい人権として認められている。

(5) 生存権は、人間たるに値する生活を営むことを保障する権利であり、社会権に属している。

正答：(3)

(1) ○　ワイマール憲法では、生存権を含む社会権を初めて規定した。

(2) ○　大日本帝国憲法でも人権は保障されていた。しかし法律の範囲内において保障されたものにすぎず、法律によって制限が可能と考えられていた。

(3) ×　集会、結社及び言論の自由は、憲法では制約をしていない（21条）。「公共の福祉」に反しない限りという制約があるのは、居住・移転及び職業選択の自由（22条）、私有財産制（29条）についてである（個別規定）。

(4) ○　肖像権以外にも環境権、日照権なども新しい基本的人権とされている。

(5) ○　生存権も社会権の一つであり、これは人間らしい生活を営むため、必要な諸施策を国家に要求する権利である。

No.2　次の衆議院・参議院に関する記述のうち、誤りのあるものはいくつか。

(1) 衆議院には解散があるが、参議院には解散はない。

(2) 予算は原則として衆議院に提出するが、やむを得ない場合には参議院に提出することも認められる。

(3) 内閣不信任の決議は衆議院でも参議院でもできる。

(4) 参議院が衆議院と異なった議決をした法律案は、衆議院で総議員の過半数で再び可決したときは、法律となる。

1　なし　2　一つ　3　二つ
4　三つ　5　四つ

正答：4

(1) ○　参議院には解散はない。

(2) ×　予算は常に衆議院に先に提出しなければならない（60条）。これを衆議院の予算先議という。

(3) ×　内閣の不信任決議は、衆議院でのみ可決することができ（69条）、参議院ではこれに代わるものとして問責決議案が議決されることがあるが、法的拘束力はない。

(4)　×　衆議院で可決し、参議院でこれと異なった議決をした法律案は、衆議院で出席議員の 3 分の 2 以上の多数決で再び可決したときは、法律となる（59 条 2 項）。

No.3　経済思想に関する記述として、最も妥当なのはどれか。
(1) 重商主義は農業を、重農主義は貨幣（金銀）を富の源泉とみなした思想である。
(2) 重商主義における代表的な学者による著書には、ケネー『経済表』が挙げられる。
(3) 古典派経済学においては、市場は「市場の自動調節機能」によって価格はおのずと調整されると考えられた。
(4) リカードは、労働価値説を基礎に剰余価値概念を導入して、資本主義経済の諸法則を体系的に解明した。
(5) マルクスの『資本論』は、1917 年に刊行された。

正答：(3)
(1) ×　重商主義は貨幣（金銀）を、重農主義は農業のみを富の源泉とみなす思想である。
(2) ×　重商主義における代表的な学者による著書には、トーマス・マン『外国貿易によるイングランドの財宝』（1664 年刊）が挙げられる。ケネー『経済表』は、重農主義における著書である。
(3) ○　古典派経済学においては、市場は「市場の自動調節機能」という「見えざる手」によって価格はおのずと調整されると考えられた。
(4) ×　マルクスは、労働価値説を基礎に剰余価値概念を導入して、資本主義経済の諸法則を体系的に解明した。
(5) ×　マルクスの『資本論』は、1867 年に刊行された。なお、レーニンの『帝国主義論』は 1917 年に刊行された。

No.4　経済主体に関する記述として、妥当なのはどれか。
(1) 会社企業は会社法によって、株式会社、合資会社、持株会社、合同会社の 4 種類に分類できる。
(2) 企業統治として、長期的な企業価値の増大に向けた企業経営の仕組みをコンプライアンスという。
(3) 同一産業内の各企業が、価格・生産量・販売地域などについて協定を結ぶことをトラストという。
(4) 家計の消費支出のうち、食料費の占める割合を示すエンゲル係数が高いほど、生活水準が高い傾向がある。
(5) 可処分所得に占める消費支出の割合を平均消費性向という。

正答：(5)
(1) ×　会社企業は会社法によって、株式会社、合資会社、合名会社、合同会社の 4 種類に分類できる。
(2) ×　企業統治として、長期的な企業価値の増大に向けた企業経営の仕組みをコーポレートガバナンスという。なお、コンプライアンスは法令遵守を意味する。
(3) ×　同一産業内の各企業が、価格・生産量・販売地域などについて協定を結ぶこ

とをカルテルという。なお、トラストは同一産業内の各企業が競争を排除し、1つの企業として合併したものをいう。

(4) ×　エンゲル係数が低いほど、生活水準が高い傾向がある。

(5) ○　可処分所得に占める消費支出の割合を平均消費性向という。なお、所得の増加分のうちの消費の増加分に回す割合は限界消費性向という。

No.5　少子高齢化または社会保障に関する記述として、最も妥当なのはどれか。

(1) 日本において、65 歳以上の人口が総人口に占める割合は、30％を超えている。

(2) 高齢化率が 7％を超えた社会を「高齢社会」、14％を超えた社会を「超高齢社会」という。

(3) 社会保険の労災については、事業者が保険料を 3 分の 2 負担する。

(4) 公的扶助を担当しているのは、保健所である。

(5) 国の一般会計に占める社会保障関連費の割合は、30％を超えている。

正答：(5)

(1) ×　日本において、65 歳以上の人口が総人口に占める割合は 29.1％である。

(2) ×　高齢化率が 7％を超えた社会を「高齢化社会」、14％を超えた社会を「高齢社会」、21％を超えた社会を「超高齢社会」という。

(3) ×　社会保険の労災については、事業者が保険料を全額負担する。

(4) ×　公的扶助を担当するのは、福祉事務所である。保健所は公衆衛生を担当する。

(5) ○　国の一般会計に占める社会保障関連費の割合は、少子高齢化が進行していく中で、30％を超えている。

No.6　公害に関する記述として、最も妥当なのはどれか。

(1) 典型 7 公害には、地盤沈下は含まれていない。

(2) 環境に関する法令として、自然環境保全法が 1970 年に、環境基本法が 1991 年に制定された。

(3) 水俣病は、熊本県水俣湾周辺で生じた公害である。

(4) 国連人間環境会議は、1972 年にワシントンで開催された。

(5) 京都議定書は、オゾン層を保護するための国際的な枠組みで、先進国、途上国を問わず、オゾン層破壊物質の全廃スケジュールなどが定められた。

正答：(3)

(1) ×　典型 7 公害は、大気汚染・水質汚濁・土壌汚染・騒音・振動・地盤沈下・悪臭の 7 つである。

(2) ×　環境に関する法令として、自然環境保全法が 1972 年に、環境基本法が 1993 年に制定された。

(3) ○　水俣病は、熊本県水俣湾周辺で生じた公害であり、発生企業はチッソである。

(4) ×　国連人間環境会議は、1972 年にストックホルムで開催された。

(5) ×　京都議定書は、温室効果ガスの削減に関する国際的な枠組みで、先進国に対して法的な拘束力を持った数値目標が設定された。

警察官 Ⅲ類・B 合格テキスト

2章

人文科学

レッスン 01 日本史　原始～古代

原始時代（旧石器・縄文・弥生）から古代（古墳・飛鳥・奈良・平安）までの時代ごとの政治・文化を中心にそれぞれの特徴を学習する。人物も重要となるので、人物の名前は押さえるようにしたい。

◆原始の日本

移動が主な狩猟・採集生活から、一定期間定住生活を送るようになり、大陸から稲作が伝わると、本格的な定住生活に入っていく。

◆旧石器時代から弥生時代

（1）旧石器時代（先土器時代）

1万年以上前の日本列島は、アジア大陸と陸続きになっていた（氷河時代）ので、人々は南からナウマン象、北からマンモスを追って移動しながら、狩猟・採集生活をしていたと考えられている。

ワン・ポイント 日本に旧石器時代があったことの証拠の一つとして、群馬県の岩宿遺跡から打製石器が出土した。

（2）縄文時代

氷河時代を終え、気候が暖かくなってくると、海面が上昇し、日本列島がつくられた。縄文時代は、旧石器時代の後、弥生時代の始まる紀元前5～前3世紀頃まで続いた時代である。

人々は狩漁・採集によって安定的に食料が確保できるようになると、定住生活を送り、ムラがつくられるようになった。

現代に残る遺跡をみると、住居の作り方や墓地が共同であったことから、身分や貧富の差もなかったと考えられている。

ワン・ポイント 縄文時代の遺跡としては、青森県の三内丸山遺跡、福井県の鳥浜貝塚、東京の大森貝塚などがあり、土器、石器、骨角器、土偶、土・石の装身具、木器、ヒスイ、黒曜石などが出土している。

（3）弥生時代

弥生時代は、紀元前5世紀頃～紀元後3世紀頃までの約800年間続いた時代である（紀元前10世紀頃からとする説もある）。大陸から米づくりの技術が伝わり、人々は稲作を営むために、本格的な定住生活に入り、ムラからクニへと発展していった。この頃から身分の差、貧富の差がうまれ、力のあるムラの頭が豪族となって、小さなクニを支配していたと考えられている。

ワン・ポイント 弥生時代の遺跡としては、静岡県の登呂遺跡、佐賀県の吉野ヶ里遺跡、奈良県の唐古・鍵遺跡などがあり、土器、石器、田下駄、鉄器、銅鐸、銅矛、銅鏡、高床倉庫跡などが発見されている。

◎原始の主な出来事

年		事項
B.C.	1万年以上前	縄文文化が始まる
	5世紀頃	弥生文化が始まる
A.D.	57年	奴国王が、中国（後漢）に使いを送り、光武帝から「漢委奴国王」の金印を授かる

A.D.	239 年	三十余国を支配したとされる邪馬台国の女王卑弥呼が、中国（魏）に使いを送り、魏の皇帝から「親魏倭王」の称号を授かる

ワン・ポイント　当時の日本の様子は、中国の歴史書である、『漢書』地理志、『後漢書』東夷伝、『魏志』倭人伝で推察することができる。

◆古代の日本

　豪族連合であったヤマト王権が、大陸からの文化の影響を受けながら、律令国家の体制を整えたが、荘園制を契機に変質していく。

用　語　**律令国家：**当時の基本法となる律と令によって統治されていた国家のこと。

◆古墳時代から律令国家の形成

（1）古墳時代（3 世紀中頃〜 6 世紀末頃）

　ヤマト王権は、大王を中心とした豪族の連合政権であった（氏姓制度）。

　この時代、各地に古墳（塚）がつくられた。古墳の中には、棺や副葬品（鉄製武器、工具、鏡、玉など）が納められ、古墳の周りには、赤褐色をした素焼きの土製器である埴輪が並べられている。大阪府の堺市にある大山（大仙陵）古墳は、ヤマト王権の強大さを象徴する古墳である。

　また、5 世紀頃、ヤマト王権の軍が朝鮮で高句麗と戦い、朝鮮半島には任那日本府があったとされる。朝鮮からの渡来人が多く、百済から織物・彫刻・陶芸などの技術と仏教が伝わった。

　しかし、6 世紀末になると、新羅によって任那日本府が滅ぼされ、国内においては有力豪族の台頭や地方豪族の反乱（527 年の磐井の乱）などで、国内が動揺し、ヤマト王権の土台が揺らぎ始めた。

用　語　**氏姓制度：**同族的集団である氏を構成する豪族に、ヤマト王権内での地位や職業に応じて姓を与えて秩序づけたヤマト王権の支配制度。

（2）飛鳥時代（6 世紀末から 8 世紀初め）

　飛鳥時代は、奈良の飛鳥に都が置かれていたことをその名の由来としている。

　飛鳥時代においては、593 年に厩戸王（聖徳太子）が推古天皇の摂政となり、冠位十二階・憲法十七条を定め、天皇を中心とした政治の実現を図った。しかし、厩戸王（聖徳太子）の死後、蘇我氏の勝手な振る舞いによって王権の権威は失われつつあった。

　このような状況を打破するため、中大兄皇子が中臣鎌足と協力して、蘇我氏を滅ぼした。そして、中大兄皇子は、公地公民制、班田収授の法、租・調・庸の税制、国郡里制度などを備えた律令国家を目指した。この改革の基本方針を定めたものを、改新の詔（646 年）という。大化の改新は、701 年に定められた大宝律令によって完成された。

（3）飛鳥時代の文化

　飛鳥時代における文化の特徴は、遣隋使や遣唐使（それぞれ、隋と唐に派遣される使節のこと）を通じて、中国の律令制と法隆寺や四天王寺に見られる仏教文化を吸収していったことが挙げられる。

　飛鳥文化は、厩戸王（聖徳太子）の頃を中心とした、国際色豊かで、日本で最初の仏教文化である。

◎飛鳥文化

寺院	法隆寺（斑鳩寺）、広隆寺、四天王寺、中宮寺、飛鳥寺
彫刻	釈迦三尊像（法隆寺金堂）、百済観音像（法隆寺）、釈迦如来像（飛鳥寺）
工芸	玉虫厨子（法隆寺）、天寿国繍帳（中宮寺）

白鳳文化は、時期的には大化の改新から平城京遷都までの文化で、初唐文化の影響を受けた清新な仏教文化である。

◎白鳳文化

寺院	薬師寺
彫刻	薬師三尊像（薬師寺金堂）
絵画	法隆寺金堂壁画（焼損）、高松塚古墳壁画

◆奈良時代（710 〜 794 年）

710 年、元明天皇が唐の長安にならい、藤原京から現在の奈良市西部の平城京に都を遷した。奈良時代の聖武天皇は、光明皇后とともに仏教を篤く信仰し、全国に国分寺・国分尼寺を置き、東大寺を建立して大仏を造立した。

聖武天皇の統治においては、過酷な徴税により口分田（律令制において、民衆へ一律に支給された農地）から逃げだす農民が後を絶たなかった。そこで、開墾を進めるために、三世一身の法（723 年）や墾田永年私財法（743 年）を制定した。しかし、この法令によって私有地である荘園がつくられ、公地公民制が崩れるきっかけとなっていく。

◆天平文化

奈良時代の文化を天平文化という。天平文化は、遣唐使を通じて、中国・西アジアの文化の影響を受けた国際色豊かな仏教文化である。

◎天平文化

建造物	正倉院（校倉造）、東大寺法華堂（三月堂）、法隆寺伝法堂、唐招提寺金堂・講堂
文 学	万葉集、古事記、日本書紀、風土記
絵 画	正倉院鳥毛立女屏風、薬師寺吉祥天像
彫 刻	興福寺阿修羅像、唐招提寺鑑真像、東大寺日光・月光菩薩像、東大寺不空羂索観音像

◆平安時代（794 年〜 1185 年）

794 年、桓武天皇が長岡京から現在の京都市の中心部にあたる平安京に都を遷した。桓武天皇は、律令政治の乱れを正すため、政治を改めることを試みた。その主軸となるものが、飛鳥〜奈良時代より政治に干渉するようになった、仏教に関することである。仏教においては、最澄と空海が唐に出向き、日本に天台宗と真言宗を伝えた。

平安時代を代表する貴族は藤原氏で、藤原氏の一族は、荘園を基盤とした経済力を背景に、天皇の親族となり、権勢をふるった（摂関政治）。だが、藤原氏の繁栄も、天皇の父方である上皇が院政を行うようになると、権勢は衰えていった。

この間、地方の政治は乱れていたが、その乱れを収める武士勢力が力を蓄え、中央に進出し、やがて彼ら自身の政権（平氏政権）をつくるようになっていく。

> **用語** 承平・天慶の乱：地方武士の反乱である平将門の乱（935 年〜 940 年）と、藤原純友の乱（939 年〜 941 年）を指す。当初は武士同士の私戦であったが、国司襲撃以後は反乱とみなされた。

> **＋アルファ** 平氏政権は、経済的基盤を荘園に置いており、さらに、日宋貿易から得た利益も加わり、一門は朝廷内で高位高官に上った。しかし、貴族政権化した平氏政権は武士の支持を失い、平清盛の死後、東国で台頭してきた源氏によって滅ぼされた。

◆荘園制度

この時代の重要な経済基盤である荘園は、奈良時代から平安時代の初期までは貴族や寺院が開墾した初期荘園であったが、荘園領主が中央政府と関係を築き、田に課した税（田租）の免除（不輸）を認めさせる官省符荘や国免荘があらわれ、やがて、不入権（田地調査のため中央から派遣される検田使の立入りを認め

ない権利）を得る荘園も出現した。

　こうした荘園は、田堵と呼ばれる開発領主が、中央の有力者や有力寺社へ田地を寄進したものである。寄進を受けた荘園領主は領家と呼ばれ、さらに領家から皇族や摂関家などのより有力な貴族へ寄進されることもあった。なお、領家から寄進を受けた荘園領主は本家と呼ばれた。寄進により重層的な所有関係を伴う荘園を寄進地系荘園という。

> **＋アルファ**　増えすぎた荘園を整理する動きは、醍醐天皇が出した延喜の荘園整理令（902年）以来、何度か出されていたが、後三条天皇の延久の荘園整理令（1069年）で、荘園整理事務を中央で処理するために記録荘園券契所を設け、審査の対象を摂関家領や大寺社領まで拡大した。

◆平安文化

　平安文化は前半の弘仁・貞観文化と後半の国風文化、院政期文化に分かれる。
　弘仁・貞観文化の特徴は、山岳仏教と加持祈禱を行う密教である。だが、10世紀中頃になると、新仏教の魅力が失われ、末法思想とともに浄土教の信仰が広まっていく。

◎弘仁・貞観文化

寺院	高野山金剛峯寺、比叡山延暦寺
建造物	室生寺金堂・五重塔
文学	性霊集、類聚国史、日本霊異記
絵画	園城寺不動明王像（黄不動）、東寺両界曼荼羅、神護寺両界曼荼羅
彫刻	仏像は一木造で着衣が波打つ翻波式が特徴 元興寺薬師如来立像、観心寺如意輪観音坐像、室生寺弥勒堂釈迦如来坐像、法華寺十一面観音立像、薬師寺僧形八幡神像

　国風文化では、894年に菅原道真の提案によって遣唐使が中止されると、唐風

の文化から、かな文学に見られるような日本人の生活や考えに根差した文化がつくられていく。

◎国風文化

建造物	法成寺無量寿院、平等院鳳凰堂
文学	古今和歌集、竹取物語、源氏物語、土佐日記、蜻蛉日記、紫式部日記、更級日記、枕草子
絵画	高野山聖衆来迎図、平等院鳳凰堂扉絵
彫刻	仏像は一木造から寄木造でつくられるようになった 平等院鳳凰堂阿弥陀如来像（定朝作）

　なお、院政期文化は、平安時代末の11世紀後半から鎌倉幕府成立に至る12世紀末にかけての文化である。

◎院政期文化

建造物	中尊寺金色堂、浄瑠璃寺本堂
文学	将門記、栄花物語（栄華物語）、狭衣物語、今昔物語集、大鏡、今鏡
絵画	源氏物語絵巻、伴大納言絵巻、信貴山縁起絵巻、鳥獣人物戯画

◎古代の主な出来事

年	事項
593年	厩戸王（聖徳太子）が推古天皇の摂政となる
646年	改新の詔
701年	大宝律令の制定
710年	平城京に遷都
743年	墾田永年私財法の制定
752年	東大寺大仏の開眼
794年	平安京に遷都
894年	遣唐使の中止
1016年	藤原道長が摂政となる
1086年	白河上皇の院政が始まる
1156年	保元の乱
1159年	平治の乱
1167年	平清盛が太政大臣となる
1185年	平氏の滅亡

日本史　中世

レッスン **02**

封建制社会の中の分権的封建制の時代である鎌倉時代から室町時代までの時代ごとの政治・文化を中心にそれぞれの特徴を学習する。さまざまな役職があるので、関係性も含めながら覚えるようにしたい。

◆中世の日本

　鎌倉幕府は、これまでの武士の私的な荘園領有を、公的な荘園領有として院に認めさせた。源氏が三代で滅ぶと、北条氏が執権政治を確立していく。

　室町幕府も鎌倉幕府と基本的な枠組みは同じだが、機構上は将軍専制体制であり、管領は将軍を補佐するにとどまり、鎌倉幕府の執権にあたる役職はない。また、南北朝の争乱期に守護が地頭などの在地領主と主従関係を結んで、領国支配を進めていった。軍事・警察権のみを保持した鎌倉幕府の守護と区別して、この時代の守護を守護大名と呼び、守護大名のつくりあげた支配体制を守護領国制と呼ぶ。

◆鎌倉時代（1185年〜1333年）

　12世紀後半、源平の争乱の中で、源頼朝は鎌倉を拠点に勢力を固め、後白河法皇から東国の支配権を得た。さらに、1185年、平氏滅亡後、諸国に守護を、荘園・公領に地頭を置く権利を院に認めさせ武家政権である鎌倉幕府を開いた。

　後に奥州2国を支配下に置いた頼朝は、1192年に征夷大将軍に任じられた。

　ここに、将軍と御家人との間に、土地を介した御恩と奉公の関係が成立し、封建制度が確立していく。

　頼朝は1199年に死去し、その後に、後鳥羽上皇による承久の乱が起きたが、幕府は乱を鎮圧した。以降、北条氏による執権政治が確立していく。

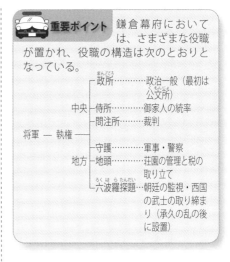

重要ポイント　鎌倉幕府においては、さまざまな役職が置かれ、役職の構造は次のとおりとなっている。

　その後、鎌倉幕府は、元寇（元［モンゴル］軍および高麗軍の二度にわたる日本への攻撃のこと）による戦費の負担から御家人が窮乏し、幕府に対する不満が高まり、楠木正成・新田義貞・足利尊氏らの倒幕勢力により滅ぼされた。

◆鎌倉時代の宗教

　鎌倉時代に入ると、加持祈禱や学問を中心とする従来の仏教に変化が起こり、庶民や武士に易行・専修を説いた新しい教えが広まった。それが「鎌倉六宗」と呼ばれるものである。

◎鎌倉六宗

浄土宗 （法然）	阿弥陀仏を信じ、ひたすら念仏（南無阿弥陀仏）を唱えれば、平等に往生できると説いた（専修念仏）

浄土真宗 （親鸞）	悪人こそ阿弥陀仏が救う対象とした悪人正機を説き、信心を重視した。阿弥陀仏を信じるだけで往生は約束され、念仏は仏恩報謝の行であると説いた
時宗 （一遍）	阿弥陀仏への信・不信は問わず、念仏さえ唱えれば往生できると説いた
日蓮宗 （法華宗） （日蓮）	法華経こそ釈迦の真の教えであるとし、人々に題目「南無妙法蓮華経」を唱えるべきことを説いた
臨済宗 （栄西）	座禅の他に公案を重視し、上級武士を中心に信仰された
曹洞宗 （道元）	ひたすら坐禅すること（只管打坐）を説いた

◆鎌倉文化

　鎌倉時代の文化の特徴として、武家政権の成立により、それまでの優雅な公家文化と素朴で力強い武家文化が共存した新しい文化であること、宋（南宋）から禅宗や朱子学が伝わり、日本の文化に多大な影響を与えたことがある。

ワン・ポイント　仏教建築様式においても、柱を細く、天井を低めにした穏やかな空間が特徴である和様から、東大寺再興の際に用いられた大仏様や円覚寺舎利殿に見られる禅宗様の建築様式が宋から入ってきた。

◎鎌倉文化

建造物	東大寺南大門（大仏様）、円覚寺舎利殿（禅宗様）、三十三間堂（和様）
文　学	新古今和歌集、金槐和歌集、平家物語、源平盛衰記、方丈記、徒然草、水鏡、吾妻鏡、愚管抄
彫　刻	東大寺南大門金剛力士像（運慶・快慶ら）、六波羅蜜寺の空也上人像
絵　画	北野天神縁起絵巻（北野天満宮）、一遍上人絵伝（歓喜光寺・清浄光寺）、伝源頼朝像・伝平重盛像・伝藤原光能像（神護寺）

◆建武の新政と室町時代（1333 年～1573 年）

　後醍醐天皇は、鎌倉幕府滅亡後、天皇を中心とする新たな政治（建武の新政）を行おうとした。しかし、後醍醐天皇が行おうとした公家中心の政治は武士からの反発が大きかった。なかでも足利尊氏はこれを阻止すべく、京都を制圧し、光明天皇を擁立した。

　京都から吉野に追われた後醍醐天皇は、皇位の正統性を主張し、南朝（吉野）と北朝（京都）の対立が始まった。その後、北朝方の内部争いもあって複雑な経過をたどったが、1392 年に足利義満が南北朝を統一し、室町幕府による支配を確立した。

　しかし、将軍の権威が弱まり、東国を中心に相次いで反乱が起きるようになると、幕府の権威は落ちていった。また、それとともに各地で土一揆が頻発した。

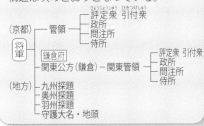

重要ポイント　室町幕府においては、京都と、そのほかの地方にわけて役職が置かれ、役職の構造は次のとおりとなっている。

◆室町文化

　室町時代には、禅宗の影響を受けた文化が発展し、足利義満の時代には金閣を代表とする北山文化が栄え、能楽が完成した。

　また、足利義政の時代には銀閣を代表とする東山文化が栄え、建築では書院造、庭園では枯山水などの様式が見られた。

茶道や華道の基礎がつくられたのもこの頃である。

◎室町文化

北山文化		東山文化
鹿苑寺金閣	建造物	慈照寺銀閣
――	庭園	龍安寺枯山水
太平記、風姿花伝	文学	一寸法師や浦島太郎などの御伽草子
瓢鮎図（妙心寺退蔵院）、寒山拾得図	絵画	四季山水図巻

◆**戦国時代（1467 年〜 1573 年）**

　応仁の乱（1467 年〜 1477 年）の頃から、各地で戦国大名の争いが起きた。これが戦国時代の幕開けである。

　戦国大名は、服属させた地侍らを家臣とすると、彼らの土地の収穫高を通貨に換算（貫高）し、地位と収入を保障する代わりに貫高に見合う軍役を課して軍事力を増強した。また、領国支配の基本法となる分国法（家法）を制定することもあった。

　1543 年にポルトガル人が種子島に漂着して鉄砲を伝えたことから、ポルトガルとの間に貿易が始まり、スペインとも貿易が始まるようになった。これを南蛮貿易という。

　南蛮貿易では、主に鉄砲・火薬と日本の銀が交換され、後に戦国大名の戦法を大きく変えることになった。

　また、南蛮貿易とともに、1549 年、フランシスコ・ザビエルによってキリスト教が伝えられた。

◎中世の主な出来事

年	事柄
1185 年	源頼朝が鎌倉幕府を開く
1221 年	承久の乱
1232 年	御成敗式目（貞永式目）の制定

1274 年	元寇	文永の役
1281 年		弘安の役
1297 年		永仁の徳政令
1333 年		鎌倉幕府の滅亡
1334 年		建武の新政が始まる
1336 年		南北朝の対立
1392 年		南北朝の統一
1404 年		勘合（日明）貿易が始まる
1428 年		正長の土一揆
1438 年		永享の乱
1440 年		結城合戦
1441 年		嘉吉の乱
1467 年		応仁の乱が始まる
1485 年		山城の国一揆が起きる
1488 年		加賀の一向一揆が起きる
1543 年		ポルトガル人が九州の種子島に鉄砲を伝える
1549 年		フランシスコ・ザビエルが鹿児島に上陸して、キリスト教を伝える 南蛮貿易が始まる

ワン・ポイント　1185 年に鎌倉幕府がつくられたが、これまで政治を実際に行っていた朝廷がなくなったわけではない。幕府の最上位の役職となる征夷大将軍は、朝廷からの官職のひとつであり、朝廷から任命されるものである。

◎朝廷と幕府の特徴

朝廷		幕府
平安時代まで政治を行っていた	政治	鎌倉時代から政治を行う
天皇	最上位の役職	征夷大将軍
貴族など	支える（仕える）層	武士など

重要度 ★★★

日本史　近世

封建制社会の中の集権的封建制（後期封建制）である安土桃山時代から江戸時代の特徴を、時代ごとの政治・文化を中心に学習する。それぞれの文化における代表作は押さえておくこと。

◆近世の日本

安土桃山時代（1573 年～ 1603 年）から江戸時代（1603 年～ 1867 年）においては、織田信長と豊臣秀吉の全国統一の過程で兵農分離が完成し、徳川幕府による幕藩体制が確立していく。

◆織田信長

天下統一を目指した尾張の織田信長は、1568 年に将軍足利義昭を奉じて入京し、周辺の諸大名を次々に屈服させた。信長は着実に勢力を拡大し、1573 年には足利義昭を追放し、室町幕府を滅ぼした。

一方で信長は、新たな政治・経済体制として関所を廃止し、また、商人の自由な活動を認める楽市楽座令を安土城下に出して、商工業の発達を促した。しかし、天下統一の途中の 1582 年において、家臣であった明智光秀の謀反にあい自害した（本能寺の変）。

◆豊臣秀吉

1582 年に秀吉は明智光秀を山崎の戦いで破ると、織田信長の後継者としての地位を固め、朝廷から 1585 年に関白、1586 年には太政大臣の地位と豊臣の姓を得た。1590 年には小田原の北条氏を滅ぼして天下を統一した。

しかし、統一後は二度の朝鮮出兵（文禄・慶長の役）によって、征服軍の中心であった西国大名が疲弊し、秀吉没後の豊臣政権内部の対立の激化を招くことになった。

秀吉は、大名知行制の基礎の確立のために太閤検地を行ったり、諸国や農民に一揆を起こさせないよう刀狩令を発したりした。また、貿易により財源を得ようとして、朱印船貿易などを行った。

> **用語**
>
> **太閤検地**：豊臣秀吉は全国で統一基準を用いた検地を行い、耕地一筆ごとに耕作者を検地帳に記載して年貢負担者を確定した。さらに、土地の収穫高を表す基準を、貨幣で換算する貫高から、米の価値で換算する石高に改めた。この太閤検地によって、法制上、荘園が消滅するとともに、大名知行制の基礎が確立していった。
>
> **刀狩令**：刀狩令は、1588 年に兵農分離の一環として、秀吉が行った政策である。農民から武器を取り上げることによって、一揆を防ぐとともに、身分制度の基礎が確立していくことになった。
>
> **朱印船貿易**：朱印船貿易は、朱印状という渡航許可証をもった船が、東南アジアで行った貿易のことである。朱印船貿易は豊臣秀吉のときに本格的に始まり、徳川家康のころ最盛期を迎えて、1635 年の第三次鎖国令まで続いた。

◆安土桃山文化

安土桃山時代の文化は、大名や豪商が中心となってつくりあげ、雄大で豪華なものが多く、仏教の影響が薄いという特徴がある。

◎安土桃山文化

建造物	雄大な天守閣が特徴である安土城・姫路城・大坂城などの城郭建築、茶室

絵　画	狩野永徳らによる障壁画
芸術・芸能	千利休が完成した茶道、朝鮮人陶工の技術で完成した有田焼、出雲阿国が始めたかぶき踊りなど

◎安土桃山時代の主な出来事

年	事柄
1568 年	織田信長が足利義昭を奉じて入京
1573 年	室町幕府の滅亡
1575 年	長篠の戦い
1576 年	織田信長が安土城を築く
1582 年	本能寺の変、山崎の戦い太閤検地が始まる
1588 年	刀狩令
1590 年	豊臣秀吉による全国統一が完成する
1592 年	文禄の役朱印船貿易が始まる
1597 年	慶長の役
1600 年	関ヶ原の戦い

◆江戸時代（1603 年～ 1867 年）

　江戸時代においては、織田信長と豊臣秀吉によって固められた後期封建制の基礎が、徳川氏の江戸幕府によって完成されていった。

　江戸時代のはじまりとして、1600 年、豊臣政権内部の対立から起きた関ヶ原の戦いで勝利した徳川家康は、全国支配力の基礎を固め、1603 年に江戸に幕府を開いた。

　江戸幕府は全国を幕府直轄領（天領）と大名領とに分け、大名にその領地と農民を直接支配する権限を与えた。

　このように将軍を頂点にして、大名が幕府に従いながら、領地と農民を支配する中央集権的支配体制は、幕藩体制と呼ばれている。

　なお、江戸時代は、1603 年から 1867 年までの 264 年間続き、その江戸時代を通して全国を支配した江戸幕府は、最も長く続いた幕府政権である。江戸幕府を開いた徳川家康をはじめ、徳川家はさまざまな制度を定めた。

◎徳川将軍と主な実績

代	将軍就任	名前	実績等
1	1603 年	家康	関ヶ原の戦いで勝利し、江戸幕府を開設。武家諸法度の制定
2	1615 年	秀忠	武家諸法度（元和令）の発布
3	1635 年	家光	参勤交代の義務化。鎖国体制の確立
4	1651 年	家綱	11 歳で就任。文治政治の実施
5	1680 年	綱吉	生類憐みの令の制定
6	1709 年	家宣	生類憐みの令の廃止新井白石を重用
7	1713 年	家継	主な実績はなし。5 歳で就任、8 歳で死去
8	1716 年	吉宗	享保の改革を実施。目安箱を設置
9	1745 年	家重	主な実績はなし
10	1760 年	家治	田沼意次を側用人にする
11	1787 年	家斉	松平定信に寛政の改革を行わせる。在職期間 50 年は最長
12	1841 年	家慶	水野忠邦に天保の改革を行わせる
13	1854 年	家定	日米和親条約に調印
14	1858 年	家茂	公武合体を推進
15	1867 年	慶喜	大政奉還を実施

ワン・ポイント　大名を統制するために武家諸法度が定められた。1615 年に第 2 代将軍徳川秀忠の名で徳川家康が出した 13 条の元和の武家諸法度に始まり、第 3 代将軍家光は 1635 年に 19 か条の武家諸法度を定め、参勤交代を義務付けた。

用語　**参勤交代：**各藩の藩主を定期的に江戸に参勤させる法令のことである。参勤交代には、藩主に参勤交代のための多額の費用をかけさせ、謀反を企てることを阻止する狙いがあった。

◆江戸幕府によるキリスト教の禁止

　幕府は当初、貿易の利益のために、キリスト教を黙認していたが、影響が強い

ことに鑑み、キリスト教の禁止を徐々に強めていった。また、禁止を強める過程において、外国船の来航と日本人の海外渡航や帰国も禁止していった。

そして、1637 年の島原・天草一揆以降は、キリスト教の取り締まりを徹底的に行い、1639 年にポルトガル船の来航を禁止して鎖国を完成させた。鎖国の間は、貿易はキリスト教の布教には熱心ではないオランダと清に限り、長崎の出島で行うことになった。

◎幕藩体制による役職の構造

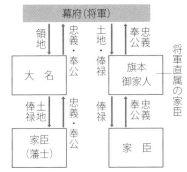

◆幕藩体制

鎖国にともない、幕府と藩による支配体制である**幕藩体制**が強まっていった。

しかし、米が経済の中心となり、商品経済が発展するようになると、農村の自給自足経済が崩れていき、さらに、富が商品経済の中心を担う商人の手に集中することで、幕藩体制の経済的基盤は大きく揺らいでいった。江戸時代は 260 年以上も続いた安定の時代であるが、江戸の三大改革は幕藩体制の経済的基盤の揺らぎなどをその一因としていた。

◆享保の改革（1716 年〜 1745 年）

享保の改革は、第 8 代将軍である徳川吉宗によって行われた改革である。

・足高の制：役職に就けるために、石高を足して有能な人材を登用した

・目安箱の設置：民衆の要求や不満を聞くため、それらを投書させることを目的に目安箱を設置した

・公事方御定書の制定：裁判の基準を定めた

・上米の制：大名の江戸滞在を半年とする代わりに、石高 1 万石につき 100 石の割合で米をさし出させた

・その他：裁判を迅速化するための相対済令、新田開発の奨励、堂島米市場の公認、キリスト教に関係のない漢訳洋書の輸入の緩和を行った

◆寛政の改革（1787 年〜 1793 年）

寛政の改革は、老中の松平定信によって行われた改革である。

・寛政異学の禁：幕府の学問所で朱子学以外の学問を禁じた

・囲米の制：飢饉に備えるために、諸大名に社倉や義倉を設けさせて、米や雑穀の備蓄を命じた

・棄捐令：旗本や御家人の困窮を救うために、札差に旗本らへの債権を放棄させ、もしくは借金の利率を下げるよう命じた

・旧里帰農令：荒廃した農村を復興させるために、自分の村に帰るように促した

・その他：人足寄場の設置、七分積金、幕政に対する批判への厳しい取り締まりなどを行った

◆天保の改革（1841 年〜 1843 年）

天保の改革は、老中の水野忠邦によって行われた改革である。

・株仲間の解散：同業種の店同士が競争を避けて協定や合意を行う「株仲間」の解散を命じ、諸物価引き下げ令を出した

・人返しの法：農民の出稼ぎ禁止と帰郷を強制し、農村の再建を図った

・上知令：江戸や大坂の周囲の大名・旗

03
日本史　近世

本の領地を幕府の直轄地とする
・倹約令：将軍や大奥も含めてぜいたく
品や華美な衣服を禁じ、庶民の風俗も
取り締まった

 ワン・ポイント 18世紀後半、享保の改革
の後に、田沼意次が商業
資本を重視した経済政策を実施した。株
仲間の公認と長崎貿易を奨励し、町人資
本の出資による印旛沼・手賀沼の干拓、蝦
夷地の開発とロシアとの交易を企画した。

◆江戸時代の文化

江戸時代の文化としては、元禄文化と
化政文化が挙げられる。元禄文化は、第
5代将軍徳川綱吉の元禄年間（1688年
〜1704年）が最盛期にあたり、大坂の
豪商たちを中心に上方（京都・大坂）で
栄えた。

◎元禄文化

建造物	東大寺大仏殿・善光寺本堂
文　学	俳諧：『おくのほそ道』（松尾芭蕉） 浮世草子：『日本永代蔵』（井原西鶴）
絵　画	浮世絵：「見返り美人図」の菱川師宣 装飾画：尾形光琳
芸術・ 芸能	人形浄瑠璃：『曽根崎心中』（近松門左衛門） 歌舞伎：市川團十郎

元禄文化の次に江戸時代に栄えた文化
としては、化政文化が挙げられる。化政
文化は、第11代将軍徳川家斉の治世下
である文化・文政年間（1804年〜1830
年）が最盛期にあたる。江戸を中心に栄
えた町人文化であり、文化の担い手は、
豪商から庶民に移っていった。

◎化政文化

文　学	小説：『東海道中膝栗毛』（十返舎一九） 『南総里見八犬伝』（曲亭（滝沢）馬琴） 俳諧：小林一茶、与謝蕪村
絵　画	浮世絵：喜多川歌麿・葛飾北斎・歌川広重

◎江戸時代の主な出来事

年	事項
1603年	徳川家康が江戸幕府を開く
1615年	大坂夏の陣
1637年	島原・天草一揆が起きる
1680年	綱吉が5代将軍となる
1685年	生類憐みの令が出される
1709年	新井白石の改革が始まる
1716年	享保の改革が始まる
1767年	田沼意次が側用人になる
1782年	天明の大飢饉が起こる
1787年	寛政の改革が始まる
1792年	ロシアの使節ラクスマンが根室に来航する
1825年	幕府が異国船打払令を出す
1833年	天保の大飢饉が起こる
1837年	大塩平八郎の乱が起きる
1841年	天保の改革が始まる
1853年	ペリーの浦賀来航
1854年	日米和親条約の締結
1858年	日米修好通商条約の締結、安政の大獄が始まる
1860年	桜田門外の変が起きる
1866年	薩長同盟が成立する
1867年	大政奉還

 出題パターン

A〜Eは江戸時代に起きた出来事であ
るが、年代の古い順に並べた組み合わせ
として、最も妥当なものはどれか。
A　日本人の海外渡航を禁止する。
B　オランダ商館を平戸から長崎出島に
　　移す。
C　全国にキリスト教の禁教令を出す。
D　ポルトガル船の来航を禁止する。
E　島原・天草一揆が起こる。
（1）　C－A－B－E－D
（2）　C－A－E－D－B
（3）　D－B－A－C－E
（4）　D－C－A－E－B
（5）　D－C－B－E－A

解答　（2）

レッスン 04 日本史　近現代

近代（明治・大正・昭和20年以前）から現代（昭和20年以降）までの時代ごとの特徴を学習する。日本内部でどのような動きがあったかはもちろん、日本と諸外国との関わりもあわせて覚えること。

◆近現代の日本

日本は、欧米列強の植民地支配の脅威から脱するために、欧米列強と肩を並べられる近代国家を目指した。日清戦争及び日露戦争は、欧米列強の脅威に対抗して、大陸に足場を築く過程で起きた戦争である。日清戦争及び日露戦争の二度の戦争の後は、第一次世界大戦を経て、国際連盟の常任理事国に就任するなど国際的地位が高まった。しかし、昭和恐慌の中で軍部が台頭し、満州事変から始まる中国侵略が欧米諸国、とりわけアメリカとの対立を深め、第二次世界大戦への道を歩むことになる。

第二次世界大戦で敗れた日本は、戦後、連合国軍総司令部（GHQ）の下で、民主化が推進される。大戦に敗れたことによる連合国の支配は、1951年に締結されたサンフランシスコ平和条約が発効することにより終了した。その後、日本は、高度経済成長期を経て、経済大国としての道を歩むことになる。

◆明治時代（1868年〜1912年）

1867年に大政奉還によって江戸幕府が倒れると、王政復古の大号令が出され、1868年に五箇条の誓文によって新しい政治の方針が示された。

明治政府は版籍奉還と廃藩置県を相次いで進め、天皇を中心とする中央集権体制を整備するとともに、これまでの身分制度を廃止した（四民平等）。これによって、国民皆兵が可能となり、徴兵令が実施された。さらに、富国強兵・殖産興業政策によって、近代的な軍備を整えるとともに、近代産業の育成を図り、地租改正によって財政基盤を確立した。

> **用語**
>
> **版籍奉還と廃藩置県**：版籍奉還は、諸大名が天皇へ領地と領民を返還することで、廃藩置県は、封建制度の基となる藩を廃し、地方の統治を政府直轄の府と県で行うことをいう。廃藩置県により、長く続いた封建制度が廃止された。
>
> **四民平等**：四民とは、社会における主な民である、官吏・農民・職人・商人を指す言葉である。市民とは意味が異なるので注意が必要である。

◎明治政府の産業政策

事柄	内容
郵便制度の発足（1871年）	前島密の建議により官営の郵便事業が開業
新貨条例（1871年）	通貨単位に円・銭・厘の十進法を採用
国立銀行条例（1872年）	アメリカのナショナル-バンク制度を参考に公布。1873年には渋沢栄一が日本で最初の国立銀行である第一国立銀行を設立
鉄道建設（1872年）	イギリス人技士の指揮の下、新橋・横浜間に鉄道を敷設。1874年には大阪・神戸間、1877年には大阪・京都間が開通
富岡製糸場の開業（1872年）	官営模範工場としてフランス人技士の指導のもと、群馬県に設けられた

◆日清戦争（1894 年～ 1895 年）

1894 年に李氏朝鮮で農民の反乱である甲午農民戦争（東学党の乱）が起きると、李氏朝鮮における支配権をめぐって対立していた日本と清朝（日清）の両国は出兵し、日清戦争が始まった。近代的な軍備をもつ日本軍は清軍を圧倒し、各地で勝利を収めた。

そして、1895 年、日本全権の伊藤博文、陸奥宗光と、清国全権の李鴻章とで下関で講和会議を開き、下関条約を締結した。これによって、清は朝鮮の独立を認め、遼東半島・台湾などを日本に割譲し、多額の賠償金を支払うことになった。

しかし、遼東半島については、ロシア、フランス、ドイツの三国が三国干渉を行い、日本から清に返還させた。これは後の日露戦争の原因の一つとなる。

三国干渉以来、日本とロシアの対立は深まり、1900 年、義和団事件（北清事変）の後、ロシアが満州から兵を引き上げなかったため、日本国内ではロシアへの不満が高まった。日本政府はロシアの南下に備えて、利害が一致するイギリスと 1902 年に日英同盟を結んだ。これにより日本とロシアの対立は決定的となった。

> **用 語** **義和団事件**：列強の進出に抗した義和団と呼ばれる集団が、生活に苦しむ農民を集め、各地で外国人やキリスト教会を襲った排外運動。

◆日露戦争（1904 年～ 1905 年）

1904 年、ロシアが満州から朝鮮に南下する姿勢を見せると、日本政府は開戦に踏み切って日露戦争が始まった。

日本は苦戦しながらも、陸軍が奉天会戦で勝利を収め、海軍は日本海海戦でロシアのバルチック艦隊を破った。

しかし、既に戦力の限界に達していた日本には、これ以上の継戦は困難であった。一方のロシアも、国内で専制政治に反対する革命運動が起こっており、戦争を続けられる状況ではなかった。

そこで、1905 年、アメリカ大統領セオドア・ローズヴェルトの仲介で、日露は講和会議に臨み、ポーツマス条約が締結された。

その結果、賠償金は得られなかったが、ロシアの南下は抑えられ、日本の朝鮮に対する優越権が認められ、旅順・大連など遼東半島南部の租借権や東清鉄道の一部をロシアから譲り受けるとともに、樺太の南半分を手に入れた。

この日清・日露戦争の前後を通じて日本の国際的地位は高まった。長年の目標であった条約改正も、日清戦争の直前にはイギリスとの間で治外法権の撤廃に成功し、1911 年にはアメリカとの間で関税自主権も回復した。

さらに、大陸進出の拠点となる朝鮮も、1910 年に日韓併合条約（韓国併合に関する条約）を締結して、植民地とした。

> **用 語** **治外法権**：その国の領土にいながら、その国の法律から免れることができる権利。

◆自由民権運動

この間、国内においては、板垣退助らが、1874 年に民撰議院設立建白書を提出し、これが自由民権運動の口火になったとされている。

当時は日本政府においては薩長出身者による藩閥政治が行われていた。しかし、藩閥政治には多くの不満があがっており、士族の反乱もたびたび起こった。1877 年の西南戦争後には、それらの不満は自由民権運動という形で展開されて

いった。

　1880 年に、板垣退助らが中心となって創設された愛国社は国会期成同盟と改められ、運動はさらに発展した。政府は言論・出版・集会などを厳しく取り締まって弾圧したが、ついに政府は 1881 年に国会開設の勅諭(天皇の意思を表す文書)を出して、10 年後の国会開設を約束した。

　自由民権派の人々は国会開設に備えて、板垣退助は自由党を結成し、また、明治十四年の政変で政府から追放された大隈重信は立憲改進党を結成し、藩閥政府を攻撃した。

　しかし、1880 年代に大蔵卿松方正義が推進した政策である松方財政により、深刻な不景気となり、また、自由党の急進派が貧農と結び付いて各地で事件を起こすと、運動の激化に不安を感じて離れていく人が増えていき、次第に運動は分裂して衰えていった。

◎明治時代の主な出来事

年	事柄
1868 年	五箇条の誓文
1869 年	版籍奉還
1871 年	廃藩置県
1873 年	徴兵令と地租改正条例公布 官営模範工場の建設が進む
1874 年	民撰議院設立建白書 各地で士族の反乱が頻発する
1877 年	西南戦争が起こる 自由民権運動が盛んになる
1881 年	国会開設の勅諭
1885 年	内閣制度創設
1889 年	大日本帝国憲法発布
1890 年	第 1 回帝国議会の開会
1894 年	イギリスとの間で治外法権の撤廃 日清戦争が起こる
1895 年	下関条約の締結、三国干渉
1902 年	日英同盟の締結
1904 年	日露戦争が起こる
1905 年	ポーツマス条約の締結
1910 年	日韓併合
1911 年	アメリカとの間で関税自主権が回復する

◆**大正時代 (1912 年～ 1926 年)**
(1) 大正デモクラシーと普通選挙運動

　大正年間には二度の護憲運動が起こり、明治以来の藩閥支配体制が揺らぎ、政党勢力が進出した。これらの運動は大正デモクラシーと呼ばれて、尾崎行雄・犬養毅らがその指導層となった。

　1918 年の米騒動後、衆議院に議席をもち、爵位をもたない原敬による初めての本格的な政党内閣が成立した。さらに、関東大震災が発生した 1923 年には第二次山本権兵衛内閣が、1924 年には清浦奎吾内閣が成立したが、第二次護憲運動(憲政擁護運動)が起こり、清浦内閣にかわって、護憲三派内閣として加藤高明内閣が成立した。その後、しばらくは政党政治が行われた。

　この時期、普通選挙運動が活発化して、平塚らいてうや市川房枝らの女性参政権運動も起きた。

　また、言論界も活況を呈し、君主制と民主主義を折衷しようとした吉野作造の民本主義や美濃部達吉の天皇機関説などが提唱された。

(2) 第一次世界大戦

　1914 年、同盟国(ドイツ、オーストリア、トルコなど)と連合国(イギリス、フランス、ロシアなど)が対立し、ヨーロッパでは第一次世界大戦が起こった。日本は、日英同盟を理由に連合国側に立って参戦した。

　戦時中、日本は、ドイツの中国での根拠地である青島やドイツ領南洋諸島を占領し、1915 年には中国に 21 か条の要求を突き付けた。

　そして、この大戦の結果、日本はヴェルサイユ条約によって成立した国際連盟の常任理事国の地位に就いた。

◎第一次世界大戦の対立関係

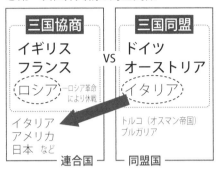

用語 **三国協商と三国同盟**
英仏露三国協商：露仏同盟（1891年）、英仏協商（1904年）、英露協商（1907年）を軸にして生まれた3国の協力関係を指し、ドイツを含む三国同盟に対抗するために結ばれた。1917年にロシア革命が起こり、解消した。
独墺伊三国同盟：1870年の普仏戦争でフランスに勝利したドイツが、フランスからの復讐を阻止し、フランスを孤立させるために、1882年に結ばれた同盟。しかし、オーストリアとの領土問題によって、1915年にイタリアが離脱し、崩壊した。

◆**昭和時代の始まり（1926年～1945年）**
（1）昭和恐慌と軍部の台頭

　昭和時代初期は、1927年に金融恐慌、1929年には世界恐慌が起こり、その余波で街には失業者があふれ、農村は凶作にあえいだ（昭和恐慌）。

　その間に大陸進出を図る軍部が台頭し、1931年には柳条湖事件をきっかけに満州事変が起こる。1932年には五・一五事件によって犬養毅首相が暗殺され、政党政治は終わりを迎えた。

　政党政治の終わり以降は、軍人と官僚による政権が続いたが、1936年に二・二六事件が起きると、軍部が政治の実権を握るに至った。その後は、1937年に盧溝橋事件をきっかけに日中戦争が始ま

ると、翌年1938年には国家総動員法が制定されて、総力戦に備えた戦時体制へと移行していく。

用語 **五・一五事件**：五・一五事件は、一部の海軍将校らが企てたクーデターで、5月15日に首相官邸を襲い犬養毅を射殺した事件。
二・二六事件：2月26日に、一部の陸軍の勢力が、首相官邸や、内閣の有力政治家や官僚の邸宅を襲撃した事件。

（2）第二次世界大戦

　第二次世界大戦は、1939年にドイツがポーランドに侵攻することによって起こった。翌年の1940年にはドイツとイタリアがフランスに侵攻して、西欧にも戦火が拡大していく。

　その間、日本は中国との戦争を続けていたが、1940年に日独伊三国同盟を締結して、翌年の1941年にフランス領インドシナ南部へ進駐すると、日米関係は最悪の状態に入り、アメリカは日本に対する石油の禁輸に踏み切った。

　近衛文麿首相は日米開戦を避けるために対米交渉を続けるが、軍部を押さえきれなかった。その後は、東条英機が現職の軍人のまま首相となって、日米交渉を打ち切ることを決定し、1941年12月8日、日本軍はマレー半島に侵攻するとともに、ハワイの真珠湾を攻撃して、大東亜戦争（太平洋戦争）に突入した。

　日本軍は開戦当初、優位に立っていたが、徐々に連合国の反撃にあい、1945年に入ると大規模な空襲により都市が壊滅し、同盟国のドイツが降伏した。その後、原子爆弾が投下されソ連が参戦するに至り、ポツダム宣言を受諾して降伏した。

◎第二次世界大戦の対立関係

連合国	枢軸国
アメリカ	日本
イギリス	ドイツ
フランス	イタリア
中国	ブルガリー
ソ連	ハンガリー
オーストラリア	フィンランド
カナダ	ルーマニア
オランダ	タイ
ニュージーランド	
その他多数	

◎大正～第二次世界大戦までの主な出来事

年	事柄
1914年	連合国側として第一次世界大戦参戦
1915年	対華21か条の要求
1918年	シベリア出兵。米騒動 原敬の政党内閣の成立
1920年	国際連盟の常任理事国就任
1925年	普通選挙法・治安維持法の成立
1930年	昭和恐慌が起きる
1931年	満州事変が起きる
1932年	五・一五事件が起きる
1933年	国際連盟を脱退する
1936年	二・二六事件が起きる
1937年	日中戦争が始まる
1938年	国家総動員法が制定される
1940年	日独伊三国同盟の締結
1941年	大東亜戦争（太平洋戦争）が始まる
1945年	ポツダム宣言を受諾する

◆戦後の日本

　連合国軍総司令部（GHQ）は日本政府に対し「五大改革指令」を示し、女性参政権の付与、労働基本権の保障、男女共学、治安維持法の廃止、財閥解体や農地改革などの諸改革を政府に進めさせた。日本国憲法の制定・施行は、占領政策のためのものであった。その後日本は、サンフランシスコ平和条約と同時に締結された日米安全保障条約（1960年に改定）を基軸に、アメリカを中心とする自由主義陣営に属し、1956年には国際連合に加盟して国際社会に復帰した。

　日本は、他国へ攻撃をしかけることなく、他国から攻撃を受けたときに、その領域周辺において国を守るためだけに武力を用いる「専守防衛」という基本方針の中で、非核三原則や武器輸出三原則、防衛費のGNP1％枠など独自の政策に取り組んだ。また、国際平和のためにも活動し、財政的支援も行ってきた。

　さらに、湾岸戦争（1991年）をきっかけに、財政的だけでなく人的にも貢献する議論が高まり、1992年国連平和維持活動協力法（PKO協力法）が制定され、自衛隊の海外での活動が可能となった。

　経済面においては、朝鮮戦争の特需をきっかけに、高度経済成長期に入り、1968年には資本主義国でアメリカに次ぐ第2位の経済大国になった。

> **用語**　**非核三原則**：「核兵器を持たず、作らず、持ちこませず」という日本の核政策である。1967年の衆議院予算委員会で行われた佐藤栄作首相の答弁で表明された。

◎第二次世界大戦後の主な出来事

年	事柄
1945年	連合国の日本占領
1947年	日本国憲法の施行
1951年	サンフランシスコ平和条約・日米安全保障条約の締結（吉田内閣）
1954年	自衛隊の創設
1955年	保守合同で55年体制確立 高度経済成長期に入る
1956年	ソ連との国交回復（日ソ共同宣言）国連に加盟（鳩山内閣）
1965年	日韓基本条約（佐藤内閣）
1972年	中華人民共和国との国交正常化（田中内閣）
1973年	第一次石油危機（オイルショック）
1978年	日中平和友好条約（福田内閣）
1985年	バブル景気が始まる、冷戦の終焉
1991年	バブル崩壊、湾岸戦争後の自衛隊ペルシア湾派遣
1992年	国連平和維持活動協力法（PKO協力法）の成立（宮沢内閣）
2015年	安全保障関連法成立（安倍内閣）

重要度
★★

レッスン 01 世界史 古代

古代国家における文明の発展について、その発祥や特徴などを押さえながら学習する。また、それと並行して、古代ギリシアから西ローマ帝国の滅亡までの時代ごとの特徴を学習する。

◆文明の発祥と古代国家の成立

世の中が進むにつれ人々の技術は発展し、高度な農耕や牧畜が可能になると、都市国家が建設されるようになった。

都市国家が建設され、人口が増えてくると、さらに多数の人口を養うために施設が必要となる。施設を効率的に建設するためには、建設のための技術や、建設に適した土地のほか、人々を指示し動かす権力も欠かせない要素といえる。

このように、さまざまな要素を含みながら、人々は文明を発展させてきた。

ワン・ポイント 文明の発展には、土地の性質や気候が大きく関わっている。主な古代文明は、水を確保しやすい大河の流域や、一年を通して農耕や牧畜が可能な気候の地域を中心に生まれた。

◆代表的な古代文明

（1）メソポタミア文明

紀元前 3000 年頃、チグリス川とユーフラテス川の流域のメソポタミアに成立した、人類最古と考えられている文明である。

楔形文字や六十進法、太陰暦を用い、多神教に基づく神殿を中心とした都市文明が生まれたことなどが特徴である。

バビロン第 1 王朝のハンムラビ王（在位前 1792 ～前 1750 年頃）が制定した、ハンムラビ法典も有名である。

用語　ハンムラビ法典：国内の諸民族を統一的に支配するために制定された。「目には目を、歯には歯を」という言葉は、ハンムラビ法典より生まれた言葉である。犯罪が故意に行われたか、過失によるのかによって、刑に差が設けられていた。かつては世界最古の法典とされたが、現在では、先につくられたシュメール法典を集約したものの集大成といわれている。

（2）エジプト文明

紀元前 3000 年頃、ナイル川流域に成立した文明である。

エジプト文明は、ファラオと呼ばれる絶大な権力をもった王が支配していた。青銅器や象形文字、十進法や太陽暦が使用され、ピラミッドなど特徴のある文明が栄えた。

（3）インダス文明

紀元前 2500 年頃から前 1500 年頃まで、インダス川流域に成立した都市文明である。

インダス文明においては街路が整然と東西南北に並ぶ都市計画がなされ、排水・井戸・浴場などの衛生施設や公共的な建造物と思われる学校、公会堂、倉庫などを持っていた。

下流域のモエンジョ＝ダーロ、上流域のハラッパーなどの遺跡が現在でも残っている。

（4）中国文明

黄河、遼河、長江それぞれの流域で栄

えた文明の総称である。紀元前1600年頃には殷が勢力を広げ、周辺の国々を統一した。王が城壁に囲まれた都市を築き、占いによる政治や祭り（祭政一致）を行ったことが黄河文明における殷の特徴として挙げられる。

青銅器・土器などが使用され、文字は甲骨文字が用いられた。殷墟などの遺跡が現在でも残っている。

重要ポイント 河川の流域で発達した代表的な文明

インダス文明　　　中国文明
黄河
インダス川
ナイル川　　チグリス・ユーフラテス川
エジプト文明　メソポタミア文明

◆オリエントの統一

メソポタミアを統一したアッシリアは紀元前667年にエジプトに侵入、征服した。

このことによって、メソポタミアからエジプトにかけてのオリエント世界が、「アッシリア帝国」として最初に統一された。

そして、紀元前612年にアッシリア帝国は滅亡し分裂する。

紀元前550年、ペルシア人のアケメネス家、キュロス2世が、それまで属していたメディア王国を滅ぼして独立を果たす。さらに急速に勢力を伸ばし、紀元前538年には新バビロニアを滅ぼした。

次の代となるカンビュセス2世が、紀元前525年にエジプトを征服し、紀元前6世紀末のダレイオス1世の時代には、全オリエントを支配する大帝国が建設された。

◆古代ギリシア

ギリシアは、土地が肥えて作物がよくできる平地が少ない地域であった。

このため、都市国家（ポリス）は発達したが、それ以上の巨大な統一国家は成立しなかった。

ギリシアでは王政がとられていたが、徐々に貴族が政治を行う体制、平民による民主政治へと移行していった。

そのほかの主な特徴として、個人意識から出発した哲学が発展し、キリスト教とともに西洋思想の二大潮流となっていった。

だが、そのギリシアもペルシア戦争の後、都市国家同士の抗争によって政治的に混乱し、マケドニアのアレクサンドロス大王によって統一されていき、マケドニア帝国がつくられていった。

◎古代ギリシア（アテネ）の主な出来事

年 B.C.	事柄
594年頃	ソロンの改革（貴族と平民の対立を調停するための改革）
561年頃	ペイシストラトスが僭主政治を確立
508年頃	クレイステネスの改革により民主政を完成（僭主の出現を防止するため、陶片追放の制度を創設）
500年〜449年	ペルシア戦争
478年	アテネを盟主とするデロス同盟結成
443年〜429年	アテネの全盛（ペリクレス時代）
431年〜404年	ペロポネソス戦争　アテネとスパルタの戦いはアテネの降伏で終わる

用語 **ペロポネソス同盟：**紀元前6世紀末にスパルタ王クレオメネス1世によって結成された、スパルタを盟主とするペロポネソス半島の諸ポリスからなる同盟。ペロポネソス同盟とデロス同盟の対立は、やがてペロポネソス戦争へと発展した。

◆古代ローマ

ローマも当初はギリシアと同じく都市国家から出発し、早くから共和政をとっていた。

ポエニ戦争を契機として、長期にわたる従軍から中小農民層が経済的にも弱まっていき、さらに、属州で奴隷を使用する大土地所有経営(ラティフンディア)が発展すると、安価な農産物がイタリア半島に流入するようになり、農民層の弱体化に拍車をかけることになった。

共和政は中小農民を中心としていたが、中小農民の没落によって特定の少数が権力を握る募頭政治が行われるようになり、やがて帝政へと移行していった。

＋アルファ ローマの大土地所有経営を意味するラティフンディアは、征服地から連れてきた征服民を奴隷として働かせた。

しかし、紀元前27年から後180年のおよそ200年間は、地中海世界に大きな戦争がないローマの平和(パクス・ロマーナ)が実現したため、征服地からの奴隷が供給できなくなり、労働力の不足から、大土地所有経営が困難になった。そこで、大土地所有者である富裕層は、土地を失い没落した農民などを小作人(コロヌス)として使用する大土地所有経営(コロナトゥス)へと移行していった。

◎古代ローマの主な出来事

年	事項
前509年頃	王政廃止、共和政樹立
前494年	聖山事件(平民が蜂起し、護民官が置かれる)
前450年頃	十二表法の成立(最初の成文法)
前367年	リキニウス・セクスティウス法(執政官のうち1人を平民から選ぶ)
前287年	ホルテンシウス法(平民会の議決が元老院の承認なく法律に)
前272年	イタリア半島統一
前264年～前241年	第一次ポエニ戦争
前218年～前201年	第二次ポエニ戦争
前149年～前146年	第三次ポエニ戦争
前146年	マケドニアが、ローマの属州となる
前133年～前121年	グラックス兄弟の改革(ラティフンディアの発展をとめてローマ共和政の維持を図ろうとした)。以降、内乱の1世紀に入る
前73年～前71年	スパルタクスの反乱
前60年	第1回三頭政治(ポンペイウス、カエサル、クラッスス)
前44年	カエサルが暗殺される
前43年	第2回三頭政治(アントニウス、オクタウィアヌス、レピドゥス)
前31年	アクティウムの海戦 オクタウィアヌスがアントニウスとクレオパトラ連合軍を破る
前27年	オクタウィアヌスがアウグストゥス(尊厳者)の称号を受ける(元首政(プリンキパトゥス)＝事実上の帝政開始)
96年～180年	五賢帝時代(ネルウァ、トラヤヌス、ハドリアヌス、アントニヌス・ピウス、マルクス・アウレリウス・アントニヌス)トラヤヌス帝のときローマ帝国の最大領土
212年	アントニヌス勅令(帝国内の全自由民にローマ市民権を与える)
235年～284年	軍人皇帝時代
284年	ディオクレティアヌス帝のとき元首政から専制君主政に移行
313年	コンスタンティヌス帝のミラノ勅令(キリスト教徒にも信仰の自由を認める)
375年	ゲルマン民族の大移動が始まる
392年	テオドシウス帝がキリスト教を国教化する
395年	テオドシウス帝死去、ローマ帝国の東西分裂
410年	西ゴート王アラリックのローマ占領
452年	フン族の王アッティラのイタリア侵入
455年	ヴァンダル族のローマ占領
476年	西ローマ帝国の滅亡

レッスン 02 世界史　中世〜近世

西ローマ帝国の滅亡から、ルネサンスが始まるまでの時代（中世）と、ルネサンスから大航海時代、宗教改革へと展開していく時代（近世）について学習する。あわせて年表を参照すること。

◆中世ヨーロッパの封建社会

　ヨーロッパにおいては、西ローマ帝国の滅亡から、ルネサンスが始まるまでの時代を中世という。

　この時代において、西ヨーロッパの国王・諸侯と強い結びつきをもつカトリック教会が大きな影響力を有していた。中世ヨーロッパでは、国王や貴族などが、土地を領主に分け与えて統治する封建制度が成り立っていた。そして、領主がその土地において、農奴と呼ばれる農民を支配する荘園制度が成り立っていた。カトリック教会は、荘園（有力者がもつ田畑のこと）領主であり、さらにその影響力を拡大させていった。

> **用語　農奴**：荘園内の村落に縛り付けられ、生産物地代（貢租）を負担し、領主に対して結婚税や死亡税を課せられるなど、さまざまな負担を強いられていたものたちのこと。

◎封建制度と荘園制度

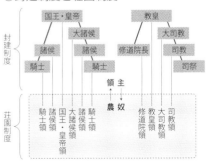

◆イスラーム世界の拡大

　8世紀、ムハンマドを開祖とするイスラーム教の勢力は勢いを増し、アラブ帝国を経てイスラーム帝国を築いた。首都のバグダッドは、唐の都である長安と並ぶ国際的な都市として繁栄を極めた。

　イスラーム文化においては、アラベスクと呼ばれる幾何学的文様を反復して作られた壁面装飾、モスクの建築様式などが有名である。さらに科学の分野における目覚ましい発展を遂げ、その成果がヨーロッパに伝えられた。

> **ワン・ポイント**　ウマイヤ家のムアーウィヤは、661年にウマイヤ朝を開いた。ウマイヤ朝は750年まで続き、イスラーム史上最初の世襲王朝であった。
> 　ウマイヤ朝の衰退の要因の一つとして、ウマイヤ朝はアラブ人優遇政策により非アラブ系のムスリムの不満が募っていったことが挙げられる。こうした状況が利用され、メッカのハーシム家のアッバースによって、ウマイヤ朝は倒された。
> 　そして、アッバースは新たにアッバース朝（750年〜1258年）を開き、アラブ人の優遇政策を廃止し、ムスリム間の平等を実現した。ここにおいて、アラブ帝国からイスラーム帝国への転換が図られた。

◆十字軍の遠征

　イスラーム勢力であるセルジューク朝の侵攻にさらされていたビザンツ帝国（東ローマ帝国）の皇帝アレクシオス1

世の要請を受け、ローマ教皇ウルバヌス2世はクレルモン宗教会議（フランスのクレルモンで開かれた教会会議）において、聖地エルサレムを奪回するために各国の王と諸侯に十字軍を派遣するよう呼びかけた。そして、この呼びかけに応え、1096年に第1回十字軍の遠征が行われた。以後、200年間7回にわたり十字軍が派遣されたが、返還された時期はあったものの聖地奪回は果たされず、この結果、ローマ教皇の権威は失墜した。

しかし、十字軍の遠征などをきっかけとして地中海貿易が活発となり、イスラーム世界からさまざまな物がもたらされるようになった。

◎中世の主な出来事

年	事項
610年頃	イスラーム教が起こる
661年	ウマイヤ朝が始まる
726年	ビザンツ帝国レオン3世の聖像崇拝禁止令→布教の観点からローマ教皇が反発
750年	アッバース朝が始まる
756年	ピピンの寄進 フランク王国のピピンがローマ教皇に領地を寄進する
800年	カールの戴冠 フランク王国国王カールが、ローマ帝国皇帝になる
962年	神聖ローマ帝国の成立
1054年	東西教会の分裂 カトリック教会（西方教会）と東方の正教会が相互に破門した
1077年	カノッサの屈辱 神聖ローマ皇帝が、ローマ教皇に屈服した
1096年	十字軍の遠征が始まる
1187年	アイユーブ朝のサラーフ・アッディーンがエルサレムを奪回する
1241年	ワールシュタットの戦い モンゴル帝国遠征軍（バトゥ）とポーランド・ドイツ連合軍の戦い
1453年	ビザンツ帝国の滅亡 オスマン帝国により滅ぼされた

◆近世

中世が諸侯や騎士の力が強く分権的な封建制度であったのに対し、近世は国王に権力が集中した封建制度であった。

> **用語** **絶対王政**：特定の人物に権力が集中し、その人物が政治において絶対的な権力をもつこと。

絶対王政の下では、官僚制と常備軍の形成が進み、それらを維持する財源を得るため、貿易を通じて貴金属や貨幣を蓄える重商主義の経済政策がとられた。

15世紀から16世紀にかけてのポルトガルとスペイン、15世紀末から16世紀のテューダー朝のイギリス、17〜18世紀のブルボン朝のフランスなどがとった政策である。

◆ルネサンス

中世ヨーロッパの文化は、カトリック教会の強い影響下にあったが、十字軍によってビザンツ帝国やイスラーム世界との交流が進むと、古代ギリシアやローマの文化が再びヨーロッパに伝えられ、これを再生させる動きが始まった。

まず地中海貿易で繁栄した、14世紀のイタリアの諸都市で、文化を再生する運動が始まり、15世紀から16世紀にかけて、中央ヨーロッパや北欧にまで広まった。この運動をルネサンスという。ルネサンスからは数多くの芸術家が生まれ、創造力を発揮した絵画や彫刻、建築、文学などの作品が生み出された。

◎ルネサンス期の文化

建築	ブラマンテ（サン・ピエトロ大聖堂）
文学	ダンテ『神曲』、ペトラルカ『叙情詩集』、ボッカチオ『デカメロン』、エラスムス『愚神礼讃』、モンテーニュ『随想録』、セルバンテス『ドン・キホーテ』、チョーサー『カンタベリ物語』、トマス・モア『ユートピア』、シェイクスピア『ヴェニスの商人』『ハムレット』

彫刻	ミケランジェロ「ダヴィデ像」「モーセ像」
絵画	レオナルド・ダ・ヴィンチ「モナ・リザ」「最後の晩餐」、ラファエロ「アテネの学堂」、聖母画、ミケランジェロ「天地創造」「最後の審判」

◆**大航海時代**

　ヨーロッパの人々は、食物の味覚と保存の効果から香辛料を求めていたが、イスラーム商人から手に入れる香辛料は値段が高く、手に入れることが難しい状態にあった。

　そこで、船などにおいて方位・進路を測る計器である羅針盤が実用的になったことから、冒険家を雇い、船団を組んで海路でアジアまでの道を発見し、香辛料を直接入手する事業を開始した。この事業は、すでに国内の統一を完了していたスペインとポルトガルによって行われた。

　その結果、ポルトガルはアジアとの香辛料貿易によって、スペインはアメリカ大陸での銀の採掘によって、巨大な富を築いた。

◎大航海時代の冒険家

ヴァスコ・ダ・ガマ	ポルトガルの支援を受けて、1497 年にリスボンを出航し、翌年アフリカ南端の喜望峰を回ってインドのカリカット（現在のコージコード）に到達した
コロンブス	スペインの支援を受けて、1492 年にパロスを出航して一路西進し、バハマ諸島の一角であるグアナハニ島に到達した。コロンブス一行はグアナハニ島に上陸して、サン・サルバドル島（スペイン語で「聖なる救世主」）と名付けた。その後、キューバなどカリブ海の島々を探検して、翌年、帰路についた
マゼラン	スペインの支援を受けて、1519 年にセビリアを出航し、大西洋を横断し

て南米大陸ブラジルの海岸沿いに南下しながら、大西洋から太平洋に抜けるマゼラン海峡を発見した。太平洋に乗りだした後は一路西進して、1521 年にフィリピンに到達した

◆**宗教改革**

　1517 年、ドイツのルターは、カトリック教会の免罪符販売を批判して、宗教改革の口火を切り、新しい宗派を結成した。このルターらの宗教改革を支持してカトリック教会から離れたキリスト教徒は、プロテスタント（抗議する者）と呼ばれた。

　一方、スイスでも、フランスから来たカルヴァンが宗教改革を起こした。カルヴァンの宗教改革では、職業や労働を信仰の一部として捉え、労働の成果として富を蓄えることは正当化された。そのため、商工業者を中心にカルヴァンの改革は受け入れられ、商工業が強い影響力をもつオランダやフランスなどで広まっていった。これらカトリック教会から離れたキリスト教は、新教と呼ばれている。

　また、カトリック教会内でも改革が進み、新教に対抗するためにイエズス会などが結成された（反宗教改革）。イエズス会は、新航路の発見により交易が容易になった、アジアやアメリカなどにおいても、布教の活動を積極的に行った。

◎近世の主な出来事

年	事柄
14 世紀	イタリアでルネサンスが始まる
15 世紀〜16 世紀	ポルトガル・スペインの絶対王政確立期
15 世紀〜16 世紀	イギリスの絶対王政確立期
1492 年	コロンブスの第 1 回航海
1498 年	ヴァスコ・ダ・ガマのインド航路発見
1517 年	ルターの宗教改革が始まる
1522 年	マゼラン艦隊の世界周航達成
1536 年	カルヴァンの宗教改革が始まる

世界史　近現代

市民革命期から第一次世界大戦の終結までの時代（近代）と、第一次世界大戦終結以降から冷戦終結までの時代（現代）について学習する。

◆近代の市民革命

近世に登場した絶対王政は、強大な軍備と官僚制の下で、国民を一元的に直接統治する政治体制をとっていた。

また、大商人と結合して産業を育成して、貿易を盛んにすることで国を豊かにし、国家の基礎を築いてきた。

権力者は、この絶対王政が正しいものであることを示すため、「王権は絶対者である神から王に与えられたもの」とする、王権神授説が唱えられた。

しかし、新たにあらわれた市民階級（商工業者層）にとって、絶対王政は、自由の保障のない経済活動によって、いつでも王権により制限・剥奪の危険にさらされている状態であった。そこで、絶対王政を打倒し、市民階級の政府をつくりあげることを目的に、市民革命が起きたのである。

王権神授説を克服する、社会契約説が市民階級から支持されたのも、自らの政府を正当化するためである。

◆イギリスの市民革命

（1）清教徒（ピューリタン）革命（1642年〜1649年）

イギリスで起きた市民革命である。国王のチャールズ1世が、議会を無視して、専制政治を行うようになると、議会はこれに反発し、1642年、王党派と議会派に分かれて争う内戦状態に入った。

内戦状態はしばらく続いたが、クロムウェルの率いる議会派が各地で王党派を破り、ついには国王を処刑して、共和国を樹立した。しかし、クロムウェルの政治は独裁的だと民衆の不満が起き、クロムウェルの死後、王党派が権力を取り戻し、王政が復活した。なお、一度没落した王政が復活することを、王政復古という。

（2）名誉革命（1688年）

清教徒革命後にイギリスで起きた市民革命である。クロムウェルの死後、復活をとげた王政であったが、議会を尊重しない国王ジェームズ2世に対して、1688年、議会は国王ジェームズ2世を追放した。

そして、オランダからウィレムとメアリを迎え、翌年2人は議会が提出した「権利の宣言」を承認して国王に即位し、「権利の章典」を制定した。

ジェームズ2世の追放から、この「権利の章典」制定におけるイギリス議会による一連の革命は、流血を見ずに達成されたことから、名誉革命と呼ばれるようになった。

これによって、「国王は君臨すれども統治せず」という言葉も生まれ、統治権は議会を通じて国民が行使するという政治体制が整い、イギリスの議会政治の土台が固まった。

◆アメリカ独立革命（1775年〜1783年）

1773年のボストン茶会事件をきっかけに、イギリス本国議会のアメリカ植民地に対する課税は、いっそう強化され

た。これに対して植民地側は、本国議会に議席がないことから「代表なくして課税なし」と訴えて、1775年にレキシントンの戦いで武力衝突を起こした。そして、1776年にジェファソンらが起草した独立宣言を採択し、フランスなどの支援を得てイギリス軍を破った。その後、1783年のパリ条約で、イギリスからの独立が承認された。1787年には合衆国憲法が制定され、1789年にワシントンが初代大統領に就任した。

＋アルファ トマス・ペインは1776年に『コモン・センス』をあらわし、アメリカの独立の正当性を強調した。

◆フランス革命（1789年〜1799年）

1789年、国王ルイ16世の絶対王政末期において、悪政に抗議する市民階級、一部の貴族、一般民衆による、バスティーユ牢獄襲撃から革命が始まった。この革命は、封建的特権の廃止を宣言する同年の人権宣言の発表へと発展した。1791年には憲法が制定され、王政は廃止、1793年に逃亡を図ったルイ16世は処刑された。

しかし、まだ政治の土台は固まらず、ルイ16世処刑後は、革命勢力内部の対立から恐怖政治が始まり、テルミドール9日の反動（1794年7月27日）でロベスピエールが失脚するまで続いた。ロベスピエール失脚後は、1795年に政治の安定を求めて総裁政府が樹立された。しかし、総裁政府でも社会に安定をもたらすことはできなかった。社会不安が続く中、安定を求める人々の声を背景に、軍人ナポレオン・ボナパルトが台頭してきた。

1796年、ナポレオンはイタリア派遣軍司令官としてオーストリア軍を破り、

1798年にはエジプトに遠征した。1799年に帰国したナポレオンはブリュメール18日のクーデターを起こして総裁政府を倒し、自らを第一統領とする統領政府を立てた。

その後、ナポレオンはロシアを除くヨーロッパのほぼ全域を支配したが、1815年のワーテルローの戦いに敗北してセントヘレナ島に流罪となり、ナポレオン帝国は崩壊した。

◆産業革命

手工業から工場制機械工業への技術革新が起きると、資本主義の発展とともに、経済・社会構造上の大変革が起きた。

（1）イギリスの発展

イギリスでは、18世紀中頃からハーグリーヴズのジェニー紡績機やアークライトの水力紡績機が発明された。また、ワットが改良した蒸気機関が紡績・力織機の動力として実用化された。これにより、綿製品の需要も高まり、木綿工業は飛躍的に発展した。さらに、産業革命の波は、製鉄業などにも広がり、19世紀の中頃には、イギリスは「世界の工場」と呼ばれるようになった。

しかし一方で、産業革命の恩恵を受ける資本家と、生産資本をもたず労働者として働かされるものの対立は深刻化し、労働者の過酷な労働環境、失業と貧困が社会問題となった。

（2）アメリカの発展

アメリカは19世紀中頃から20世紀初頭にかけて、重工業を中心に著しく発展した。19世紀末にはイギリスを追い抜くまでに成長している。成長のきっかけとなったのは、南北戦争（1861年〜1865年）であった。南北戦争は、重工業化のための保護貿易を主張する北部と、自由貿易を主張する南部において、労働力の確保をめぐり奴隷制を存続する

かどうかで生じた対立である。

1860 年に北部を代表するリンカンが大統領に選出されると、南部諸州は連邦からの離脱を表明し、北部と南部の間で戦争が始まった。

当初は北部側が劣勢であったが、1863 年にリンカンによって奴隷解放宣言が出されると、形成が逆転し、最終的に、南軍の降伏によって南北戦争は終結した。その結果、奴隷制度は廃止され、国内統一を終えた後は、工業化へと邁進(まいしん)することになった。

(3) 欧米諸国のアジア・アフリカ地域の植民地化

イギリスに続いて、フランス・ドイツ・アメリカなどでも産業革命が始まると、各国は原料の確保と製品の販売先を求めて、アジア・アフリカ地域の植民地化に乗り出していくようになった。このように植民地化を推し進めた国を列強と呼び、列強が軍事力を背景に植民地支配を進める動きは帝国主義と呼ばれている。

1869 年、エジプトではフランス人のレセップスによってスエズ運河が開通した。ヨーロッパ列強の干渉に対し、軍人のワラービーが蜂起(ほうき)したが、イギリス軍に鎮圧され、1882 年、エジプトは事実上イギリスの保護国とされた。

スーダンでも、救世主マフディーを称したムハンマド＝アフマドが反エジプト・反イギリスのため蜂起したが、19世紀末、イギリスの支配下に置かれた。

イギリスは、エジプトのカイロとケープ植民地を結ぶアフリカ縦断政策を推し進め、1898 年、アフリカ横断政策をとるフランスとの間でファショダ事件を起こした。1899 年には、植民地相ジョゼフ＝チェンバレンのもとで南アフリカ戦争を起こし、オランダ系入植者の作ったオレンジ自由国・トランスヴァール共和国を併合して、1910 年に南アフリカ連邦を成立させた。

ワン・ポイント　アフリカでは列強の互いの勢力圏を確定するために、緯線と経線で区切った領土分割が行われた。これは、現地の住民の言語や生活を無視したものだったので、第二次世界大戦後のアフリカ諸国独立後も、各国が部族問題を抱え込む要因となった。

◆ドイツの統一

ドイツの国家統一はプロイセンを中心に進んだ。1862 年、ビスマルクが首相になると、「鉄血政策」と呼ばれる富国強兵政策を推進した。デンマーク、オーストリア、フランスとの戦争を経て、1871 年にヴィルヘルム 1 世を皇帝とするドイツ帝国が成立した。

◆ 19 世紀末から第一次世界大戦終結までの世界

ドイツはビスマルク宰相の時代であった 1882 年に、イタリア・オーストリアと三国同盟を締結して、植民地の再分割を求めて、軍備を拡張し、イギリスに対抗しようとした。イギリスもドイツに対抗する観点から、1904 年の英仏協商、1907 年の英露協商などを結び、フランス・ロシアとの三国協商が成立した。

当時は、バルカン半島で、ロシアを後ろ盾とするスラブ民族と、ドイツ・オーストリアを後ろ盾とするオスマン帝国が対立していた。

1914 年、ボスニア州の州都サライェヴォにおいて、オーストリア皇太子夫妻がセルビアの青年によって殺されたサライェヴォ事件が起こり、この事件をきっかけに第一次世界大戦が始まった。第一次世界大戦は長期化し、被害は多くの国に広まった。そして、ドイツで革命が起きると、ドイツは連合国に降伏を申し入

れて、第一次世界大戦が終結した。

◎近代の出来事

年	事柄
1642年	清教徒革命が始まる（英）
1688年	名誉革命が起きる（英）
1689年	権利の章典が制定される（英）
1775年	独立革命が始まる（米）
1776年	独立宣言が出される（米）
1789年	フランス革命が始まり、人権宣言が出される
1840年	アヘン戦争が始まる（英清間）
1842年	清が敗北し、南京条約が締結される
1857年	東インド会社の傭兵シパーヒーの反乱をきっかけにインド大反乱が起こる
1858年	ムガル帝国が滅亡し、インドがイギリスの直接統治下に入る
1861年	南北戦争が始まる（米）
1863年	リンカンの奴隷解放宣言が出される（米）
1882年	三国同盟の締結（独墺伊）
1907年	三国協商の成立（英仏露）
1914年	サライェヴォ事件が起こり、第一次世界大戦が始まる
1917年	ロシア革命が起きる
1918年	第一次世界大戦の終結

出題パターン

第一次世界大戦に関する記述中の空所A〜Dに当てはまる語句の組み合わせとして、最も妥当なのはどれか。
（ A ）の都（ B ）を訪れた皇位継承者夫妻が、セルビアの一青年によって（ C ）6月28日に銃撃・暗殺された。オーストリアが事件の責任はセルビアにありとして、7月28日宣戦すると、これを機に（ D ）余り続く第一次世界大戦が始まった。

	A	B	C	D
(1)	ボスニア	サライェヴォ	1924年	6年
(2)	クロアチア	ザグレブ	1914年	4年
(3)	ボスニア	ザグレブ	1924年	6年
(4)	クロアチア	サライェヴォ	1914年	6年
(5)	ボスニア	サライェヴォ	1914年	4年

解答　(5)

◆**第一次世界大戦後の世界**

第一次世界大戦により、人、土地、経済などさまざまな面において大きな被害を受けた国際社会は、戦争防止のため、1920年にアメリカ大統領ウィルソンの平和原則14か条の提言に基づいて国際連盟を発足させた。しかし、国際連盟には機構上の問題点があった。

1929年にニューヨークの株価暴落から世界恐慌が始まった。世界恐慌の波及を防ぐため、主要国は、自国とその勢力圏内にある地域を、高い関税で取り囲み、他国からの安い輸入品が入ってこないように、排他的な経済圏を形成する、いわゆるブロック経済をとるようになった。

その結果、資源のないドイツやイタリアなどは国内経済が行き詰まり、民主政治を否定するファシズムがあらわれることとなり、侵略戦争を引き起こし、再び世界大戦を迎えることになった。

＋アルファ　国際連盟は、アメリカが不参加であったこと、理事会と総会の決定が全会一致制であったこと、経済制裁以外の有効な手段がなかったなどから、平和維持の機能を果たさなかった。

用語　**ニューディール政策**：世界恐慌を脱するために、1933年、アメリカ大統領に就任したフランクリン・ローズヴェルトが実施した政策。政府が経済活動に積極的に介入して、全国産業復興法・農業調整法・社会保障法などを制定した。また、失業者の救済と地域総合開発を目的として、テネシー渓谷開発公社（TVA）を発足させた。

◆**第二次世界大戦とその後の世界**
（1）第二次世界大戦の開始

1939年、ドイツがソ連と不可侵条約を結んで、ポーランドへと侵攻し、第二次世界大戦が始まった。ドイツは、

1940年までに、ヨーロッパの大半を占領し、日独伊三国同盟を締結して、枢軸国側の態勢を整えた。そして1941年に、不可侵条約を結んでいたソ連に攻めこんだことによって、戦争は拡大していった。

一方、日本は、中国との戦争を継続しながら、さらにフランス領インドシナ南部を占領したため、アメリカ・イギリス・オランダとも対立を深めていった。日本はこの状況を打開しようと試みたが、関係を修復することはできず、1941年、ついにイギリスとアメリカとの戦争に踏み切った。

結果として第二次世界大戦は、連合国側（アメリカ、イギリス、フランスなど）が枢軸国側（日本、ドイツ、イタリアなど）に勝利し、終結した。

(2) 第二次世界大戦の終結

第二次世界大戦の終結後は、国際連盟に代わり、新たな平和機構として国際連合を発足させて、世界平和の維持を図るようになった。しかし、この大戦に勝利した二大強国であるアメリカとソ連は、異なる社会体制（資本主義と社会主義）の国であったため、すでに大戦終結直後から戦後の互いの勢力分布をにらみながら、戦後処理を進めていくことになる。なお、この戦後処理によって、ドイツと朝鮮半島は分断され、それぞれの陣営に所属することになった。このアメリカとソ連のように、複数の国がにらみ合った状態が続くことを冷戦と呼ぶ。

両国の冷戦が続く間、朝鮮戦争やキューバ危機などが生じたが、平和共存の道を探り、世界大戦に至ることはなかった。この間、アジアやアフリカの国々は続々と独立し、アメリカとソ連のどちらの陣営にも属さない第三世界を形成していった。

その後、テクノロジーの進歩と社会主義経済の停滞によって、軍事的・経済的に資本主義陣営に大きく傾くようになると、社会主義陣営は次々と市場経済への移行と言論の自由の保障に踏み切るようになった。

> **用語** **資本主義陣営と社会主義陣営：**
> 冷戦時における資本主義陣営とは、アメリカ側に属する国のことを指し、西側、西側諸国とも呼ばれた。一方の社会主義陣営とは、ソ連側に属する国のことを指し、東側、東側諸国とも呼ばれた。

(3) 冷戦の終結

1945年から1989年までの44年間続いた冷戦は、東ヨーロッパの共産党政権が連続して倒された東欧革命を経て、マルタ会談における宣言によって終結を迎えた。冷戦終結後は、東西ドイツの再統一、ソ連の崩壊へと進展し、世界は新たな秩序の構築を模索する時代へと移行するようになった。

◎現代の主な出来事

年	事柄
1919年	パリ講和会議、ヴェルサイユ条約の締結
1920年	国際連盟の発足
1929年	世界恐慌が始まる
1939年	第二次世界大戦が始まる
1940年	日独伊三国同盟の締結
1945年	ヤルタ会談、第二次世界大戦の終結、国際連合の発足
1950年	朝鮮戦争が始まる
1955年	アジア・アフリカ会議の開催
1962年	キューバ危機が起きる
1989年	東欧革命、マルタ会談

重要度
★★

世界史 中国史

中国の歴代王朝の特徴と、辛亥革命以降の中国の近現代史について学習する。それぞれの王朝の崩壊と設立のきっかけとなるポイントや、近現代史においては日本との関わりにも重点をおきながら学習すること。

◆中国史の概観

中国で王朝が交代していくのは、王朝が農民に対して過酷な労働をさせ、それに対して農民が大規模な反乱を起こすことが主な要因である。

> **用語** **王朝**：ある人物（一般的には、王や皇帝）が設立した巨大な組織（これが、王朝となる）において、この組織を血縁関係のある人物（血統原理）によって、継承され続けるものをいう。

農民反乱の中から指導者が生まれて有力な私兵集団を率いた者、あるいは侵入した異民族の中で有力な集団を率いた者が勝ち上がって、国内を統一していく場合もあり、その影響は中国のみにとどまらず、周辺の東アジア地域にも及んだ。

◆歴代王朝と時代区分

（1）殷（紀元前1600年頃〜紀元前1050年頃）

殷は、発掘で確認できる最古の王朝である。王の卜占による、神権政治が行われていたと考えられている。

（2）周（紀元前1100年頃〜紀元前771年）

周は、殷を滅ぼして成立した王朝であり、封建制をとっていた。周の封建制は、血縁的な社会関係を基盤としていた。

（3）春秋・戦国時代（紀元前770年〜紀元前221年）

春秋戦国時代が始まった当時、周の王朝は形としては存続していたが、権威だけの状態となっていた。戦国時代は、諸侯自らがそれぞれ「王」を称して周の権威はほとんどなくなった。孔子や老子などの思想家が登場した時代でもある。

（4）秦（紀元前221年〜紀元前206年）

秦の始皇帝は、中国統一を成し遂げた。秦では中央集権体制である「郡県制」が採用され、統一的な土台を構築するため、文字や貨幣、度量衡の統一が行われた。しかし、事業の多大な負担に農民の不満が爆発し、これにより陳勝・呉広の乱が起こり、群雄が割拠して秦は滅亡した。

> **用語** **郡県制**：国を複数の郡に分け、それぞれの郡に長官や副長官などの官吏を派遣し、支配する制度をいう。
> **度量衡**：長さ、容積、重さなどをはかる測定のことをいう。

（5）前漢（紀元前202年〜紀元後8年）

前漢は、秦の後を継いだ王朝である。秦の滅亡の反省から、封建制と郡県制の折衷案である「郡国制」を採用した。前漢は、王莽によって滅ぼされる。

（6）新（8年〜23年）

前漢を滅ぼした王莽によって建てられた王朝である。周に倣った政治を行ったが、時代には適さない政治であったため、社会は混乱し、23年に滅んだ。

（7）後漢（25年〜220年）

一度滅びた漢王朝が、劉秀（光武帝）によって再興された王朝である。200年ほど続いたが、太平道（黄巾賊）を率いる張角が起こした反乱である黄巾の乱を

きっかけに滅亡した。

(8) 三国（220年～280年）

　三国は、後漢が滅亡後、魏・蜀・呉の三国が互いに対立した（これを、鼎立という）時代である。

(9) 晋（265年～420年）

　三国の時代が終わり、晋によって中国は再統一された。しかし晋は、異民族の侵入を受けて分裂した。

(10) 南北朝の時代（420年～589年）

　江南において宋・斉・梁・陳の4つの王朝が興亡した。三国時代の呉・東晋と合わせて、六朝時代とも呼ばれる。また、陶淵明や王羲之などが代表する貴族文化が栄え、六朝文化と呼ばれている。

(11) 隋（581年～618年）

　南北朝の時代の後、隋によって中国は再統一された。しかし隋は、運河建設や度重なる軍事遠征の負担に耐えられなくなった農民の反乱をきっかけに滅亡した。

(12) 唐（618年～907年）

　隋の滅亡後、中国では、律令国家としての体制が整備された。唐の時代は、中国史の中で最も華やかな時代であり、李白や杜甫などの詩人も登場した。しかし、唐は周辺の異民族の統治を節度使（辺境警備にあたる軍人の役職をいう）に任せたために、安史の乱に代表される節度使の反乱が多発し、ついには、節度使である朱全忠によって滅ぼされた。

(13) 五代十国（907年～960年）

　五代十国は、唐滅亡後、各地の節度使が争いあった時代である。

(14) 宋（北宋　960年～1127年、南宋　1127年～1279年）

　宋は、節度使の争いを終わらせ、中国を統一した。宋は、官僚制を整備して文治政治を行ったが、度重なる異民族の侵入を受けて、モンゴル帝国に滅ぼされた。

(15) 元（1271年～1368年）

　元王朝は、モンゴル帝国が中国に打ち立てた王朝である。元は政治制度や政治運営において、モンゴル帝国の異民族を統治する仕組みを採用した。そのため、漢民族の不満が爆発して、紅い布を着けた反乱軍が起こした紅巾の乱によって、元はモンゴル高原へと追いやられた。

(16) 明（1368年～1644年）

　明は、初期の頃には、積極的に対外遠征を推し進めたが、大規模な対外遠征は財政を圧迫したため、遠征を中止すると、今度は北方からの異民族の侵入と倭寇に苦しむようになった。その備えのために農民に重税が課せられると、各地で反乱が発生し、最後は李自成に滅ぼされた。

(17) 清（1636年～1912年）

　明の滅亡後、満州族による清朝が中国統一を果たした。

　清は、治世の初期から中期までは国力が充実していたが、アヘン戦争から太平天国の乱、さらに日清戦争を経て弱体化し、欧米列強によって分割されていく。そして、ついに清は内部から崩壊し、辛亥革命を経て滅亡した。

◆中国の近現代史

(1) 中華民国（1912年～1949年）

　1912年、孫文が南京にて中華民国の成立を宣言し、初代臨時大総統に就任した。しかし、国内の各地には軍閥と呼ば

れる私兵集団が存在し、共産党との内戦も始まって、混迷の度を深めていった。

　その中で、1931年に起きた、日本軍が南満州鉄道を爆破し、それを中国軍の仕業として満州の大部分を占領した満州事変を経て、日本は満州国を成立させ、さらに大陸への侵攻を進めた。

　そして、抗日統一戦線を組む必要性から中華民国政府（国民党）は共産党との内戦を中止して、連携協力関係を組むことになった（第二次国共合作）。日本の降伏後、再び内戦が起きると、共産党が勝利して、国民党は台湾に撤退した。

> **用語　西安事件：**1936年、延安の紅軍と対峙する西安の国民党軍を督励に来た蔣介石が、張学良と楊虎城によって監禁された事件である。この事態に、共産党の周恩来が西安に入り、蔣介石との間に合意ができて、蔣介石は解放された。翌年、日中戦争が勃発すると、中国側の国民党と共産党が一致して日本に対抗することを約す、第二次国共合作が成立した。

(2) 中華人民共和国（1949年〜現在）

　国共内戦に勝利した共産党の毛沢東は、天安門で中華人民共和国の建国を宣言した。毛沢東時代には社会主義化政策を進めていったが、鄧小平時代になると、経済開放政策をとり、近代化を進めた。

◎中国の近現代史の主な出来事

年	事柄
1911年	辛亥革命が起きる
1912年	中華民国が成立し、孫文が臨時大総統に就任 宣統帝が退位し、清朝滅亡、袁世凱が第二代臨時大総統に就任
1915年	日本が袁世凱政権に対華21か条の要求を出す
1919年	五・四運動が起きる、孫文が中国国民党を結成
1921年	陳独秀、毛沢東らが中国共産党を結成
1924年	第一次国共合作

年	事柄
1926年	蔣介石率いる国民政府が北伐を開始
1927年	上海クーデターにより国共合作を解消、国共内戦
1928年	国民政府軍が北京に入城し、北伐完了を宣言
1931年	柳条湖事件をきっかけに満州事変が起きる 中国共産党が瑞金で中華ソビエト共和国の成立を宣言
1932年	満州国の成立
1934年	中国共産党が瑞金を放棄して、長征を開始
1936年	西安事件が起きる
1937年	盧溝橋事件をきっかけに、日中戦争が始まる、第二次国共合作、国民政府が重慶に遷都、日本軍が南京を攻略
1940年	汪兆銘政権の成立
1945年	対日戦が終結
1946年	国共内戦

◎毛沢東時代の主な出来事

年	事柄
1949年	蔣介石が台湾へ逃れ、毛沢東共産党主席が北京で中華人民共和国成立を宣言
1950年	朝鮮戦争に出兵
1958年	大躍進政策を開始
1959年	大躍進政策が失敗し、劉少奇が国家主席に就任
1966年	文化大革命が始まり、劉少奇主席・鄧小平らが失脚
1971年	中華民国に代わり、中華人民共和国が国連常任理事国となる
1972年	ニクソン訪中、日中国交正常化
1976年	毛沢東死去、四人組を逮捕して文化大革命が終結、華国鋒が中国共産党主席に就任

◎鄧小平時代以降の主な出来事

年	事柄
1978年	鄧小平が最高実力者となる 改革・開放を推進
1979年	米中国交正常化、中越戦争
1989年	天安門事件が起きる、趙紫陽総書記が失脚、江沢民が中国共産党総書記に就任
1997年	香港返還
1999年	マカオ返還
2002年	胡錦濤が中国共産党総書記に就任
2012年	習近平が中国共産党総書記に就任

レッスン 01 世界の自然環境

世界の自然環境の中から、特に地形・気候・土壌について学習する。地形においてはどのような構造になっているか、また、気候と土壌においては、その分類と、それぞれの特徴を押さえること。

◆地球内部のつくり

地球は層構造となっており、大きく分けて、地殻、マントル、核（外核と内核）で構成されている。

◎地球の内部

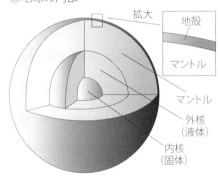

地殻は地球の最も外側となる表層部で、その深さは大陸地域では平均30km〜40km、海洋地域では平均5km〜10kmといわれている。マントルは、地殻と核の間の層のことで、地殻とマントルの間は、モホロビチッチ不連続面と呼ばれている。核は、地球の中心から、半径およそ3500kmにある中心体で、液体の外核と固体の内核からなるといわれる。マントルと外核の間は、グーテンベルク不連続面と呼ばれ、外核と内核の間は、レーマン不連続面と呼ばれている。

用語 **プレート**：地球の表面を覆う厚さ100kmほどの十数枚の岩盤で、地殻とマントルの最上部を合わせたもの。大陸プレートと海洋プレートがある。

プレートの境界では、プレートの衝突、沈み込み、押し合いなどによる岩盤の摩擦や破壊が繰り返されており、その境界で生じた力がプレート内部に伝わり、岩盤をずらして破壊し、地震を生じさせると考えられている。

◆大地形の形成

（1）地溝

細長く、くぼんだ土地のことをいい、ほぼ平行に走る2つの断層間の、溝状に落ち込んだ細長い土地。アフリカの大地溝帯や、ドイツのライン地溝帯が、地溝の代表的な例である。なお、くぼんだ土地とは真逆の、隆起した土地のことは、地塁という。

（2）造山帯

地殻変動や火山の噴火などの造山活動を受けた土地のことを、造山帯という。造山帯は、いつ造山活動があったかによって、大きく次の3通りに分けることができる。

①安定陸塊

安定陸塊とは、先カンブリア時代の造山運動を経て、それ以後は激しい地殻変動を受けることなく、安定している地域のことである。基礎となる先カンブリア時代の岩石が露出している広く平坦な地域を楯状地といい、古生代以降の堆積岩によって覆われた水平な台地を卓状地という。世界の大陸のうち、約3分の2は卓状地である。

ローレンシア（カナダ楯状地）、シベ

リア卓状地、ブラジル楯状地、アフリカ楯状地、オーストラリア楯状地が代表的な例である。

 ワン・ポイント 安定陸塊は、安定地塊や剛塊と呼ばれることもある。

②古期造山帯

古期造山帯とは、古生代の造山運動によりつくられた山脈や山地のことをいう。アパラチア山脈（アメリカ大陸）、グレートディヴァイディング山脈（オーストラリア大陸）、ウラル山脈（ロシア）が代表的な例である。

③新期造山帯

新期造山帯とは、中生代以降の造山運動によりつくられた山脈・山地のことをいう。新期造山帯は古期造山帯と違い、造山活動が継続中で地震・火山活動が活発であるところが多い。また、比較的新しい時代につくられた山脈であるため、侵食を受けた期間が短い。

新期造山帯は、環太平洋造山帯とアルプス・ヒマラヤ造山帯に二分され、日本列島やアルプス山脈、ヒマラヤ山脈が代表的な例である。

（3）海底地形

海底地形とは、海底にできる地形の総称である。

・トラフ：細長い海底盆地のうち、深さが 6000m より浅いものをいう。日本列島周辺の南海トラフ、駿河トラフ、相模トラフが代表的な例である。

・海嶺：マントルが地下深部から上がってできるものをいう。九州 - パラオ海嶺、西マリアナ海嶺が代表的な例である。

・海溝：急な斜面に囲まれた、細長い溝状の海底地形をいい、海洋プレートが沈み込む境界と考えられている。日本海溝、マリアナ海溝が代表的な例である。

◆小地形の形成

（1）海岸

◎海岸地形

リアス海岸	Ｖ字谷が沈水した海岸。のこぎりの歯のように入り組んだ海岸線になる
フィヨルド	Ｕ字谷が沈水した海岸。北欧やニュージーランドに見られる
エスチュアリー	河川の河口部が沈水してできる、ラッパ状の入り江

用語 **Ｖ字谷：**川の侵食によってできた谷のうち、川底を削る力が強くはたらき、その横断形がＶ字状をしている谷。

（2）平野

①堆積平野

川が運んできた土砂の堆積によって形成された平野をいう。

・沖積平野

河川の堆積作用によって形成された平野をいう。一般に平野の規模は小さく、土地は肥沃であることが多い。日本の多くの平野が沖積平野である。

谷の出口を頂点とみて、土砂が扇のような形に広がり積み重なってできた地形のことを扇状地という。また、河口付近で土砂が積み重なってできた地形を三角州、河川の氾濫により、川の両側に土砂が積み重なってできた帯状の小高い地形を自然堤防という。沖積平野のうち、山間部の谷底に形成されるものを谷底平野という。

また、沖積平野には、これらのほかに、スペイン語で「斜面」を意味し、傾斜した地層の差別侵食によりできた波状の地

形であるケスタや、地表に露出した石灰岩が、雨水によって侵食されてできた地形であるカルスト地形などがある。なお、カルスト地形の名称は、スロベニア西部のカルスト地方に多く見られることに由来する。

◎カルスト地形

ドリーネ	石灰岩が、二酸化炭素を含む弱酸性の水に溶食されて形成される、すり鉢状の凹地。直径は数m～数百m
ウバーレ	ドリーネが侵食の進行によってつながった凹地
ポリエ	ウバーレよりもさらに大規模な凹地
鍾乳洞	地下に流入した雨水や地下水で石灰岩が溶けてできた洞窟
ピナクル	土壌水の溶食から溶け残った石灰岩の突出部

◎氷河地形

U字谷	氷河の侵食によって地表がU字状に削り取られて生じた侵食谷
カール	氷河の侵食によって削られた山頂付近の半円状の凹地
モレーン	氷河が削り運んだ土砂や、その堆積物からなる地形

🔔 出題パターン

各地形の名称とその成因・特色との組み合わせとして、最も妥当なのはどれか。
(1) モレーン…氷河が削り運んできた岩屑や土砂、およびその堆積物がつくる地形
(2) エスチュアリー…氷食谷が沈水して、海水が侵入してできた入江
(3) ドリーネ…周囲を氷河によって削り取られピラミッド状に孤立した岩峰
(4) ウバーレ…山頂付近や山腹に氷河の

侵食によってつくられた半円型の凹地
(5) V字谷…氷河が流下する際に斜面を削り取ってつくった谷

解答（1）

・洪積台地
　洪積世（更新世）に堆積してできた平野が隆起して台地になった地形のことをいう。洪積台地には河岸段丘や海岸段丘がある。
②侵食平野
　川の流れによって土壌が削られ、侵食されてできた平野のことをいう。準平原や構造平野は、侵食によって平らになった地形である。

🔔 出題パターン

平野の分類に関する記述中の空所A～Dに当てはまらない平野の名称として、最も妥当なのはどれか。
世界の平野は、その形成原因により侵食平野、（　A　）などに大きく分類できる。（　A　）には洪積台地のほかに（　B　）や（　C　）などがあり、その規模は侵食平野に比べるときわめて小さい。（　B　）は肥沃で生産活動の盛んな場であり、（　D　）、扇状地、自然堤防、後背湿地、三角州などの地形がみられる。
(1) 海岸平野
(2) 沖積平野
(3) 堆積平野
(4) 谷底平野
(5) 構造平野

解答（5）

◆世界の気候
　気候の区分方法として代表的なものは、気候学者のケッペンが、植生分布と気候との関係を研究し、考案した気候区分であり、まず低緯度から高緯度へ、主

に気温に着目して分類し、さらに、降水　　ている。
量やその季節変化に着目して細分化され

◎主な気候区分

地域	気候区分	特徴	分布地
熱帯	熱帯雨林気候（Af）	一年中高温多湿で、四季の変化がない。密林が広がっている	赤道を中心に緯度5°〜10°の範囲に分布
	熱帯モンスーン気候（Am）	雨季の雨量は熱帯雨林気候と変わらないが、モンスーンの影響により乾季があり、多少乾燥する。植生は主に落葉広葉樹からなる	インド南西部、インドシナ半島の一部などに分布
	サバナ気候（Aw）	雨季と乾季に明確に分かれる。乾燥に強い樹木がまばらに生える草原、サバナ（サバンナ）が広がり、気候区の名称の由来となっている	熱帯雨林気候の外側（緯度10°〜15°）地域に分布
乾燥帯	ステップ気候（BS）	ステップと呼ばれる丈の短い草原が広がる。一年を通して降水量は少なく、雨季には少量の雨が降る	サヘル、中央アジア、アメリカ西部、オーストラリア中央部に分布
	砂漠気候（BW）	一年を通してほとんど雨が降らないので、砂漠となっているが、水源のある地域ではオアシス農業が行われ、ナツメヤシなどが栽培されている	回帰線付近の大陸内部に分布
温帯	地中海性気候（Cs）	冬にある程度の降雨があるが、夏は日ざしが強く乾燥する。乾燥に強いオリーブやブドウ、柑橘類などが栽培されている（地中海式農業）	緯度30°〜45°の大陸西岸に分布
	温暖冬季少雨気候（Cw）	夏は降水量が多く、高温湿潤となるが、冬には乾燥した気候になる。シイ類、カシ類などの照葉樹林が生育している	緯度20°〜30°の大陸東岸に分布
	温暖湿潤気候（Cfa）	気温の年較差が大きく、夏に高温多雨となる。四季の変化が明瞭である。温帯混合林や温帯草原が広がっている	緯度30°〜45°の大陸東岸に分布
	西岸海洋性気候（Cfb、Cfc）	一年を通して、気温・降水量とも大きな変化がない。ブナなどの落葉広葉樹が生育している	緯度40°〜60°の大陸西岸に分布
冷帯（亜寒帯）	冷帯湿潤気候（Df）	気温の年較差が大きく、夏は平均気温10℃以上だが、冬は−3℃を下回り積雪は根雪となる。タイガ（針葉樹林）が広がっている	ロシアやカナダ南部、五大湖付近に分布
	冷帯冬季少雨気候（Dw）	夏は一定程度の雨が降るが、冬は降水（雪）量が少ない	シベリア東部、中国東北部に分布
寒帯	ツンドラ気候（ET）	一年のほとんどは氷に覆われているが、夏に永久凍土がとけ、蘚苔類や地衣類が地表を覆う	ユーラシア大陸北部、アメリカ大陸北部、グリーンランド沿岸に分布
	氷雪気候（EF）	一年を通じて雪と氷に閉ざされている。植物の自生は見られない	南極大陸、北極諸島、グリーンランド内部に分布

01
世界の自然環境

85

なお、このケッペンの気候区分に追加して、高山気候区が加えられることもある。

高山気候は、標高が高くなるにつれて気温が下がり、霧が多くなる。

出題パターン

ケッペンの気候区分に関する記述として、妥当なのはどれか。

(1) 温暖冬季少雨気候区（Cw）は、夏は低地では熱帯と変わらないくらい高温となり、モンスーンや低気圧の影響で降水量が多く、常緑広葉樹が多い。
(2) 氷雪気候区（EF）は、最暖月の平均気温が0℃以上10℃未満であり、北極海を取り囲むように分布し、夏には地衣類や蘚苔類がみられる。
(3) 熱帯雨林気候区（Af）は、年中高温多湿な気候で、気温の年較差は大きいが、日較差は比較的小さく、常緑広葉樹が繁茂し密林を形成している。
(4) サバナ気候区（Aw）は、降水量の多い雨季と砂漠気候区（BW）のように乾燥する乾季があり、オアシスとよばれる川やわき水の近くを除き、植物はほとんどみられない。
(5) ステップ気候区（BS）は、赤道付近の熱帯雨林気候区の周辺に帯状に分布しており、タイガとよばれる樹種が均一である針葉樹林がみられる。

解答 （1）

◆土壌

用語 成帯土壌と間帯土壌： 土壌は、一般的に気候やその土地に育つ植物などの影響を強く受けてつくられ、ほぼ東西に帯状に連なって分布する。これを成帯土壌という。これに対して、気候帯に関係なく地形・地下水・岩石などの特性によってつくられ、局地的に分布する土壌を間帯土壌という。石灰岩を母体としたテラロッサ、玄武岩などを母体としたレグールやテラローシャがその例である。

出題パターン

世界の土壌や土壌分布に関する記述として、妥当なのはどれか。

(1) チェルノーゼムは、ウクライナのような中緯度の草原地域に分布する成帯土壌であり、黒色を呈し、肥沃度が高い。
(2) テラロッサは、インドのデカン高原に分布する間帯土壌であり、玄武岩の風化により生成され、黒色を呈し、肥沃度が高い。
(3) ポドゾルは、低緯度の熱帯雨林地域やサバナ地域に分布する成帯土壌であり、赤色を呈し、肥沃度が低い。
(4) ラトソルは、地中海沿岸の石灰岩地域に分布する間帯土壌であり、石灰岩の風化により生成され、赤色を呈する。
(5) レグールは、高緯度のタイガ地域に分布する成帯土壌であり、灰白色を呈し、肥沃度が低い。

解答 （1）

◎土壌の分類

名称	特色	分布
ラトソル（ラテライト）	養分が乏しい赤い土	熱帯地方に広く分布
ポドゾル	養分が乏しい灰色の土	タイガ地域に分布
チェルノーゼム	養分が豊富な黒い土	ウクライナ地方に分布
プレーリー土	養分が豊富な暗褐色の土	北アメリカ中央平原に分布
テラロッサ	石灰岩から生成した赤い土	地中海沿岸に分布
テラローシャ	玄武岩などから生成した赤紫色の土	ブラジル高原に分布
レグール	玄武岩から生成した黒い土	デカン高原に分布
ツンドラ土	養分が乏しい褐色の土	北極圏に分布

レッスン
02

主要国の産業

それぞれの国は、その地理的条件や技術を生かして、その国に適した生産や貿易を行っている。ここでは、国の特性、産業、輸出入品目に重点をおきながら、主要国における産業について学習する。

◆アメリカの産業

アメリカのGDP（国内総生産）は世界第1位である。アメリカの主要な産業は、先端科学技術を背景とした自動車、機械、医薬品、航空機などの製造業、情報技術産業、サービス業などであるが、これらのほかに、広大な土地を活用した大規模農業を営むという特徴をもつ。アメリカは、人口の多さ、そして、社会構造の大きさから、国内における消費は多く、原油などの工業原料は輸入にも頼っている。

◆アメリカの人口増加

アメリカの人口増加率が他の先進国と比べて高いのは、移民の受け入れが理由の一つに挙げられる。このため住宅建設の内需が強い傾向にあったが、2007年のサブプライム住宅ローン危機をきっかけとして2008年に起こったリーマンショックは、国内産業のみならず、国際経済にも深刻な影響を与えた（世界金融危機）。

◆アメリカの工業

アメリカの工業の中心は、五大湖沿岸地域からサンベルトに移行している。製造業のほか農業も盛んであり、世界最大の農産物輸出国である。

> **用語** サンベルト：ほぼ北緯37°以南の温暖な地域を指す。もともと農業が盛んであったが、近年は石油・航空機・電子などの産業が発達している。

◆アメリカの国土と人口構成

アメリカの国土面積は世界第3位で、人口も第3位となっている。

アメリカは人口構成において多様な民族性をもつ国であるが、ヒスパニック系の住民の大多数は、自分たち独自の文化や価値観を維持している。なお、近年におけるアメリカがもつ課題には、国民の所得や資産の格差の拡大や、財政赤字、高い失業率などが挙げられる。

◎アメリカの主要輸出入品目

輸出	工業用品・原材料（エネルギー製品等）、資本財（エンジン・部品等）、消費財（医療用品等）
輸入	資本財（発電機械等）、消費財（家庭用電化製品等）、工業用品・原材料

◆中国の産業

中国は世界最大の農業生産国となっている。また、製造業が盛んなことを由来に「世界の工場」と呼ばれることもある。GDPはアメリカに次ぐ世界第2位であり、安い人件費と世界屈指の人口という特徴を土台として、資本投入と安価な製品輸出の拡大を発展の原動力としている。

◆中国の貿易

アメリカをはじめ日本や韓国、東南アジア諸国への輸出も伸びており、大幅な貿易黒字となっている。しかし、輸出と投資に依存しすぎた成長を続けたことから、個人消費の割合が著しく低いという経済構造ができあがっている。近年では、個人消費の拡大によって経済成長を継続

する方針への転換も図られている。

◎中国の主要輸出入品目

輸出	機械類・電子機器、紡績用繊維、卑金属
輸入	機械類・電子機器、化学工業生産品、鉱物性燃料品

◆インドの産業

インドは、人口が中国を上回り世界第1位となった（2023年）。面積は第7位、GDPが第5位となっている（2023年）。

インドの産業は、農業、工業、鉱業、IT産業と、さまざまな産業に力を注いでいるが、労働力人口の約3分の2は、直接的あるいは間接的に農業で生計を立てているといわれている。また、国の面積の半分以上が農地として活用されている。

◆インドにおけるIT分野

その一方で、IT時代の到来と英語で教育されてきた若年労働者により、IT分野において、世界各国におけるアウトソーシングの重要な拠点となっている。

インドのIT産業の発展は目覚ましく、その中でもバンガロールは「インドのシリコンバレー」と呼ばれ、インドの情報通信産業を成長させる原動力になった。

用語 シリコンバレー： アメリカのサンフランシスコの南に位置するサンタクララ・パロアルト・サンノゼ地区を指す。数多くの有力なコンピュータ関連企業が集まっている地域である。

◎インドの主要輸出入品目

輸出	石油製品、宝石類、電気機器、一般機械、化学関連製品
輸入	原油・石油製品、宝石類、電気機器、一般機械、化学関連製品

◆ロシアの産業

ロシアは1991年のソ連崩壊後、それまでの中央計画経済（政府が生産量等を計画すること）から市場経済（市場における需要のバランスにより決定されること）への移行を経験した。1990年代には、エネルギー部門及び軍事関連部門以外の多くの国営企業が民営化された。

ワン・ポイント ロシアでは民営化の移行過程において、国営企業株の多くが政界と密接な関わりをもつ企業にわたったことによって、産業の寡占化が進んだ。

用語 産業の寡占化： 商品やサービスにおける市場が、少数の企業に支配されている状態のことをいう。

近年におけるロシアは、豊富な石油、天然ガス、石炭、貴金属資源を有しており、世界有数の穀物生産・輸出国ともなっている。

しかし、2022年2月～のウクライナ侵攻により、国際的な決済ネットワークSWIFTからの排除や輸出入規制などの経済制裁を受け、ロシア経済は打撃を受けると見込まれている。

◆ブラジルの産業

ブラジルは広い国土と豊かな土地を生かして、コーヒー豆やさとうきび、大豆などの農業や畜産業、豊かな鉱産資源を採掘する鉱業が盛んであった。現在は、工業が大きな発展を遂げ、航空機や自動車などの生産を中心とした製造業が、農業や畜産業の生産額を追い越している。

◎ブラジルの主要輸出入品目

輸出	大豆、鉄鉱石、原油、石油製品
輸入	石油製品、原油、カリ肥料、複合肥料

レッスン 03 日本の自然環境

日本の自然環境の中から、地形（山地・山脈・山、平地、河川、海岸線）と気候区分について学習する。より理解度を深めるため、その地形や土地などを、具体的にイメージするようにすること。

◆日本の地形の特色

（1）山地・山脈・山

日本列島は太平洋を囲む環太平洋造山帯の一部に属している。火山活動によってできた山が多く、浅間山や阿蘇山、桜島など、現在も活動している火山も多い。

国土の約4分の3は山地で占められており、本州の中央部は「日本の屋根」とも呼ばれ、標高3000m前後の山脈が連なっている。中でも飛驒山脈（北アルプス）、木曽山脈（中央アルプス）、赤石山脈（南アルプス）は、日本アルプスと呼ばれている。

◎日本の主な山地・山脈

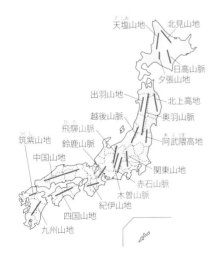

天塩山地　北見山地
日高山脈
夕張山地
出羽山地　北上高地
越後山脈　奥羽山脈
飛驒山脈　阿武隈高地
筑紫山地　鈴鹿山脈
中国山地　関東山地
　　　　　赤石山脈
四国山地　木曽山脈
九州山地　紀伊山地

（2）平地（平野、盆地、台地）

日本の平野は、川が運んできた土砂が積み重なってできたものが多く、川沿いや河口に広がっている。また、周囲を山に囲まれた盆地、平らな面と急な崖からできている段丘、周囲よりも一段と高い台地など、起伏に富んだものが多い。

（3）河川

日本の川は、一般的に山地から河口までの距離が短く、平地が少ないため、急流が多い。梅雨や台風など季節によって水量の変化が大きいので、水害の原因にもなっている。

（4）海岸線

日本の海岸線は、全体的に複雑で入りくんでおり、半島や岬、湾や入り江が多い。太平洋側では、山地や谷の沈降によって深い湾や入り江となったリアス海岸と呼ばれる海岸もできている。三陸海岸や志摩半島に見られる。

なお、このような海岸地形は港には適しているが、津波による被害を受けやすい。

◆フォッサマグナと中央構造線

フォッサマグナは日本の主要な地溝帯の一つであり、地質学において、東北日本と西南日本の境目とされる地帯のことをいう。フォッサマグナは中央地溝帯とも呼ばれている。

また、中央構造線は、関東から九州へ、西南日本を横断する大断層系のことで、この線を境に北側を西南日本内帯、南側を西南日本外帯と呼んで区別している。

◎フォッサマグナと中央構造線

新発田—小出構造線
棚倉構造線
糸魚川—静岡構造線
柏崎—千葉構造線
フォッサマグナ地域
中央構造線

◆**日本の気候区分**

　日本の気候は、地形・海流・季節風などの影響を受けて、以下の6つに分けられる。

①北海道の気候

　夏は涼しくて過ごしやすいが、冬の寒さが厳しい。梅雨や台風の影響をほとんど受けないので、年間を通して雨量は少ない。

②太平洋側の気候

　夏は南東の季節風が吹いて雨が多く、高温多湿となる。秋は台風の影響を受けやすい。冬は冷たく乾いた北西の季節風が吹き、乾燥した晴れの天気が多い。

③日本海側の気候

　冬は北西からの季節風が、日本海側を流れる対馬海流の湿った空気を含むため雪が多く、山沿いでは豪雪となる。夏は晴れた日が多く、気温が高くなる。

④中央高地（内陸性）の気候

　季節風の影響を受けにくいので、年間を通して雨量は少ない。海から離れているため、夏と冬、昼と夜の気温差が大きい。

⑤瀬戸内の気候

　季節風が夏は四国山地で、冬は中国山地にさえぎられるので、年間を通して雨が少なく、晴れの天気が多い。

⑥南西諸島の気候

　奄美諸島から沖縄、小笠原諸島を含むこの地域は、亜熱帯海洋性気候とも呼ばれ、年間を通して気温が高く雨が多い。

◎日本の気候区分

　①北海道の気候
　②太平洋側の気候
　③日本海側の気候
　④中央高地（内陸性）の気候
　⑤瀬戸内の気候
　⑥南西諸島の気候

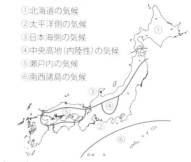

◆**日本の海流**

　日本の海流の暖流と寒流がぶつかるところを潮目という。潮目はプランクトンが多く、魚も集まりやすい特徴をもつ。

①日本海流（黒潮）

　暖かい海流で、流れが速く、プランクトンが少ないため透明度が高い。

②対馬海流

　暖かい海流で、沖縄付近で日本海流とは反対に分かれて、対馬海峡を経て日本海沿岸を流れていく海流。

③千島海流（親潮）

　冷たい海流で、養分が豊富なためプランクトンも多く、また水産資源も多い。

④リマン海流

　冷たい海流で、千島海流と同様に養分が豊富でプランクトンも多く、また水産資源も多い。

◎日本の海流

④リマン海流
寒流
②対馬海流
暖流
寒流
千島海流③（親潮）
潮目
日本海流①（黒潮）
暖流

レッスン 04 日本の産業

日本の工業と農業の特色について学習する。工業においては、どの地域が発達し、生産面においてどのような特徴をもつのかを知ること。また、日本の産業基盤と輸出入品目についても、あわせて学習する。

◆日本の工業の特色

　日本は、高い技術力と生産力をもっており、世界有数の工業生産国となっている。工業生産に必要な原材料については、そのほとんどを海外からの輸入に頼っており、加工した製品を海外に輸出する加工貿易が盛んであるという特徴をもつ。そのため、これまで工業地域は、関東地方南部から九州地方北部の海沿いに発達を続けている。この地域は太平洋ベルトと呼ばれている。

　しかし、近年は機械の小型化や交通網の整備などによって、工業地域は海沿いから内陸部へ、その広がりを見せている。

　さらに、生産費の低コスト化などを目的として、日本企業が海外へ生産拠点を移すケースが多くなり、産業の空洞化が目立つようになった。

◎日本の主な工業地帯・工業地域

> **ワン・ポイント** 日本の工業は、太平洋ベルトにおいて、その工業生産額の約3分の2を占めている。

◆日本の主な工業地帯

　日本の主な工業地帯には、京浜工業地帯、中京工業地帯、阪神工業地帯の3つがあり、これらを総称して三大工業地帯と呼ぶ。

(1) 京浜工業地帯

　東京を中心に人口と資金が集まり、交通の便を利用して工業が発達し、東京湾を埋め立ててつくられた工業地帯である。政治・経済の中心地に近いため、情報の集中に関連して、出版・印刷の割合が高い。第二次世界大戦後、長い期間、全国で最大の生産額をあげてきたが、近年では生産額が中京工業地帯、阪神工業地帯に抜かれている。

(2) 中京工業地帯

　近年における日本最大の工業地帯である。中京工業地帯は、古くから交通や都市が発達しており、綿織物・陶磁器の生産が盛んであった。現在でも、瀬戸・多治見の陶磁器は、伝統工芸として高く評価されている。戦後は、豊田の自動車工業、四日市の石油化学工業などの重化学工業が盛んである。

(3) 阪神工業地帯

　あらゆる工業が発達し、総合工業地帯とも呼ばれている。第二次世界大戦頃ま

では、日本最大の工業地帯であった。戦後は、京浜と中京に押されて、地域経済の弱体化などが課題として挙げられている。

◆日本の農業の特色

日本の農地面積は 429.7 万 ha であり、農家一戸あたりの平均経営耕地面積は、北海道平均が 34.0ha、北海道を除く全国平均が 2.4ha と、その多くは北海道である（2023 年）。

また、日本の農業は、単位耕地面積に多くの資本と労働力を投下する**集約農業**という構造になっている。

> **ワン・ポイント** 日本の集約農業に対し、アメリカやオーストラリアのように、広大な土地に大型機械を用いる大規模な農業を**大農法**という。日本の農業における課題としては、大農法との価格競争では不利な立場となるため高品質が求められることがある。また、後継者の人材不足に伴う耕作の放棄や、それによる食料自給率の低下などが課題となっている。諸外国との価格競争にどのように対応するか、そして、食料安全保障上、食料自給率をどう向上させていくか、早期の解決が求められている。

> **用語** **食料安全保障：**国民の生命と健康の維持に必要な食料の安定供給を国家が確保することをいう。具体的には、凶作や産出国の輸出制限などの不測の事態が生じても、国家が食料を安定して供給することを保障する体制を整えることをいう。食料・農業・農村基本法の第 2 条において規定されている。

> **重要ポイント** 日本の食料自給率は、カロリーベースで 38％である（2023 年度）。これは他の先進諸国と比べても、かなり低い数値となっている。

◎食料自給率（カロリーベース）国際比較
各国の食料自給率（カロリーベース）

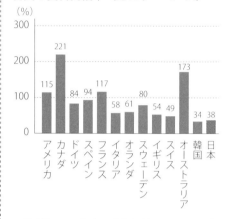

＊日本は 2023 年度、それ以外の国は 2020 年の数値。
資料：農林水産省「諸外国・地域の食料自給率等について」より

なお、食料自給率は、カロリーベースのほかに生産額ベースで求められる場合もある。カロリーベースは 1 人 1 日当たり国産供給熱量を 1 人 1 日当たり供給熱量で割り、生産額ベースは食料の国内生産額を食料の国内消費仕向額で割ると求めることができる。

> カロリーベース食料自給率＝
> $$\frac{1 人 1 日当たり国産供給熱量}{1 人 1 日当たり供給熱量}$$
> 生産額ベース食料自給率＝
> $$\frac{食料の国内生産額}{食料の国内消費仕向額}$$

◆稲作中心の農業

日本の農地は国土の約 11％で、その半分以上が田になっており、稲作中心の農業となっている。地方別の収穫量では、東北地方が第 1 位で、第 2 位以下は、関東・東山、北陸、九州と続く。

◎米の収穫量上位 10 県

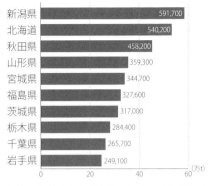

資料：農林水産省「令和 5 年産　水陸稲の収穫量」

◆**日本の産業基盤と輸出入品目**

　日本の産業の特徴として、国内市場が大きく、第三次産業が発達している。また、製造業も強く、特に高度な精度を要する工業技術は、世界でも高い水準を誇っている。

　自動車、電気機器、機械、造船、鉄鋼、石油精製などは、戦後、大きく成長し、世界で大きいシェアを有する企業も多い。

ワン・ポイント　日本は、家畜用の飼料となるとうもろこしを輸入に頼っており、世界有数のとうもろこし輸入国となっている。

◎日本の主要輸出入品目（上位 3 項目）
（%）は金額の構成比

輸出品		輸入品	
自動車	17.4%	原油及び粗油	10.4%
半導体等電子部品	5.4%	液化天然ガス	5.6%
鉄鋼	4.4%	石炭	4.7%

出典：2024 年財務省統計より

◎日本の貿易相手国（上位 3 国）
（%）は金額の構成比

輸出相手国		輸入相手国	
アメリカ	20.3%	中国	22.3%
中国	17.8%	アメリカ	10.8%
韓国	6.4%	オーストラリア	7.7%

出典：2024 年財務省統計より

◆**日本の貿易の主な課題**

①産業の空洞化

　国内産業が海外へ移転することで、国内の産業が空洞化することをいう。働き先の減少、先端技術が発達しないなどの問題がある。

 重要ポイント　産業の空洞化が生じる理由には、①円高による輸出の減少、②輸入による国内生産の代替、③**海外生産**（直接投資）の増大による国内生産 (国内投資) の代替などが挙げられる。日本では 80 年代から議論されはじめた問題であるが、現在も問題解決には至っていない。産業の空洞化の対策としては、産業に付加価値を付ける、いわゆる産業の高度化などが考えられる。

②貿易摩擦

　輸出入を行う国と国の間で輸出と輸入の不均衡によって起こる場合や、自国からの輸出が相手国で差別的な取り扱いを受けて不利益が生じた場合に起こる国家間の対立のこと。

　例えば、国内の産業を守るために、関税を高くすることなどで輸入量を調整すると、輸出国より不満が生じる。

③資源・エネルギーの確保

　日本は資源やエネルギーのほとんどを海外からの輸入に依存している。エネルギーの確保はもちろん、地球環境への対応なども課題にあがっている。

04
日本の産業

重要度
★★

レッスン 01 西洋思想

西洋思想の源流となったギリシア思想とキリスト教思想を理解し、近現代の思想への学びにつなげる。取り上げる人物は多いが、いずれも試験で問われる可能性のある人物なので、何を行った人物なのかもあわせて押さえること。

◆ギリシア思想

ギリシア思想の特徴は、変化する諸現象の根底には、常に変わらない真理があり、それを捉えようとする態度に表れている（万物の根源に基づく思想）。

万物の根源（アルケー）に関心を向けた自然哲学者は、次のとおりである。

◎ギリシアの自然哲学

哲学者	万物の根源
タレス	水
ピタゴラス	数
ヘラクレイトス	火
デモクリトス	原子（アトム）

＋アルファ ソフィストのプロタゴラスは、万物の根源に関心を向けるのではなく、人間に関心を向け、「人間が万物の尺度」であるとした。

(1) ギリシア哲学の三巨人

①ソクラテス

知徳合一（人の徳とは何であるかを知る（知識を得る）ことが大切であり、すなわち徳と知は同等に重要であるという考え）を主張し、問答法を通じて無知を自覚させ「汝自身を知れ」と人々に問いかけた。

②プラトン

ソクラテスの弟子である。イデア（形相）こそがものの本質であり、永久不変の真理であるとした。

③アリストテレス

プラトンの弟子にして、アレクサンドロス大王の教育係である。イデアは個物から離れて存在するのではなく、この現実の世界こそ、真に実在する世界だと主張した。

(2) ヘレニズム時代の哲学者

①ゼノン

ストア派を創始した。ストア派は禁欲（魂の鍛錬）による幸福追求を求め、理性に従って生きることを基本理念とした。

②エピクロス

エピクロス派を創始した。エピクロスは肉体的ではなく、持続する精神的な快楽（心の平安）を追求しようとした。

◆キリスト教思想

キリスト教はユダヤ教から派生した宗教であり、キリスト教思想からは、主に教父哲学とスコラ哲学が生まれた。

(1) 教父哲学

教父哲学は、古代の異教的な文明の中でキリスト教を擁護し、ギリシア哲学を利用して、神の恩寵による救いと教会の絶対性を説いた。代表的な人物としては、アウグスティヌスが挙げられる。

(2) スコラ哲学

スコラ哲学は、中世の教会・修道院の学校（スコラ）の学者や教師たちによって担われた学問である。キリスト教思想とアリストテレスを中心とするギリシア哲学を、どのように調和的に理解するかを主なテーマとした。代表的な人物としては、『神学大全』を著したトマス・アクィナスが挙げられる。

◆**経験論と合理論**

　ルネサンス期において発達した自然哲学によって、自然を認識し、普遍妥当な真理に到達できるという世界観が生まれた。この普遍妥当な真理に到達できる哲学として提示されたのが、イギリス経験論と大陸合理論の近代思想であった。(→社会契約説については、P.8を参照)

(1) 経験論

　フランシス・ベーコンは、著書『新オルガヌム』を通じて、経験論的思考から学問や科学を正しく認知する方法として、個別的や特殊な個々の事例から、普遍的な規則や法則を導こうとする帰納法を提唱した。

(2) 合理論

　デカルトは、著書『方法序説』の中で、あらゆる事象を方法的懐疑で捉えることによって、全てのものは懐疑的になるが、自分自身の存在だけは、揺るがないものであるということを思考の出発点とした。「我思う、故に我あり（コギト・エルゴ・スム）」という言葉は、これを表している。この合理論を実践するための方法として、ある命題を立て、それを論理的に考えることで真理を導き出す演繹法を提唱した。

◆**ドイツ観念論と功利主義**

　ドイツ観念論は、世界は物質ではなく観念（精神の働き）を元にしていると考える哲学思想であり、功利主義は幸福を人生や社会の最大目的とする哲学思想である。

(1) ドイツ観念論

①カント

　イギリス経験論と大陸合理論を統一する批判主義哲学を展開した。

②ヘーゲル

　世界の発展を精神（世界精神）の自己展開と考える弁証法を提唱した。

(2) 功利主義

　功利主義における代表的な人物として、ベンサムは、「最大多数の最大幸福」を原理とした。

◆**実存主義**

　実存主義は、人間を本質存在ではなく、個別具体的かつ主体的な事実存在、「実存」として捉える哲学思想である。(→実存主義とならぶ社会主義については、P.30のマルクス経済学を参照)

①キルケゴール

　人間の実存を感覚的な快楽を求める美的実存、全てを相手の義務に捧げる倫理的実存、信仰という宗教的実存の3つの段階で展開した。

②サルトル

　人間は自由であり、神によって作られたものではないと考え、「実存は本質に先立つ」と表現した。

　その一方で、自由ということは、自分の責任で決め、他人に対して責任を負うことである。自分の世界だけで終わるのではなく、社会に参加していくこと（アンガージュマン）を提唱した。

　これらの人物のほかに、実存主義においては、「神は死んだ」とするニーチェ、「限界状況」とするヤスパース、「死への存在」とするハイデッガーなどがいる。

ワン・ポイント　20世紀の文化と思想に多大な影響を与えた思想の一つとして挙げられるのは、フロイトの思想である。フロイトは、精神分析を基調とする哲学の創始者とされる。

　フロイトは人間の精神の働きを、無意識の領域であるエス（イド）、前意識の領域であるスーパーエゴ（超自我）、意識の領域であるエゴ（自我）の動態的な仕組みであると考え、人間を理性的存在とする従前の思想を根本から揺り動かすこととなった。

重要度
★★

東洋思想

インドの思想と中国の思想が、東洋思想の二大潮流であり、それぞれの特徴と思想家について学習する。また、日本の思想においては、近世の儒教思想を中心に、近現代の思想まで学習する。

◆**東洋思想**

東洋思想は、インドの思想と中国の思想が源流となっている。まずは、インドの思想がどのようなものかを解説する。

◆**インドの思想**

インドの思想は、仏教の開祖であるブッダ（ガウタマ＝シッダールタ）の思想が土台となっている。

ブッダは釈迦族の王族出身で、この世界で人が生きていくことは、一切が苦であることを見つめ、それを前提に据えて人がどう生きていくべきか人々に説いて回った。

ブッダの死後も、教団は発展していったが、やがて、教団の中でも従来の出家者中心の救済から民衆を中心とした救済に重きを置くかで論争が生じはじめた。

従来の出家者中心の救済を説いた派は、現在のスリランカ、タイ、ミャンマーなどを中心にした上座部（南方仏教）と称した。民衆を中心とした救済を説いた派は、竜樹（ナーガールジュナ）を理論的始祖とした。そして、インドから中央アジア、中国、朝鮮半島を経て、日本に伝えられた**大乗仏教**（北方仏教）として分派発展した。

◆**中国の思想**

中国思想の最も華やかで活発な時期は、周の封建秩序が崩れ始めた春秋末期から戦国時代（紀元前7世紀～前3世紀）にかけてである。

諸侯は動乱の世を生き抜くために富国

強兵策（国を豊かにし、兵力を大きくして、国力を強める政策）をとり、思想家や政治家を広く世に求めた。これに対応してさまざまな思想家があらわれて自由に思想を展開し、治世の方策を打ち出していった（**諸子百家**）。その中でも、極めて対照的な考え方でありながら、後世に大きな影響を与えたのが儒家と道家の思想であった。

> **用語** **諸子百家**：「諸子」は孔子、孟子、荀子、老子、荘子、墨子などの人物を指し、「百家」は儒家、道家、墨家、名家、法家などの学派を意味する。
> この中で異彩を放つのは、墨家の墨子であり、墨子は、一切の差別がない博愛主義と非戦を説いた（**兼愛非攻**）。

◆**儒教思想**

儒教思想においては、孔子、孟子、荀子などが代表的な人物である。

（1）孔子

孔子は儒教の開祖である。孔子の生きてきた時代には、周の封建秩序や道徳が崩れ、諸侯は富国強兵策に基づく政治を行っていた。それゆえ国同士が争い、主君と臣下の間における上下関係の乱れによる内乱が引き起こされていた。

そこで、孔子は統治者が仁と礼を身につけることによって、まず自分の身を修めることができるようになってはじめて、国を治め、天下を平らかにすることができると考えた（**徳治主義**）。

(2)　孟子

孔子の死後、儒教は孟子によってさらに発展し、仁義に基づいて民衆の幸福を図る王道を理想の政治とした。

もし統治者がそれを怠れば、統治者の地位から追放され、代わって徳のある者が統治者の地位に就くことを認めた（湯武放伐論）。

> **用語** **湯武放伐論**：夏王朝の末期に暴君桀王を殷の湯王がうち破った故事と、周の武王が殷の暴君帝辛（紂王）を討った事例を名付けたもの。

(3)　荀子

孟子が人間の性を「善」だとしたのに対し、荀子は人間の性を「悪」、すなわち利己的存在と認め、君子（徳が高く品位のある人物）は本性を後天的努力（学問を修めること）によって修正し、善へと向かうべきだと説いた。

> **ワン・ポイント** 孟子が人間の性を「善」だとしたのは、人間には四端の心（惻隠・羞悪・辞譲・是非）があり、これらを修養することによって、聖人君子へと至ることを示す必要があると考えたからだとされている。

(4)　朱熹（朱子）

朱熹は、朱子学の祖である。宋代、従来の儒学に欠けていた宇宙論・世界観的要素を加え、儒教の体系化を試みた。朱熹は、宇宙と人間の内面を貫く理を考え、この理を究め、人欲を捨てて内面も言動もことごとく理に従うべきことを説いた（性即理）。

(5)　王陽明

王陽明は、陽明学の祖である。王陽明は理を人間の心の中に見いだし、善悪を知り得て判断する先天的な能力をもち、生まれながらにもつ知能のままに生きる

ことを主張した（心即理）。

◎思想家が活動した時代

思想家	中国の時代	日本の時代
孔子	春秋時代	縄文時代
孟子	戦国時代	弥生時代
荀子	戦国時代	弥生時代
朱熹（朱子）	南宋	平安時代
王陽明	明	室町時代

> **ワン・ポイント** 日本における道教は神仙信仰のような民間信仰を基にして、仏教や道家の影響も受けながらつくられていったもので、ここでいう道家とは区別されている。

◆道家思想

道家思想を代表する人物は、老子と荘子である。老子は道家の開祖であり、万物の根本は「道」であるとした。

「道」は広大で漠然としているが、人為を取りのぞき自然であることが「道」に通ずるとされている（無為自然）。老子と荘子の思想を合わせて老荘思想ともいう。

> **出題パターン**
>
> 中国の思想家に関する記述として、最も妥当なのはどれか。
> (1) 儒家の祖となった孔子は、君子による徳治政治を独断的として否定した。
> (2) 荘子は、本来すべてのものは価値の差別なく斉しいという考えを唱えた。
> (3) 老子は、「朝に道を聞かば、夕に死すとも可なり」とまで人倫の道を強調した。
> (4) 墨子は、無差別の博愛主義を説くことは偽善的であると否定した。
> (5) 孟子は、孔子の教えを受け継ぎながらも、人間の本性は悪であると唱えた。
>
> 解答　(2)

◆日本の思想

　日本の思想は、大陸から渡来してきた仏教・儒教と、日本古来の宗教である神道が混在してできた。

　奈良時代には、律令制下で南都六宗が国家仏教として公認され、その後、平安時代の天台宗・真言宗、鎌倉時代の浄土宗・浄土真宗・日蓮宗・臨済宗・曹洞宗・時宗など、各宗派で独自に教義を追究した。(→鎌倉六宗については、P.56を参照)

> **用語　南都六宗**：奈良時代に広く行われていた、三論宗、法相宗、華厳宗、倶舎宗、成実宗、律宗の各仏教学派の総称のことで、奈良仏教とも呼ばれる。

　江戸時代になると、それまで僧侶などが学ぶ嗜みにすぎなかった儒教を独立させ、一つの学問として形成する動きがあらわれた。

　中国から朱子学と陽明学が純粋な学問として伝来し、朱子学は幕府によって封建支配のための思想として採用された。

　朱子学は、武断政治から文治政治へ移行する過程の幕政において、立身出世のための、一つの道筋となった。

　なお、この頃、藤原惺窩の弟子である林羅山が徳川家康に仕え、以来、林家が大学頭という役職に任ぜられ、幕政の一翼を担った。林家だけでなく他の派閥も拡大し、とくに木下順庵門下では、将軍の侍講となった新井白石や室鳩巣ら多くの人材を輩出した。

　このように、朱子学が重んじられたのは、君臣・父子の上下秩序を強調した「大義名分論」が、為政者にとって秩序維持に都合のよい封建道徳であり、幕府の統治理念と合致したからである。

　江戸時代前期、ほぼ時を同じくして、日本国内で儒教と関係性をもつ思想家と学派が、相次いで誕生した。

> **用語　山崎闇斎**：山崎闇斎は、朱子学の一派である崎門学創始者であり、神道の教説である垂加神道の創始者でもある。
>
> 　崎門学派は、君臣・師弟の関係を厳しく捉え、大義名分を重視した結果、孟子の湯武放伐論を否定した。
>
> **垂加神道**：垂加は山崎闇斎の別号である。神道の核心は、皇統の護持とする。天照大神と猿田彦神を最も崇拝し、儒教的な敬みの徳や天と人との融合を説いた。

◆朱子学派

　朱子学は、人間の身分の上下は、天地に上下の区別があることと同様に定められているという上下定分の理に沿った考えである。

(1) 林羅山

　日本の近世儒学の祖である藤原惺窩の弟子でもあり、徳川家康に仕え、朱子学の官学化に貢献した。自分自身を慎む「敬」をもち、身分にふさわしい生き方を心がけるように説いた。上下定分の理を説いたのも、林羅山である。

◆古学派

　古学派においては、朱子学や陽明学の解釈によらず、「論語」「孟子」などの経書の本文を直接に研究して、その真意を解明しようとした。

(1) 山鹿素行

　山鹿素行は、戦って自分の土地を守る「もののふの道」から儒教によって理想化された武士の生き方を「士道」として示した。

(2) 伊藤仁斎

　伊藤仁斎は、直接「論語」と「孟子」の原典にあたって古義を明らかにし、仁

を理想とする実践道義を説いた（古義学）。

（3）荻生徂徠

荻生徂徠は、さまざまな文献にあたることによって、古代における用語の使い方を学び、その知識をもとにして、古代の社会制度と孔子の教えの意味するところを明らかにしようとした（古文辞学）。

◆陽明学派

陽明学派は、朱子学に対抗する形で台頭してきた考えで、孟子の性善説と関連する。

（1）中江藤樹

中江藤樹は、日本陽明学の祖である。近江聖人と称される。愛することと敬うことが人にとって何よりも大切であり、孝養を尽くすことが、人々への思いやりとなっていくと説いた。岡山藩の家老となった熊沢蕃山は高弟の一人である。

（2）その他の思想家

その他の思想家として、石田梅岩は、商業行為の正当性と身分に応じた仕事を全うすべきと説き、これは「石門心学」と称された。

◆江戸時代中期以降の思想家

江戸時代中期以降においては、安藤昌益や本居宣長などの思想家が有名である。

（1）安藤昌益

安藤昌益は、封建社会を批判的に捉え、「自然の世」という身分差別もなく、ほとんどの人が農耕に従事する社会づくりを提唱した。

（2）二宮尊徳

二宮尊徳は、農業の推進に努め、「報徳思想」を提唱した。

（3）本居宣長

本居宣長は、『源氏物語』の中に見られる「もののあはれ」という日本固有の情緒が、文学の本質であると提唱した。

◆近現代の思想家

近現代においては、福沢諭吉や新渡戸稲造などの思想家が有名である。

（1）福沢諭吉

福沢諭吉は、功利主義の思想に基づいて、前近代的な日本の西洋化に取り組んだ（脱亜入欧）。さらに、「天は人の上に人を造らず人の下に人を造らずと云へり」と述べ、人間は生まれながらにして自由で平等であり、幸せを求める権利があるという思想「天賦人権論」を唱えた。

（2）中江兆民

中江兆民は、ルソーの著書『社会契約論』の翻訳『民約訳解』を出版した。ルソーの強い影響を受け、東洋のルソーと呼ばれた。

（3）内村鑑三

内村鑑三は、伝統的な武士道とキリスト教精神を融合しようとして、二つのJの思想を展開した。無教会主義を主張して、自主独立の信仰を全うした。

 ワン・ポイント　内村鑑三が展開した二つのJとは、日本（Japan）とイエス（Jesus）を意味する。

（4）新渡戸稲造

新渡戸稲造は、日本文化とキリスト教の融合を図ろうとした。国際連盟の発足にあたり、『武士道』の著者として国際的に名高い新渡戸が、事務次長の一人に選ばれた。

（5）西田幾多郎

西田幾多郎は、禅体験と西洋思想との融合によって、独自の思想を確立した。人間の根源的な体験は主客未分であるとして、純粋経験の概念を確立した。

02
東洋思想

重要度
★★★

レッスン
01

日本の古典文学

日本の古典文学について学習する。数々の女性作家により多くの名作が生み出された平安時代、無常観を根底にすえた鎌倉・南北朝時代、庶民的な文学が大いに栄えた江戸時代といったように、時代ごとの特色を捉えると覚えやすい。

◆平安時代の文学作品

平安時代の文学は、仮名文字によって書かれた女性作者によるものが多い。

⦿日記

・『土佐日記』…紀貫之作。土佐から京に帰る道中での出来事を、女性に仮託し、仮名文字で描いている。日本で初めての日記文学といわれる。

・『蜻蛉日記』…藤原道綱母作。夫である藤原兼家との結婚生活や、息子藤原道綱の成長、上流貴族との交流などが描かれている。

・『和泉式部日記』…和泉式部作。敦道親王との和歌の取り交わしや、親王への恋心をありのままに描写している。

・『更級日記』…菅原孝標女作。源氏物語などの世界に憧憬を抱いた少女時代から、結婚・出産・夫の病死を経て、仏教に傾倒していくまでを綴る。

⦿随筆

・『枕草子』…清少納言作。「をかし」に代表されるように、知性的な美意識をもって描かれている。「春はあけぼの…」で始まる冒頭部分が有名。

⦿物語

・『竹取物語』…作者未詳。日本最古の物語といわれ、遅くとも平安時代初期にあたる10世紀半ばまでに成立したとされている。「竹取の翁」によって、光り輝く竹の中から見出された「かぐや姫」をめぐる物語が描かれている。

・『伊勢物語』…作者未詳。平安時代初期に成立した歌物語。全125段。ある男の元服から死に至るまでの人生が、仮名の文と歌とで描かれている。

・『源氏物語』…紫式部作。平安時代中期に成立。「光源氏」の栄華と苦悩、その子孫の人生など、70年余りにわたる出来事を描いた長編作品。物語の秀逸さ、筋立ての巧みさ、美しい文体から「古典の中の古典」といわれ、日本文学史上最高傑作との呼び声も高い。

⦿説話集

・『今昔物語集』…編者未詳。平安時代後期の説話集。全31巻（現存28巻）1059話から成り、天竺（インド）、震旦（中国）、本朝（日本）ごとに分類して収録されている。

◆鎌倉時代の文学作品

人の世の無常と儚さが根底にあるのが特徴。和漢混交文で記されている。

⦿随筆

・『方丈記』…鴨長明作。鎌倉時代成立。日本中世文学の代表的な随筆とされる。「ゆく河の流れは絶えずして、しかももとの水にあらず。…」の書き出しが有名。

・『徒然草』…吉田兼好作。鎌倉時代末期に成立したとの説が主流。思索や雑感、逸話などが描かれている。「つれづれなるまゝに…」の冒頭が有名。『枕草子』『方丈記』とともに、日本三大随筆の一つとされている。

⦿物語

・『保元物語』…作者未詳。鎌倉時代前期に成立。保元の乱を中心に、その前後の出来事を描いた軍記物語。源為朝という実在した人物を基にして、強弓を引く勇者を造形した。

・『平家物語』…作者未詳。鎌倉時代に成立したといわれる。平安時代における平家の栄華と没落を描いた軍記物語で、「祇園精舎の鐘の声…」の書き出しで広く知られる。

◆南北朝時代の文学作品

因果応報の思想を基に、秩序と理念のない世界を描いているのが特徴。

◉物語

・『太平記』…成立年代と作者は未詳。全40巻から成る日本最長の歴史文学とされている。南北朝分裂などによる混乱した世の中と、身分や秩序を無視した「バサラ大名」の豪奢な生活や傍若無人な振る舞いが詳細に描かれている。

出題パターン

『平家物語』の記述として最も妥当なのはどれか。
(1) 無常観の上に立ちながら、貴族社会を打ち破る武士の姿を躍動的に描いた。
(2) 千余話を集めた、我が国最大の説話集である。
(3) 強弓を引く英雄を造形し、当時の武士の倫理や意識を描いた。
(4) 古代的権威に従わない悪党や、バサラと呼ばれる守護大名を描いた。
(5) 作品の前半部分で、川の流れを比喩に用い、人の世の無常を示した。

解答　(1)

◆江戸時代の文学作品

庶民中心の文化が花開き、文学においても庶民的なものが流行した。

◉浮世草子…上方を中心とした現実的・娯楽的な小説

・井原西鶴　『好色一代男』『日本永代蔵』『世間胸算用』

◉読本…江戸時代後期に流行した伝奇小説

・上田秋成　『雨月物語』
・曲亭（滝沢）馬琴　『南総里見八犬伝』『椿説弓張月』

◉洒落本…遊里での遊びと滑稽さを描いた読み物

・山東京伝　『通言総籬』『傾城買四十八手』

◉人情本…庶民の色恋を中心とした読み物

・為永春水　『春色梅児誉美』
・松亭金水　『閑情末摘花』

◉滑稽本…会話文を主体としたおかしみのある読み物

・十返舎一九　『東海道中膝栗毛』
・式亭三馬　『浮世風呂』『浮世床』

◉俳諧…俳句、連句、俳文などを総称したもの

・松尾芭蕉　『おくのほそ道』『更科紀行』
・与謝蕪村　『新花摘』
・小林一茶　『おらが春』

ワン・ポイント　代表的な古典和歌集についてもおさえておこう。

◎奈良時代
『万葉集』…大伴家持編（推定）。約4500首を収めた現存する最古の和歌集。男性的な「ますらをぶり」が特徴。

◎平安時代
『古今和歌集』…紀貫之ら編。最初の勅撰和歌集で、女性的で優雅な「たをやめぶり」が特徴。
『山家集』…西行の私家集。自然と人生についての平明で清新な歌が多い。

◎鎌倉時代
『新古今和歌集』…藤原定家編。
『金槐和歌集』…源実朝の私家集。万葉調の歌が多い。

重要度 ★★★

レッスン 02 近現代の文学

日本の近現代の小説家および詩人・歌人とその代表作について、日本文学史の流れとともに学習する。ここ数年は、日本の近現代の文学作品に関する出題が比較的多いため、しっかりと頭に入れておきたい。

◆明治時代の文学

日本の近代文学は、坪内逍遥の『小説真髄』によって夜明けを迎え、さまざまな文学主義の興隆をもたらした。

◉写実主義…空想によらず、現実をありのままに捉える
・坪内逍遥 『小説神髄』『多情多恨』
・二葉亭四迷 『小説総論』『浮雲』

◉擬古典主義…井原西鶴や近松門左衛門らの古典文学を再評価
・尾崎紅葉 『金色夜叉』
・幸田露伴 『露団々』『五重塔』

◉ロマン主義…自我の目覚めによる人間性の解放と自由を求める
・森鷗外→後に反自然主義へ 『舞姫』
・樋口一葉 『たけくらべ』『にごりえ』
・泉鏡花 『高野聖』『歌行燈』
・国木田独歩→後に自然主義へ 『武蔵野』

◉自然主義…写実主義を経て、現実を赤裸々に描くことを徹底
・島崎藤村 『破戒』『夜明け前』
・田山花袋 『蒲団』『田舎教師』

◉反自然主義…自然主義に反対の立場をとる
・夏目漱石 『坊っちゃん』『三四郎』『それから』『こころ』
・森鷗外 『青年』『雁』

◆大正時代の文学

大正時代に入ると、反自然主義は、耽美派・白樺派・新現実主義へと分かれていった。

◉耽美派…芸術・官能・美を求める
・永井荷風 『ふらんす物語』『濹東綺譚』
・谷崎潤一郎 『刺青』『痴人の愛』

◉白樺派…人道主義を主張
・武者小路実篤 『お目出たき人』『友情』
・志賀直哉 『城の崎にて』『暗夜行路』
・有島武郎 『或る女』

◉新現実主義（新思潮派）…現実の本質を理知的、主体的に捉える
・芥川龍之介 『羅生門』『鼻』
・菊池寛 『父帰る』『恩讐の彼方に』

◆戦前昭和時代の文学

戦前の昭和初期には、モダニズム文学である新感覚派・新興芸術派・新心理主義と、プロレタリア文学が並立していた。

◉新感覚派…個人主義リアリズムを批判
・川端康成 『雪国』『伊豆の踊子』『古都』
・横光利一 『日輪』『機械』

◉新興芸術派…芸術の擁護を訴えた
・梶井基次郎 『檸檬』『冬の蠅』
・井伏鱒二 『山椒魚』『黒い雨』

◉新心理主義…精神分析や深層心理による表現を試みる
・堀辰雄 『風立ちぬ』『聖家族』
・伊藤整 『氾濫』

◉プロレタリア文学…個人主義を批判し、社会主義や共産主義を支持した
・小林多喜二 『蟹工船』

◆戦後昭和時代の文学

戦後の文学は無頼派の活躍によって始まり、その他の作家は活躍時期によって第一次戦後派、第二次戦後派、第三の新

人に分類された。

◉無頼派…近代文学全体への批判が共通
- 太宰治　『斜陽』『人間失格』
- 坂口安吾　『堕落論』

◉第一次戦後派…1946 〜 47 年に文壇登場
- 野間宏　『真空地帯』

◉第二次戦後派…1948 〜 49 年に文壇登場
- 大岡昇平　『俘虜記』『野火』
- 三島由紀夫　『仮面の告白』『金閣寺』
- 安部公房　『壁』『砂の女』

◉第三の新人…1953 〜 55 年に文壇登場
- 安岡章太郎　『悪い仲間』『鏡川』
- 吉行淳之介　『驟雨』『夕暮まで』
- 遠藤周作　『海と毒薬』『深い河』

◉その他の作家
- 井上靖　『敦煌』
- 大江健三郎　『万延元年のフットボール』『飼育』『新しい人よ眼ざめよ』
- 開高健　『パニック』『裸の王様』

＋アルファ　川端康成と大江健三郎はそれぞれ、1968 年と 1994 年にノーベル文学賞を受賞している。

◆ 1970 年代〜現代の文学

　1970 年代には、団塊の世代の作家が次々と文壇に登場するようになり、日本の現代文学の礎を築いた。
- 中上健次　『岬』『千年の愉楽』
- 津島佑子　『光の領分』『夜の光に追われて』
- 村上龍　『限りなく透明に近いブルー』『コインロッカー・ベイビーズ』
- 村上春樹　『風の歌を聴け』『ノルウェイの森』『ねじまき鳥クロニクル』『1Q84』
- 宮本輝　『泥の河』『優駿』
- 島田雅彦　『優しいサヨクのための嬉遊曲』『彼岸先生』

- 山田詠美　『ソウル・ミュージックラバーズ・オンリー』『トラッシュ』
- 吉本ばなな　『キッチン』『TUGUMI』
- 池澤夏樹　『スティル・ライフ』『マシアス・ギリの失脚』

重要ポイント　過去の問題では、宮部みゆきの『理由』（直木賞受賞）、東野圭吾の『容疑者Xの献身』（直木賞受賞）、浅田次郎の『鉄道員』などについても出題されている。

◆近現代の主な詩人・歌人

◉詩人
- 島崎藤村　『若菜集』
- 北原白秋　『邪宗門』
- 三木露風　『廃園』
- 高村光太郎　『道程』『智恵子抄』
- 萩原朔太郎　『月に吠える』『青猫』
- 宮沢賢治　『風の又三郎』『春と修羅』
- 三好達治　『測量船』『駱駝の瘤にまたがって』
- 中原中也　『山羊の歌』『在りし日の歌』
- 田村隆一　『四千の日と夜』『言葉のない世界』『ハミングバード』
- 谷川俊太郎　『二十億光年の孤独』『世間知ラズ』

◉歌人
- 与謝野晶子　『みだれ髪』『君死にたまふことなかれ』
- 石川啄木　『一握の砂』『悲しき玩具』
- 若山牧水　『別離』
- 正岡子規　『歌よみに与ふる書』

ワン・ポイント　近現代の日本文学は、近代小説の誕生→大正モダニズム文学→戦争の影響が色濃い昭和文学→現代文学といった変遷をたどってきた。

レッスン 03 外国文学

外国文学のうち、主にヨーロッパ文学、アメリカ文学、ラテンアメリカ文学について学習する。近年は、ラテンアメリカ文学から出題されており、できるだけ多くの作家名と著作名を覚え、一致させておきたい。

◆イギリスの文学

イギリス文学の作家として、世界中にその名を知られるのは、ルネサンス期に登場したシェイクスピアである。また19世紀以降には児童文学・推理小説が発展し、数々の名作が生まれた。

◉代表的作家と作品
・シェイクスピア 『ロミオとジュリエット』『ハムレット』『オセロー』『リア王』『マクベス』
・コナン・ドイル 『シャーロックホームズシリーズ』
・バイロン 『ドン・ジュアン』
・ディケンズ 『クリスマス・キャロル』『大いなる遺産』
・ルイス・キャロル 『不思議の国のアリス』
・オスカー・ワイルド 『サロメ』『幸福な王子』
・サマセット・モーム 『人間の絆』『月と六ペンス』
・ジョージ・オーウェル 『カタロニア讃歌』『1984年』

◉近年の作家と代表作
・イアン・マキューアン 『アムステルダム』『時間のなかの子供』
・カズオ・イシグロ 『日の名残り』『わたしを離さないで』

◆フランスの文学

フランス文学において、19世紀は数々の傑作を生んだ時代とされ、ユーゴー、スタンダール、バルザックなどが活躍した。また、一般的にフランス文学は、現実主義的、理知的であると同時に、人間の心理描写に重きを置いたモラリスト的傾向が強く、これはフランス文学にみられる大きな特徴と考えられている。

◉代表的作家と作品
・ユーゴー 『レ・ミゼラブル』
・スタンダール 『恋愛論』『赤と黒』
・バルザック 『ゴリオ爺さん』『谷間の百合』
・フローベール 『ボヴァリー夫人』
・ゾラ 『居酒屋』『ナナ』
・プルースト 『失われた時を求めて』
・サン＝テグジュペリ 『夜間飛行』『人間の土地』『星の王子さま』
・サルトル 『嘔吐』『自由への道』
・カミュ 『異邦人』
・サガン 『悲しみよこんにちは』

◉近年の作家と作品
・ル・クレジオ 『調書』『砂漠』
・パトリック・モディアノ 『エトワール広場』

◆ロシアの文学

ロシア文学が誕生したのは17世紀と比較的遅いものであったが、19世紀以降になると、ドストエフスキーに代表されるような文豪の登場とともに、非常に豊かな小説が生み出された。

◉代表的作家と作品
・ドストエフスキー 『罪と罰』『白痴』『悪霊』『カラマーゾフの兄弟』
・トルストイ 『戦争と平和』『アンナ・

カレーニナ』『人生論』
・ゴーゴリ　『死せる魂』
・ツルゲーネフ　『初恋』『父と子』
・チェーホフ　『かもめ』『ワーニャ伯父さん』『三人姉妹』『桜の園』

◉近年の作家と作品
・ヴィクトル・ペレーヴィン　『青い火影』『寝台特急　黄色い矢』『恐怖の兜』
・ウラジーミル・ソローキン　『愛』『青い脂』

◆**ドイツの文学**

　ドイツ文学は、18世紀後半に起こった「シュトゥルム・ウント・ドランク（疾風怒濤）」といわれる運動によって、ゲーテなど若い作家による文学の新たな潮流が出現した。そして19世紀後半になると、時代を批判する多くの長編小説が生まれ、特にカフカは今に通じる現代的な小説を残した。

◉代表的作家と作品
・ゲーテ　『若きウェルテルの悩み』『ファウスト』
・トーマス・マン　『ヴェニスに死す』『魔の山』
・ヘルマン・ヘッセ　『車輪の下』
・カフカ　『変身』『審判』『城』
・レマルク　『西部戦線異状なし』

◉近年の作家と作品
・ギュンター・グラス　『ブリキの太鼓』

◆**アメリカの文学**

　アメリカ文学の歴史が本格的に始まったのは、1776年にイギリスから独立してからのことである。そのため、他国でみられるような文化的な制約を受けることなく、人間と社会における問題を純粋かつ根源的に追求することが可能となった。

◉代表的作家と作品
・メルヴィル　『白鯨』
・マーク・トウェイン　『ミシシッピの生活』『ハックルベリー・フィンの冒険』『トム・ソーヤーの冒険』
・フィッツジェラルド　『グレート・ギャツビー』
・ヘミングウェイ　『日はまた昇る』『武器よさらば』『老人と海』
・フォークナー　『サンクチュアリ』『八月の光』
・スタインベック　『怒りの葡萄』
・ヘンリー・ミラー　『北回帰線』
・サリンジャー　『ライ麦畑でつかまえて』『フラニーとゾーイー』

◉近年の作家と作品
・トマス・ピンチョン　『重力の虹』
・ティム・オブライエン　『本当の戦争の話をしよう』『世界のすべての七月』
・レイモンド・カーヴァー　『愛について語るときに我々の語ること』

◆**ラテンアメリカの文学**

　ラテンアメリカにおける文学は、主にスペイン語、ポルトガル語で書かれたものをいい、その特徴であるマジックリアリズムによって、世界的な注目と高い評価を得ている。

◉代表的な作家と作品
・ホセ・エルナンデス　『エル・ガウチョ・マルティン・フィエロ』『マルティン・フィエロの帰還』

◉近年の作家と作品
・マヌエル・プイグ　『蜘蛛女のキス』『リタ・ヘイワースの背信』
・オクタビオ・パス　『鷲か太陽か？』『弓と竪琴』
・ホルヘ・ルイス・ボルヘス　『伝奇集』『不死の人』『エル・アレフ』
・G・ガルシア＝マルケス　『百年の孤独』『コレラの時代の愛』
・マリオ・バルガス＝リョサ　『都会と犬ども』『緑の家』『世界終末戦争』

レッスン 04 慣用句・ことわざ

重要度 ★★★

慣用句・ことわざについて学習する。試験では、意味や使い方の正否を問うものや、空欄を埋める問題などが出題されている。意味が誤解されて使われている場合もあるため、正しい使い方を再度確認しておきたい。

◆慣用句

慣用句とは、二語以上の単語を結びつけることによって作られた比喩表現のことをいい、会話や文章上で定型句として用いられる。意味が固定化されているため、正しくその意味を理解して使うことによって、効果を発揮する。

（1）体の一部分を用いた慣用句

・「頭・顔」→頭に来る、頭を丸める、頭でっかち、顔をつぶす、顔を立てる
・「眉・目・鼻」→眉をひそめる、目がない、目を光らせる、鼻であしらう
・「頬・顎・耳」→頬がゆるむ、顎を外す、耳が痛い、聞く耳をもたない
・「口・歯・舌」→大口をたたく、歯が立たない、歯が浮く、舌を巻く
・「首・肩」→首が回らない、首の皮一枚でつながる、肩を落とす、肩をもつ
・「腕・手」→腕が鳴る、腕が立つ、手がかかる、手のひらを返す、手を拱（こまね）く
・「指・爪」→後ろ指をさす、五指に入る、爪に火を点（とも）す、爪を隠す
・「腹・腰」→腹が立つ、腹を割る、腰がひける、腰が低い
・「尻・足」→尻をぬぐう、尻に火がつく、足が棒になる、揚げ足を取る

（2）身近な生き物を用いた慣用句

・「猫」→猫を被る、猫の手も借りたい、猫の額、猫に小判
・「犬」→犬の遠吠え、犬も食わぬ
・「馬」→馬が合う、馬脚をあらわす
・「虫」→虫がいい、虫の知らせ
・「羽」→羽が生えた、羽を交わす、羽を伸ばす

（3）植物を用いた慣用句

・「木」→生木を裂く、木に竹をつぐ、木で鼻をくくる
・「花」→話に花が咲く、花をもたせる、花道を飾る
・「草」→道草を食う、草木も眠る
・「根」→根が生える、根にもつ、根も葉もない

（4）数字を用いた慣用句

・一目置く、二の句がつげない、二足の草鞋（わらじ）を履く、二兎を追う、三日にあげず、四の五の言う

（5）道具を用いた慣用句

・さじを投げる、釘を刺す、棚上げにする、筆が立つ、枕を高くする、折り紙をつける

> **＋アルファ** 意味を誤解しやすい慣用句に気をつけよう（一例）
> 気が置けない→遠慮や気づかいが必要なく、心から打ち解ける
> 敷居が高い→こちらに不義理・不面目があって、相手の家に行きにくい
> 浮き足立つ→恐れや不安から逃げ腰になる
> 檄（げき）を飛ばす→自分の主張・考えを広く人々に知らせる

◆ことわざ

ことわざとは、観察や経験などといった知識の積み重ねによって生み出された簡潔な言葉をいい、鋭い風刺や教訓を含

んだものが多い。慣用句と混同されやすいが、一般的に、文の中の一部分として用いられるのが慣用句で、それ自体で文の形をとるか、文に相当するものをことわざとして区別する。

(1) 教訓や人生観を表すことわざ

- 雨降って地固まる→変事のあとは、かえって事態が良くなり落ち着くこと
- 覆水盆に返らず→一度起きたことをもとに戻すことはできないということ
- 天は自ら助くる者を助く→天は、他人の力を借りずに、自分の力で努力する者を助け、成功に導くということ
- 無理が通れば道理が引っ込む→道理に反することがまかり通る世の中では、道理にかなったことが行われなくなるということ

(2) 数字を用いたことわざ

- 悪事千里を走る→悪い行いは、すぐに世間に知れ渡ってしまうということ
- 石の上にも三年→大変であっても辛抱して続けていれば、いつかは成し遂げられるということ
- 人の噂も七十五日→世間の人の噂話は長く続くものではなく、やがて自然に忘れられていくということ
- 無くて七癖→人は誰しも多かれ少なかれ癖をもっているということ
- 早起きは三文の徳→朝早く起きると健康にも良く、他にも何かと良いことがあるということ
- 口八丁手八丁→言うこともすることも達者なこと

(3) 状況などを表すことわざ

- 青菜に塩→元気をなくして、すっかりしょげかえっていること
- 立板に水→弁舌が達者で、よどみなくすらすらと話すこと
- 烏合の衆→規律や統制がなく、ただ寄り集まっただけの群衆のこと

- 小田原評定→長引くだけで、いっこうに結論が出ない会議・相談のこと
- 他山の石→他人の言動が、自分を磨き反省する材料となること
- 対岸の火事→自分には何の関係もなく、痛くも痒くもないこと
- 二階から目薬→物事が思うようにいかずにもどかしいこと、あるいは遠回しすぎて効果が得られないこと

(4) 類似の意味を表すことわざ

- 悪いことが重なって起きること
  「弱り目に祟り目」「泣き面に蜂」
- 二つのものが非常に隔たっている様子
  「雲泥の差」「月とすっぽん」
- 事前の準備が大切ということ
  「転ばぬ先の杖」「後悔先に立たず」
- 嘘や冗談で言ったことが本当になること
  「嘘から出たまこと」「瓢箪から駒」

(5) 反対の意味を表すことわざ

- 「三人寄れば文殊の知恵」⇔「船頭多くして船山に登る」
- 「蛙の子は蛙」⇔「鳶が鷹を生む」
- 「善は急げ」⇔「急いては事を仕損ずる」

＋アルファ　意味を誤解しやすいことわざに気をつけよう（一例）

- 情けは人の為ならず→人に情けをかければ、その人のためになるばかりでなく、回りまわって自分にも返ってくるということ
- 河童の川流れ→名人や達人であっても、油断して単純な失敗をしてしまうということ
- 馬子にも衣装→下働きをしている人間でも、ちゃんとした衣装を着れば、それなりにきちんとしてみえること
- 濡れ手で粟→苦労せずに多くの利益をあげること
- 流れに棹さす→物事が思い通りに進行すること、機会をつかんで時流にのること

レッスン 05 # 対義語

対義語について学習する。一般的に使われ、広く知られている言葉であっても、どの言葉同士が対義語関係にあるかということをとっさに判断することは難しい。できるだけたくさんの対義語にふれ、知識を増やす必要がある。

◆対義語

対義語とは、意味が反対あるいは対照的になっている語のことをいい、以下のように4つに分類することができる。

(1) 漢字1字の意味が反対になっているもの

・案外（あんがい）⇔案の定（あんのじょう）
・起工（きこう）⇔竣工（しゅんこう）
・顕在（けんざい）⇔潜在（せんざい）
・主観（しゅかん）⇔客観（きゃっかん）
・是認（ぜにん）⇔否認（ひにん）
・相対（そうたい）⇔絶対（ぜったい）
・通例（つうれい）⇔異例（いれい）
・能動（のうどう）⇔受動（じゅどう）

(2) 漢字2字がそれぞれ反対になっているもの

・遺失（いしつ）⇔拾得（しゅうとく）
　（遺－拾、失－得）
・革新（かくしん）⇔復古（ふっこ）
　（革－復、新－古）
・拡大（かくだい）⇔縮小（しゅくしょう）
　（拡－縮、大－小）
・寡黙（かもく）⇔多弁（たべん）
　（寡－多、黙－弁）
・貴重（きちょう）⇔軽賤（けいせん）
　（貴－賤、重－軽）
・承認（しょうにん）⇔拒否（きょひ）
　（承－拒、認－否）
・集合（しゅうごう）⇔離散（りさん）
　（集－散、合－離）
・親密（しんみつ）⇔疎遠（そえん）
　（親－遠、密－疎）

・優越（ゆうえつ）⇔劣後（れつご）
　（優－劣、越－後）

(3) 熟語全体で意味が反対になっているもの

・意外（いがい）⇔当然（とうぜん）
・依存（いぞん）⇔自立（じりつ）
・慇懃（いんぎん）⇔無礼（ぶれい）
・実践（じっせん）⇔理論（りろん）
・世辞（せじ）⇔皮肉（ひにく）
・過激（かげき）⇔穏健（おんけん）
・過失（かしつ）⇔故意（こい）
・感情（かんじょう）⇔理性（りせい）
・寛容（かんよう）⇔厳格（げんかく）
・義務（ぎむ）⇔権利（けんり）
・勤勉（きんべん）⇔怠惰（たいだ）
・丁寧（ていねい）⇔粗雑（そざつ）

(4) 「不・無・未・非」を使って、対する言葉の意味を打ち消しているもの

・完全（かんぜん）⇔不全（ふぜん）
・差別（さべつ）⇔無差別（むさべつ）
・完了（かんりょう）⇔未完（みかん）
・平凡（へいぼん）⇔非凡（ひぼん）

ワン・ポイント 国語の科目では1～12月の名前を漢字で問う問題も出題されている。

1月→睦月（むつき）、2月→如月（きさらぎ）、3月→弥生（やよい）、4月→卯月（うづき）、5月→皐月（さつき）、6月→水無月（みなづき）、7月→文月（ふみづき）、8月→葉月（はづき）、9月→長月（ながつき）、10月→神無月（かんなづき）、11月→霜月（しもつき）、12月→師走（しわす）

レッスン 06 熟語

四字熟語と三字熟語について学習する。過去の試験では主に四字熟語に関する問題が出題され、空欄補充、使い方の妥当性について問われている。漢字を覚えるだけでなく、意味をきちんと捉えることが必要である。

◆四字熟語

四字熟語は、漢字4つを組み合わせて状況や性質を表したものと、主に中国由来の故事（遠い昔から今に伝わる由緒ある事柄）を基にして作られたものとに分類できる。

(1) 物事の状況を表す四字熟語

・以心伝心（いしんでんしん）
　→言葉を介さずに、互いの心と心が通じていること

・一石二鳥（いっせきにちょう）
　→一つの行為によって、二つの利益を得ること

・千載一遇（せんざいいちぐう）
　→滅多に訪れない、あるいは二度と来ないかもしれない良い機会のこと

・意味深長（いみしんちょう）
　→表現の中に奥深さや含みがあること、裏に別の意味が隠されていること

・閑話休題（かんわきゅうだい）
　→「それはさておき」という意味。余談をやめて、話を本題に戻すときに用いる

・粉骨砕身（ふんこつさいしん）
　→骨身を惜しまず、力の限り懸命に働くこと

・玉石混淆（交）（ぎょくせきこんこう）
　→良いものと悪いもの、あるいは優れたものと劣ったものが混ざっていること

・順風満帆（じゅんぷうまんぱん）
　→物事が順調に思い通りに運ぶこと

・支離滅裂（しりめつれつ）
　→物事に一貫性がなく、ばらばらでまとまりのないこと

・臨機応変（りんきおうへん）
　→その時々や状況に応じて、適切な手段をとること

(2) 人の性質・心理を表す四字熟語

・海千山千（うみせんやません）
　→長い年月の間のさまざまな経験によって、世の中の裏も表も知り尽くして悪賢いこと

・一日千秋（いちじつせんしゅう）
　→待ち焦がれる気持ちが強く、一日が非常に長く感じられること

・常住坐臥（じょうじゅうざが）
　→「いつも」「普段」「座っているときも横になっているときも」という意味

・疑心暗鬼（ぎしんあんき）
　→疑いの心があるために、何でもないことでも疑わしく感じられること

・喜怒哀楽（きどあいらく）
　→人がもつ4つの代表的な感情を漢字で表したもの

・厚顔無恥（こうがんむち）
　→厚かましく恥知らずで、他人の迷惑を考えずに自分の都合や考えだけで行動すること

・巧言令色（こうげんれいしょく）
　→口先だけでうまいことを言ったり、上辺だけ愛想が良いように取り繕うこと

・自家撞着（じかどうちゃく）
　→同じ人の言動が、前後で食い違って
　　矛盾していること
・清廉潔白（せいれんけっぱく）
　→心が清らかで私欲がなく、後ろ暗い
　　ところのないこと
・付和雷同（ふわらいどう）
　→自分の意見や考えがなく、他人や周
　　囲の言動にすぐ同調すること

（3）故事成語としての四字熟語
・温故知新（おんこちしん）
　→過去の事物を研究し、そこから新し
　　い知識や見解を得ること
・空前絶後（くうぜんぜつご）
　→今までに例がなく、これからもまず
　　あり得ないということ
・呉越同舟（ごえつどうしゅう）
　→敵対する者同士や仲の悪い者同士が
　　同じ場所に居合わせること。または、
　　そういった者が行動を共にすること
・五里霧中（ごりむちゅう）
　→物事の様子や手がかりがつかめず、
　　方針が得られない、または判断がつ
　　かないこと
・四面楚歌（しめんそか）
　→周囲を敵対・反対する者に囲まれて
　　孤立し、助けを得られないこと
・大同小異（だいどうしょうい）
　→細かい部分に多少の違いはあるが、
　　全体的にみると似たりよったりとい
　　うこと
・明鏡止水（めいきょうしすい）
　→心にわだかまりがなく、ありのまま
　　に物事を捉えること、またはそうい
　　う澄みきって静かな心持ちのこと
・朝令暮改（ちょうれいぼかい）
　→命令や方針が絶えず変わって、定ま
　　らないこと
・臥薪嘗胆（がしんしょうたん）
　→復讐のために耐え忍ぶ、あるいは成

功するために苦労に耐えるというこ
と
・画竜点睛（がりょうてんせい）
　→物事を完成させるために、一番最後
　　に加える大切な仕上げのこと

◆三字熟語
・青写真（あおじゃしん）
　→物事の大まかな予定や計画のこと
・下剋上（げこくじょう）
　→下位の者が上位の者に打ち勝って、
　　権力を手にすること
・試金石（しきんせき）
　→物の価値や人の力量をはかる際の基
　　準となる物事
・野放図（のほうず）
　→人を人とも思わない図々しい態度、
　　あるいは横柄な態度のこと
・半可通（はんかつう）
　→よく知らないのに、知ったかぶりを
　　すること
・門外漢（もんがいかん）
　→その物事について専門的な知識を
　　もっていない人、あるいは直接携
　　わっていない人のこと
・老婆心（ろうばしん）
　→必要以上に心配したり、世話を焼こ
　　うとしたりする自分の行動をへりく
　　だって言うときに使う言葉

ワン・ポイント　【外来語】
アナクロニズム（時代錯誤）
イニシアチブ（主導権）
インフォームドコンセント（説明と同意）
インフラ（社会基盤）
エポックメイキング（画期的）
オンデマンド（注文対応）
コンプライアンス（法令遵守）
コンセンサス（合意）
ジレンマ（板ばさみ）
ステレオタイプ（紋切り型）
ターニングポイント（転換点）

重要度
★★

レッスン 07 漢字

国語試験問題における漢字の書き・読みについて学習する。難易度としては、中学校在学・卒業程度の漢字が多く出題されている。また、小学校で習った漢字であっても、特殊な読み方になるものは頻出傾向にある。

◆大学・一般程度

咎める	とがめる
徘徊	はいかい
肺腑	はいふ
儚い	はかない
瞠目	どうもく
仄か	ほのか
仄暗い	ほのぐらい
闊歩	かっぽ
翔る	かける
飛翔	ひしょう
漲る	みなぎる
訝しい	いぶかしい
賽銭	さいせん
沽券	こけん
煌めく	きらめく
動悸	どうき
茫然	ぼうぜん
風靡	ふうび
斟酌	しんしゃく
標榜	ひょうぼう
嶺	みね
高嶺	たかね
鯖	さば
穿つ	うがつ
瑞々しい	みずみずしい
莫大	ばくだい
凌駕	りょうが

漕ぐ	こぐ
投函	とうかん
大袈裟	おおげさ
罫線	けいせん
怯える	おびえる
怯む	ひるむ
卑怯	ひきょう
蕩ける	とろける
放蕩	ほうとう
竣工	しゅんこう
幌	ほろ
閃く	ひらめく
閃光	せんこう
呆れる	あきれる
呆然	ぼうぜん
嬉しい	うれしい
嬉々として	ききとして
清楚	せいそ
稀	まれ
稀代	きたい・きだい
昏倒	こんとう
迂曲	うきょく
尖る	とがる
尖鋭	せんえい

◆高校卒業程度

睦まじい	むつまじい
親睦	しんぼく

和睦	わぼく
葛藤	かっとう
腫れる	はれる
処方箋	しょほうせん
畏れる	おそれる
畏怖	いふ
諦める	あきらめる
諦観	ていかん
桁	けた
堆積	たいせき
破綻	はたん
捉える	とらえる
捕捉	ほそく
溺れる	おぼれる
溺愛	できあい
蓋	ふた
蓋然	がいぜん
拳	こぶし
唾	つば
固唾	かたず
滑稽	こっけい
失踪	しっそう
尻尾	しっぽ

◆高校在学程度

衷心	ちゅうしん
折衷	せっちゅう
懇ろ	ねんごろ
懇請	こんせい
悠長	ゆうちょう
棚	たな
挑む	いどむ
挑発	ちょうはつ
迅速	じんそく
水槽	すいそう

駆逐	くちく（×遂）
寡黙	かもく
甚だしい	はなはだしい
甚大	じんだい
酌む	くむ
晩酌	ばんしゃく
駄目	だめ
発泡	はっぽう
筒	つつ
水筒	すいとう
制覇	せいは
偽る	いつわる
真偽	しんぎ
逸れる	それる・はぐれる
逸脱	いつだつ
侮る	あなどる
軽侮	けいぶ
森羅	しんら
捜す	さがす
捜索	そうさく
酷い	ひどい
酷烈	こくれつ
稼ぐ	かせぐ
稼働	かどう
植える	うえる
盆栽	ぼんさい
涼しい	すずしい
荒涼	こうりょう
破砕	はさい
琴線	きんせん
患う	わずらう
患者	かんじゃ
寛ぐ	くつろぐ
寛容	かんよう

◆中学校卒業程度

哀しい	かなしい
哀惜	あいせき
誘き寄せる	おびきよせる
勧誘	かんゆう
雑炊	ぞうすい
促す	うながす
促進	そくしん
膨らむ	ふくらむ
膨張	ぼうちょう
焦げる	こげる
紛失	ふんしつ（×粉）
真髄	しんずい
廉潔	れんけつ
清廉	せいれん
縫製	ほうせい
請求	せいきゅう
卑しい	いやしい
卑劣	ひれつ
輪郭	りんかく
巨匠	きょしょう
冗談	じょうだん
邪魔	じゃま
甲高い	かんだかい
催す	もよおす
開催	かいさい
勘	かん
勘案	かんあん
繕う	つくろう
陳情	ちんじょう
陳列	ちんれつ
覚悟	かくご
礎	いしずえ
礎石	そせき
擁立	ようりつ

慌てる	あわてる
恐慌	きょうこう
怠る	おこたる
怠慢	たいまん
鎮める	しずめる
鎮守	ちんじゅ
概念	がいねん（×慨）
虚ろ	うつろ
虚弱	きょじゃく
辛い	からい・つらい
辛苦	しんく
偶発	ぐうはつ
窒息	ちっそく
伸縮	しんしゅく
瀬戸際	せとぎわ
乙	おつ
乙女	おとめ
聴衆	ちょうしゅう
駐在	ちゅうざい
峡谷	きょうこく
妨げる	さまたげる
妨害	ぼうがい
揚げる	あげる
抑揚	よくよう
抑圧	よくあつ
奪う	うばう
奪取	だっしゅ
遺恨	いこん
細胞	さいぼう
福祉	ふくし
伴奏	ばんそう
相伴	しょうばん
潜る	もぐる・くぐる
喜悦	きえつ
静穏	せいおん

07
漢字

審判	しんぱん
緩やか	ゆるやか
緩和	かんわ
塗る	ぬる
塗れる	まみれる
塗装	とそう
家畜	かちく
欠乏	けつぼう
孤独	こどく
鍛える	きたえる
鍛錬	たんれん
軌道	きどう
企み	たくらみ
企画	きかく
嘱望	しょくぼう
技巧	ぎこう
胆力	たんりょく
奇怪	きかい
寿命	じゅみょう
潤む	うるむ
遭遇	そうぐう（×偶）
倹しい	つましい
倹約	けんやく
岐路	きろ
潔癖	けっぺき
魅惑	みわく
幻	まぼろし
幻想	げんそう
出没	しゅつぼつ
衰弱	すいじゃく
募る	つのる
募集	ぼしゅう
登壇	とうだん

◆中学校在学程度

烈しい	はげしい
烈火	れっか
幾重	いくえ
幾何	きか
絡める	からめる
連絡	れんらく
光沢	こうたく
芽吹く	めぶく
吹奏楽	すいそうがく
尋ねる	たずねる
尋問	じんもん
面倒	めんどう
避ける	さける・よける
退避	たいひ
抱える	かかえる
介抱	かいほう
汚損	おそん
気兼ね	きがね
真剣	しんけん
惑う	まどう
惑星	わくせい
駆ける	かける
駆動	くどう
仰ぐ	あおぐ
仰々しい	ぎょうぎょうしい
信仰	しんこう
慎重	しんちょう
忙殺	ぼうさつ
狭める	せばめる
狭量	きょうりょう
卸	おろし
却って	かえって
忘却	ぼうきゃく
史跡	しせき

雅	みやび	水稲	すいとう
優雅	ゆうが	稲荷	いなり
焼却	しょうきゃく	明澄	めいちょう
微かな	かすかな	勧める	すすめる
微熱	びねつ	趣	おもむき
自慢	じまん	興趣	きょうしゅ
寝具	しんぐ	到着	とうちゃく
隣接	りんせつ	鋭利	えいり
反響	はんきょう	荒天	こうてん
巨大	きょだい	三脚	さんきゃく
詰める	つめる	戒める	いましめる
詰問	きつもん	自戒	じかい
鮮やか	あざやか	圧迫	あっぱく
新鮮	しんせん	発掘	はっくつ
足繁く	あししげく	露	あらわ・つゆ
繁盛	はんじょう	結露	けつろ
敷く	しく	お盆	おぼん
被る	かぶる・こうむる	語尾	ごび
被害	ひがい	霧雨	きりさめ
抜ける	ぬける	怖気付く	おじけづく
抜糸	ばっし	恐怖	きょうふ
希薄	きはく	制御	せいぎょ
傾ける	かたむける	繁茂	はんも
傾げる	かしげる	拠る	よる
脱線	だっせん	典拠	てんきょ
離脱	りだつ	傍ら	かたわら
基盤	きばん	歓ぶ	よろこぶ
退屈	たいくつ	迎える	むかえる
玄関	げんかん	歓迎	かんげい
香木	こうぼく	矢継ぎ早	やつぎばや
途方	とほう	継承	けいしょう
鎖	くさり	即ち	すなわち
閉鎖	へいさ	即応	そくおう
猛々しい	たけだけしい	布陣	ふじん
勇猛	ゆうもう	更新	こうしん

07
漢字

115

征服	せいふく
介在	かいざい

◆小学校卒業程度で習う漢字で読み書きに注意が必要なもの

遠退く	とおのく
強か	したたか
健気	けなげ
出会す	でくわす
連綿	れんめん
絶好	ぜっこう
衛生	えいせい
精算	せいさん
往来	おうらい
往復	おうふく
氷炭	ひょうたん
落成	らくせい
下落	げらく
接見	せっけん
報いる	むくいる
通報	つうほう
円ら	つぶら
欠格	けっかく
結束	けっそく
束の間	つかのま
覚束無い	おぼつかない
展覧	てんらん
形相	ぎょうそう
気配	けはい
有望	ゆうぼう
多売	たばい
若干	じゃっかん
導く	みちびく
治水	ちすい
権化	ごんげ
厳か	おごそか

処世	しょせい
緑青	ろくしょう
応変	おうへん
順応	じゅんのう
光明	こうみょう
独創的	どくそうてき
朗らか	ほがらか
結わえる	ゆわえる
楽観	らっかん
保証（⇔保障）	ほしょう
未明	みめい
最寄り	もより
簡潔	かんけつ
河川	かせん
構築	こうちく
済ます	すます
陸橋	りっきょう
手許	てもと
際立つ	きわだつ
委細	いさい
接種	せっしゅ
工面	くめん
宣伝	せんでん

🔔出題パターン

1 次の（　）内の漢字の読みをひらがなで書きなさい。
国会に（陳情）する

> 解答　ちんじょう

2 次の（　）内のひらがなを漢字で書きなさい。
政策の（ししん）を考える

> 解答　指針

レッスン 08 現代文（内容把握）

現代文の文章理解は、内容把握、要旨把握、文章整序、空欄補充の4つに分類することができる。まずは内容把握について学習し、文章理解のコツをつかんでいきたい。

◆内容把握とは

文章理解における内容把握は、選択肢の内容が、問題の本文の内容と合致しているかどうかを問うものである。問題文はおおむね、「著者の考えとして最も妥当なのはどれか」「文章の内容と一致しているものとして最も妥当なのはどれか」といった問われ方をしている。

◆内容把握問題を解く順序

内容把握問題を解くには、以下の順序を心がけるとよい。

①本文を読む前に先に選択肢に目を通す

これは後で述べる要旨把握の場合と共通するが、本文を読み進める前に、まずは選択肢の文章に目を通しておくことが大切である。選択肢から読むと、本文で書かれていることの大まかな内容が把握しやすく、また次に本文を読んだときに、不正解となる選択肢の内容の矛盾点に気付くことができるという利点がある。

②選択肢の中からキーワードを抽出する

先に選択肢に目を通すときに合わせて行いたいのが、選択肢の中で、これはと自分が思うキーワードを抽出しておくことである。そういったキーワードに出会った場合は、単に○で囲むか、あるいは最初から選択肢を文節ごとに区切りながら読むことをおすすめする。区切られた文章であれば、キーワードも自然に立ち上がってくる。また、固有名詞や長いカタカナ語、「」や『』の中に書かれた言葉はキーワードである可能性が高い。

③選択肢と本文の対応関係を見極める

選択肢に目を通したら、次に本文を読み進めていく。その際には、選択肢の内容を頭の隅に留めながら、本文との対応の有無を確認する。また対応関係にあるかどうかを判断する場合には、選択肢のキーワードと合致するだけでなく、そのキーワードを取り巻く因果関係についても考慮することが大切である。

重要ポイント　不正解となる選択肢の特徴

- 本文で述べられていないことを言っている
- 本文の内容と反対のことを言っている
- 本文以上のことを言い過ぎている（「必ず」「絶対」「常に」など）
- 因果関係が間違っている（「AゆえにB」のところが「BゆえにA」となっているなど）

ワン・ポイント　現代文の文章理解のためのアドバイス

- 論理的な文章がほとんどで、文学作品が出題されることはほとんどない
- 文章に慣れることが大切→新聞を毎日読む、必ず1日1問解く
- スピードを意識→先に選択肢を読み、その内容を頭に入れて本文を読む
- 消去法が原則→ピントがずれた選択肢を切る
- 接続詞に注意する

【例題】次の文章から読み取れる、著者の日本語の将来についての考えとして、最も妥当なのはどれか。

　日本語の盛衰は、日本という土地と運命的に結びついている。日本語を母語とする国は地球上に唯一つ日本のみである。この唯一つという結びつきは、日本語ならびに島国日本の特殊性であり、世界で大国といわれる国の言葉がおおむね複数の国に跨って話されている事実と異なる。そしてそれは英語が、大英帝国の弱体化にもかかわらず米国の強大化によって、依然として地球社会において覇権的な地位を確保している事実と非対称的なコントラストをなしている。スペイン語、フランス語、ロシア語、アラビア語、中国語、ドイツ語などが複数の国や土地で話されているのに比べると、日本語が占める言語空間はきわめて特殊に限画されているといわざるを得ない。またそれだからこそ、日本語の衰退はとりもなおさず日本国家の衰退に直結する、乃至は日本国家の衰退は日本語の衰退にそのまま直結するのである。
　言語が亡びて、その言語が担ってきた文化が活力を失わずにすむことなどあり得るだろうか。言語や文化が衰弱した場合、日本人は一体この地球社会でどのようになるのだろうか。このように時間的・空間的に広角の視野に立って眺めると、日本語の問題は、もはや純粋な国語学の問題ではあり得ないことがわかるだろう。文明の衝突や融合の中で生じる日本語の諸問題は、国際文化関係という背景から見直さねばならない。ちょうど日本近代史が本州・四国・九州・北海道に局限された日本列島史ではあり得ず、国際関係の中で見なければ理解できないのと同様である。太平洋戦争についても「敵ヲ知リ己ヲ知ル」人でなければ公平な記述は期待できない。単眼の国史学者は、日本近代史を書く資格にややもすれば欠けていた。日本の正当性を言い立てる学者の場合はもとより、不当性を言いつのる教授の場合もそうであった。日本語の将来はいまやグローバリゼーションの文化運動の一環として、いいかえると、わが国の地球社会化の動きに伴う文化史的現象の副産物として、考察すべき時代にはいりつつある。
　　　　　　　　（平川祐弘「日本語は生きのびるか」河出書房新社刊による）

(1) 純粋な国語学の問題としてだけではなく、日本語が担ってきた文化が私たちの子孫に、どのように受け継がれていくのかを見据えなければならない。
(2) 日本一国の問題として考えるのではなく、世界の動きに連動する日本の文化現象の一部として考えていかなければならない。
(3) 言語はそれが使用される土地と密接に関わりがあり、日本語も土地と歴史との関わりを中心に考えていかなければならない。
(4) 英語が世界的に広く普及しているように、日本語を教育政策として世界に発信していくような国家的取り組みが必要とされる。
(5) 日本語を母語とする国が日本だけであることを考えると、グローバル化した世界では、ある程度衰退していくことはやむをえない。

【解説】

(1) ×　選択肢の「純粋な国語学の問題としてだけではなく」は、本文の「純粋な国語学の問題ではあり得ないことがわかる」と対応関係にあるが、それ以降の「日本語が担ってきた文化が私たちの子孫に、どのように受け継がれていくのかを見据えなければならない」については、本文の中にそういった記述は見当たらない。

(2) ○　選択肢後半部分の「世界の動きに連動する日本の文化現象の一部」に注目する。これは、本文最後の「グローバリゼーションの文化運動の一環」と「わが国の地球社会化の動きに伴う文化史的現象の副産物」を言い換えたものである。また、選択肢前半の「日本一国の問題として考えるのではなく」といった記述は、本文中の「日本近代史が本州・四国・九州・北海道に局限された日本列島史ではあり得ず」や「単眼の国史学者は、日本近代史を書く資格にややもすれば欠けていた」といった比喩内容と呼応しており、どれも広い視野に立った見方の必要性が共通している。

(3) ×　選択肢中の「言語はそれが使用される土地と密接に関わりがあり」の箇所は、本文の一段落目で、日本が島国であることの特殊性と言語の関係を述べていることから、対応関係にあることがわかる。しかし、同じ島国であるイギリスとの違いには、歴史的な要素も関連しているため、内容が不十分である。また、選択肢後半の「日本語も土地と歴史との関わりを中心に考えていかなければならない」について、本文では日本語の諸問題を「国際文化関係という背景から見直さねばならない」、あるいは日本語の将来を「グローバリゼーションの文化運動の一環」「文化史的現象の副産物として、考察すべき」と表現しており、日本語を、土地や歴史といった観点からではなく、「文化」という位置付けで捉えていることがわかるため、誤りといえる。

(4) ×　選択肢中の「日本語を教育政策として世界に発信していくような国家的取り組みが必要とされる」といった内容は、本文中には見当たらない。たとえば、「教育政策」をキーワードとして本文を読み進めれば、そういった言葉にぶつかることがないため、誤った選択肢であることがすぐにわかる。

(5) ×　選択肢前半部分の「日本語を母語とする国が日本だけである」は、本文中の「日本語を母語とする国は地球上に唯一つ日本のみである」と対応関係にある。しかし選択肢後半部分の、日本語が「衰退していくことはやむをえない」といった記述について、本文では、日本語の衰退は日本国家や日本文化の衰退と密接な関係があると述べているだけで、衰退しても「やむをえない」といった諦めの境地は述べられていない。

答（2）

レッスン 09 現代文（要旨把握）

重要度 ★★★

文章理解における要旨把握について学習する。最近では要旨把握の問題が多く出題される傾向にあるため、解き方を理解し、重点的な対策をとることが必要である。

◆要旨把握とは

文章理解における要旨把握とは、本文全体を通して著者が伝えたい考えを要約した文章として、どれが一番ふさわしいかを問うものである。「次の文章の要旨として、最も妥当なのはどれか」と問われる場合が多い。

◆内容把握との違い

要旨把握問題を解くためにはまず、内容把握と要旨把握の違いを理解している必要がある。一見すると同じような問われ方に感じられるかもしれないが、両者の間には大きな違いがある。

たとえば、「結論はAである。なぜならBやCであるからだ」といった文章の場合、内容把握の問題では、「Aである」「Bである」「Cである」といった選択肢すべてが正答となる可能性がある。なぜなら内容把握は、本文と選択肢の内容が合致しさえすればよいからである。

一方、要旨把握の場合では、正答は「Aである」と述べた選択肢のみとなる。これは、「Bである」「Cである」では、本文全体の内容を要約することができないからである。

文章理解の要旨把握問題を解く際には、以上のことを頭に入れて臨むことが大切である。

◆要旨把握問題を解く順序

要旨把握問題を解く順序は、おおむね内容把握の場合と同様であるが、内容把握と異なるのは、著者の考えを汲み取ることに注力するという点である。

①先に選択肢に目を通すとともに、キーワードを抽出

これは内容把握と同じである。先に選択肢に目を通し、文節を区切るなどして、選択肢の文意をきちんと読み取るようにする。同時に、キーワードになりそうな言葉も抽出しておく。

②具体例としての説明と著者の意見を区別する

次に本文を読んでいくが、ここで重要なのが、具体例などを使った説明と、要旨を把握するうえで大切な著者の考えを区別することである。

著者の考えを探す場合には、「考える」「思う」「〜でなければならない」「〜であろう」などといった文末表現に着目することも有効である。また、「しかし」などの逆接語の接続詞が使われている場合、その後に著者の強調したい考えが含まれている可能性が高い。

③正答候補となる選択肢を抽出

最後に、①で抽出したキーワードや、内容把握で述べた重要ポイントを参考にして、明らかに誤っている選択肢を削除する。正答の可能性がある選択肢が複数あった場合は、それぞれを比較し、どれがより著者の考えを的確に表しているかを判断する。

【例題】次の文章の要旨として、最も妥当なのはどれか。

　かつてテルトゥリアヌスが、「不合理なるが故に我れ信ず」(credo quia absurdum)と言ったといわれる。これはまさに一つのパラドックスであると言ってよい。なぜなら、常識的に認められている命題として、私たちは一方に、「合理的なるが故に我れ信ず」という命題を考えることができる。だが、これと一見明らかに矛盾しながら、しかも正しい命題として、この「不合理なるが故に我れ信ず」を認めないわけにいかないからである。古代ギリシア人たちの間で取り上げられた有名なパラドックスとして、「飛んでいる矢は静止している」というのがある。このばあい、飛んでいる矢は事実上飛んでいると認めることが明らかに常識である。だが、もしも一瞬一瞬を捉えてみれば、矢は一点で静止しているとも考えられる。これは明らかにばかげた考えであり、常識とは矛盾している。だが、少なくとも考え方のうえでは、時間と空間を無限に分割するという企てと、その上に立つこの命題も承認されざるをえない──ここから、「飛んでいる矢は静止している」という命題が、一つのパラドックスとして人々の関心の対象となったのである。

　そこで当然疑問となるのは、どうして私たちの間にこうしたパラドックスが生ずるのか、あるいは、ことがらはどうして一つの見解あるいは一つの命題によって決定することができないのかということであろう。

　これに対して、パラドックスの多くは、私たちの言語表現のずれに関わって生ずると説明できるかもしれない。あるいは、私たちの感覚、あるいは理性能力の限界に関わって生ずると説明できるかもしれない。しかし、現在の私たちにとってそうした説明以上に重要なことは、事実上人間としての私たちの間にはこうしたパラドックスが成立するということであり、その理由をどう説明するにしても、私たちはまずその存在の事実を認めないわけにいかないということである。パラドックスは、いずれその原因を指摘され、それを取り除くことによって解消されると考えることができるかもしれない。また、それは私たちの人間としての能力を越えているとみるべきかもしれない。だが、いずれにせよ、私たちは、いやしくも現実の状況がパラドックスの成立を許している以上、その事実を無視してかかるわけにいかないだけでなく、かえってその事実を尊重してかからなければならないにちがいないのである。

（村井実「教育学入門（下）」講談社刊による）

(1) パラドックスは、言語表現のずれに関わって生ずる。
(2) パラドックスは、人間の感覚あるいは理性能力の限界に関わって生ずる。
(3) パラドックスは、その原因を指摘され、それを取り除くことによって解消される。
(4) パラドックスは、その存在の事実を認め尊重すべきである。
(5) パラドックスは、人間としての能力からすれば解消困難である。

09 現代文（要旨把握）

（注）　パラドックスとは、ギリシア語で「矛盾」「逆説」を意味する。哲学的思考を行う際にしばしば用いられ、「一見すると正しいように見える前提」とその前提を積み上げることによって得られる「妥当と思われる推論」から、常識的には受け入れがたいような結論が導き出されることを指す。この本文では、「一瞬一瞬を捉えてみれば」を前提、「矢は一点で静止しているとも考えられる」を推論として、「飛んでいる矢は静止している」という結論（パラドックス）が導かれていることがわかる。

【解説】

　選択肢（1）（2）（3）（4）（5）はすべて、以下にあげる本文中の箇所によって正誤を判断することができる。

「パラドックスの多くは、私たちの言語表現の**ずれ**に関わって生ずると説明できるかもしれない」
＋
「私たちの感覚、あるいは理性能力の**限界**に関わって生ずると説明できるかもしれない」
↓「しかし」…
「現在の私たちにとってそうした説明以上に重要なことは、事実上人間としての私たちの間にはこうしたパラドックスが成立するということであり、その理由をどう説明するにしても、私たちはまずその存在の事実を認めないわけにいかないということである」

「パラドックスは、いずれその原因を指摘され、それを取り除くことによって解消されると考えることができるかもしれない」
＋
「それは私たちの人間としての能力を越えているとみるべきかもしれない」
↓「だが」…
「私たちは、いやしくも現実の状況がパラドックスの成立を許している以上、その事実を無視してかかるわけにいかないだけでなく、かえってその事実を尊重してかからなければならないにちがいないのである」

　これらの文章はいずれも、「Aであり、Bであるかもしれない。しかしCである」の形に当てはめることができ、この文章の要旨としてはCが適していることがわかる。このことから、Cに当てはまる選択肢は（4）と判断でき、これが正答となる。

答　（4）

重要度
★★★

レッスン10 現代文（文章・段落整序）

文章理解における文章整序および段落整序について学習する。自治体によっては整序問題が毎回出題されているが、解き方のコツを頭に入れておくとスムーズに解き進めることができるため、しっかりとした準備をしておきたい。

◆文章・段落整序とは

整序とは、物事を秩序立てて整えることをいう。そして、文章理解の問題で出題される整序問題には、バラバラに並べられた6～7つの文章を、意味が通るように正しく並べ替える文章整序と、これもまたバラバラに並べられたいくつかの段落を正しく並べ替える段落整序とがある。

問題文では、「次のA～Fの文章を並べ替えて意味が通る文章にしたときの順番として、最も妥当なのはどれか」といった問われ方をする。

◆文章整序問題を解く順序

文章整序で用いられる文章の長さは普通、それぞれは短く端的なものである場合が多い。また、段落整序の場合は、文章量は多くなるものの、内容としてはそれほど難しいものは出題されない。

どちらの整序問題であっても、下記に示すようなコツさえつかんでおけば、着実に解き進めることが可能である。

①すべての文章に目を通し、キーワードを抽出

文章整序問題を解くにはまず、すべての文章にしっかりと目を通すことが大切である。その際には、内容把握などの場合と同様に、キーワードとなる言葉を探し、○で囲むなどして、チェックしておくようにする。キーワードとなる言葉としては、「」や『』で書かれているものや、複数の文章に重複して出てくるものが候補となる場合が多い。

②先頭にくる文章を選択する

次に文章を正しく並べ替えていくが、まず最初に、先頭にくる文章を決定しておくと、その後の作業がやりやすくなる。その場合、「だから」「そして」「しかし」などの接続詞や、「この」「これらの」といった指示語で始まる文章は、先頭にくることがないため省いておき、それらが使われていない文章の中から先頭として適切なものを選択する。

なお、近年の文章整序問題では、先頭の部分があらかじめわかるように提示されているものが多く、その際にはこの作業を省略し、次の作業に取りかかる。

③キーワードと接続詞・指示語を使って文章を並べ替える

次に、①で抽出したキーワードと②で述べた接続詞や指示語を手がかりにして、先頭以外の文章を正しく並べ替えていく。その際にはまず1つでもいいので、いくつかの文章による確実なつながりを見つけるようにすることが重要である。また、それぞれの文章の後半部分に注目すると、次につながる文章を発見できる手がかりとなる場合がある。

なお、「だから」「このように」などの接続詞で始まり、かつ内容が前半部分と似ている文章は、最後尾にくる確率が高い。

【例題】 次のA〜Dの文章を並べ替えて意味が通る文章にしたときの順番として、最も妥当なのはどれか。

A 「時計」を英語に訳すと "clock and watch" となる。「ウィスキーの水割り」を "whisky and water" と言うように、「時計」そのものをひとことで表現する言葉はない。たしかに、英語には時計を総称する "timepiece" という単語はある。だが、"timepiece" は時刻を表示するものを無機質に扱った言葉で、われわれが日常的に使用している時計をさして「このタイムピースは」などとは使わない。ましてや時計店のことを「タイムピース・ショップ」とは呼ばない。

B また、欧米の先進国では、日本のいわゆる時計店がないことも、日本人からすると不思議なことだ。高級腕時計は宝飾を主にした宝飾品店、低価格品はドラッグストア（雑貨品店）に、そして、クロックは鍋釜の類いを売っている家庭用品店にそれぞれ分けて並べられている。したがって、高級腕時計と実用目覚まし時計を一軒の店で買うことはできないのである。

C したがって、ひとつの時計について述べるならば、対象の時計が watch（懐中・腕時計）なのか、clock（掛け・置き・目覚まし時計）なのかを見極めなければならないことになる。日本人にとって、うどんとソバは別物であるのと同様なのかも知れない。

D モノの名称には「なぜ？」と思わず聞きたくなるような、しっくりこない名称もあるが、時計の場合は、まさにピッタリだ。それと言うのも、中国から伝来した漢語と日本語が合致した結果だからうなずける。一方、英語にはひとことで「時計」に相当する単語が見つからないのも不思議な気がする。

（織田一朗「『時』の国際バトル」文藝春秋刊による）

(1) A→C→B→D
(2) A→C→D→B
(3) D→A→C→B
(4) D→B→A→C
(5) D→B→C→A

【解説】

①まずは、A～Dの文章を読んで、それぞれの大まかな内容を把握するとともに、キーワードとなる言葉を抽出する

【A～Dの大意】

A→「時計」という言葉を英語に訳すと "clock and watch" となり、「時計」そのものを一言で表現できる言葉が英語にはない。

B→欧米の先進国では、日本にある時計店に相当する店がない。時計の種類ごとに、別々の用途の店に行って買わなければならない。

C→ひとつの時計について述べる場合は、watch（懐中時計・腕時計）なのかclock（掛け・置き・目覚まし時計）なのかを区別する必要がある。

D→モノの名称にはしっくりこないものがあるが、日本語の「時計」という言葉の場合はまさにピッタリの名称である。一方、英語には、「時計」に相当する単語が見つからない。

【キーワード】

「時計」という言葉がキーワードであることは容易にわかるが、全文を通して出てくるため、今回はあまり有効な手がかりとはならない。そのためこの場合は、次の②以降のように、**各段落の後半部分との流れや、それぞれの段落の最初の接続詞を意識して文章をつなげていく**とよいだろう。

②先頭の段落を選択する

次に、先頭の段落としてふさわしいものを選択する。先頭の段落として候補に挙がるのは、接続詞で始まっていない段落であるため、この場合はAとDが候補となる。ここで2つの段落をもう一度検討すると、Dの最後の文章である、「英語にはひとことで「時計」に相当する単語が見つからないのも不思議な気がする」が手がかりとなる。これは、英語で「時計」を訳そうとした場合の印象について述べているものである。一方Aは、実際に「時計」を英語で訳した例を説明しており、両者を比較すると、順番としてはDを先頭とする方がよいことがわかる。

③先頭以外の段落を並べ替える

最後に、先頭以外の段落であるA、B、Cの並び順を検討する。まずは、先頭のDの後に続く内容としてふさわしい段落を探すとよいだろう。この場合は、①で説明したように、英語には「時計」に相当する単語がないということを具体的に説明しているAがふさわしい。そして、最後に残ったB、Cについては、一見すると、「したがって」で始まるCが最終段落としてふさわしく思われる。しかし、Bの後半部分に「したがって（中略）一軒の店で買うことはできないのである」とあるため、B→Cとすると、違和感のある流れになってしまう。これらのことを総合すると、すべての段落の正しい並び順はD→A→C→Bとなる。

答（3）

レッスン11 現代文（空欄補充）

文章理解における空欄補充について学習する。内容把握、要旨把握、文章整序とともに、空欄補充も文章理解分野で頻出の出題形式である。複数箇所の補充でも、1箇所の補充でも対応できるように、解き方をしっかりと把握しておきたい。

◆空欄補充とは

文章理解における空欄補充とは、文章の中に空欄が設けられた箇所があり、そこに当てはめる語句として正しいものを選択する問題のことをいう。空欄に補充するのは、単語や短文などであり、問題文では、「次の文章の空所A～Cに当てはまる語句の組み合わせとして、最も妥当なのはどれか」「次の文章の空所に当てはまる語句として、最も妥当なのはどれか」といった問われ方をする。

◆空欄補充を解く順序（複数個を補充する場合）

①内容を大まかに把握する

空欄補充問題も、ほかの文章理解の問題と同様に、全体に目を通して、大体の内容を把握することが大切である。ある程度内容が理解できれば、空欄を埋める語句がすぐにわかる場合も多い。

②空欄はわかるところから埋めていく

①の過程で、空欄を補充する適切な語句と判断できた場合は、とりあえず埋めていくようにする。逆に、明らかに不適切であると思われる語句に関しても、選択肢にチェックをいれて削除し、少しずつ妥当と思われる選択肢を絞っていく。

③空欄の前後に注目する

①②の過程を経てもなお、補充する語句がわからない場合は、もう一度その空欄の前後を読んで、適切な語句を判断するうえでヒントとなる表現を探し出すようにする。またその間にも、ほかの空欄に埋めた語句との関係をその都度確認し、ぴったりと当てはまった状態であるか検証しながら作業を進めていく。

◆空欄補充を解く順序（1箇所のみを補充する場合）

①本文の内容と選択肢を把握する

1箇所のみを補充する問題は、本文から抜き取られた短文として適切なものを選択させる、といった形式で出題される。この場合も、まずは全体を読んで内容を把握するとともに、選択肢にも目を通し、表現の微妙な違いなどをある程度頭に入れておくようにする。

②接続詞やキーワードの書き替えに注意する

1箇所を補充する問題の場合は、空欄以前で使われた接続詞によって、空欄に当てはまる文のニュアンス（肯定か否定かなど）がわかる場合がある。また必ずしも、選択肢の文中のキーワードが、そのまま本文で使われているとは限らない。この場合は、内容は一致しているものの、表現が変えられた部分がないかを探すようにすると、正答を得やすい。

> **ワン・ポイント** 語句を補充する問題に取り組むときの注意点
>
> ・接続語や副詞を補充する場合は、文法的に正しい文章となるかを意識する。
> ・普段本や新聞を読んでいて、意味がわからない単語にあたった場合は、必ず辞書を引くようにする。

【例題】　次の文章の空所Ａ～Ｃに当てはまる語句の組み合わせとして、最も妥当なのはどれか。

　乗り物の車内アナウンスで、停車駅の予告や乗り換えの案内をされることがあります。乗客には有り難いサービスですが、時折、不愉快なこともあります。

　それは、予告や案内が首尾一貫した物言いではなく、最初ははっきりしていても、後半辺りから声がしだいに細くなり、口の中の言葉になって、終わりはもうほとんど聞き取れないようなときです。

　その乗り物をよく利用している人なら、半分しか聞こえなくても、半分は口の中でもいいのです。しかし、初めての乗客には、まず役に立ち難いアナウンスです。

　アナウンスにも流行があるのかどうか。たとえどんな理由があるにしても、予告や案内であるなら、途中からけだるそうな物言いに変えないで、初めから終わりまではっきり言ってもらいたいものです。

　あるときふっと思い付きました。これは、○×式解答の習慣と関係ないだろうか、と。無関係かもしれませんが、そのとき思ったのは以下のようなことでした。

　○か×のどちらか一つ、という解答の仕方は、確かに広く通用する答え方の一つではあります。ただ、こういう答え方に慣らされてしまうと、とかく物事に対して、（　Ａ　）の姿勢で流されやすくなるのではないかと思うのです。

　事柄が把握されていなくても、具体的な意見をはっきり述べなくても、○か×、と反応を示せば、なんとかその場は終わってしまう。どんなに曖昧（あいまい）な内容であっても、（　Ｂ　）をしたと思われ、自分でもしたと錯覚しがちです。

　テレビの街頭インタビューでマイクを向けられた若い人が、自己主張や自己顕示には貪欲（どんよく）でも、それを述べるときの述べ方がまことに幼くて、発言が発言としての体をなしていないという場面をよく見ます。日常、どんな些細（させい）なことに対しても、僕はこう思う、私はこう思うという、秩序立った物言いを習慣づけていないと、社会生活に不自由をきたしがちになるようです。

　物事に対して、具体的な意見をはっきり述べる習慣とは、（　Ｃ　）習慣と言ってもいいかと思います。○×式解答では、このことに関する限り不十分です。それどころか、受け身でその場を逃れるのを許すという意味ではマイナスです。

　　　　　　　　　　　　　　（竹西寛子「国語の時間」河出書房新社刊による）

	Ａ	Ｂ	Ｃ
(1)	受け身	熟考	言葉で物を考える
(2)	事なかれ主義	意思表示	他者と意見を交える
(3)	受け身	意思表示	言葉で物を考える
(4)	事なかれ主義	熟考	言葉で物を考える
(5)	受け身	熟考	他者と意見を交える

【解説】

　この問題の場合、A、B、Cに埋める語句は、それぞれ2パターンずつしかないため、1つを選べばそれだけで、ほかの2〜3個の選択肢を削除できるという利点がある。

　まずAに入る語句だが、本文最後の文章中に、選択肢にもある「受け身」という言葉が出てくる。ここで、空欄Aのある段落をもう一度見てみると、「○×式の答え方に慣らされると、物事に対して（　A　）の姿勢になってしまう」とある。一方、先に挙げた本文最後の文章は、「○×式解答では、…受け身でその場を逃れるのを許す」と述べている。よって、Aに入るのは「受け身」が適切であると判断できる。また、もう1つの選択肢である「事なかれ主義」は、争いを回避し、平穏であるように努めることだが、本文ではあくまでも、はっきりとした物言いができない状況に対しての考えを述べているだけで、「事なかれ主義」の内容は出てこない。このことからも「受け身」が妥当であると考えられる。またこの時点で、選択肢（2）（4）が削除され、選択肢は（1）（3）（5）の3つに絞られる。

　次の空欄Bだが、「熟考」「意思表示」のどちらも意味としては通じそうに思われるので、空欄Cから検討する。

　空欄Cに補充する言葉としては、「言葉で物を考える」「他者と意見を交える」の2つの選択肢がある。ここでもう一度、空欄Cのある段落を見てみると、「具体的な意見をはっきり述べる習慣」＝「（　C　）習慣」と言い換えられていることがわかる。また、本文中の「自己主張や自己顕示」「僕はこう思う、私はこう思うという、秩序立った物言いを習慣づけていない」という表現などを合わせて見てみると、これらはいずれも、自分から他者に向けた考えを指しており、他者から自分に向かう考えは考慮に入れていない。そのため、空欄Cに入る言葉としては「言葉で物を考える」が適切であると考えられる。そしてこの時点で、選択肢（5）は削除され、選択肢（1）（3）が残る。

　最後に、空欄Bについて検討する。空欄Bについては、先に述べたように、一見すると「熟考」「意思表示」のどちらも適切なように思われる。しかし、本文中の「初めから終わりまではっきり言ってもらいたい」に始まり、「具体的な意見をはっきり述べ」「秩序立った物言い」などといった表現からわかるのは、「熟考」しているかしていないかではなく、自分の考えを秩序立ててはっきり表明できているかどうか、といった点を重視していることである。よって空欄Bには「意思表示」が当てはまる。

答（3）

レッスン 12 古文

文章理解における古文問題について学習する。現代文と比較すると、文章理解での出題数は少なく、まったく出題されないこともある。しかし、基礎的な知識があれば解くことも可能であるため、時間が許す限り準備をして臨みたい。

◆文章理解における古文問題とは

文章理解の分野で出題される古文の問題は、要旨把握、内容把握、下線部の解釈などが考えられる。

一般的に、文章への深い理解を問われることは少ないため、全体の概要を把握することができれば、正答を得られる可能性が高い。

◆古文の言葉を覚える

古文を読むためには、ある程度の言葉の知識が必要である。しかし、古文に出てくる言葉の中には、現代文とあまり変わらない用いられ方をするものも少なくない。そこで、そういった言葉は省き、逆に古文特有の言葉や、古文と現代文で意味が異なる言葉を中心に覚えていくとよいだろう。特に、助動詞については、それぞれの意味を理解していないと、本文の内容の捉え方を間違ってしまうおそれがある。そのため、まずは助動詞について、きちんと覚えておくようにしたい。

◆古文を解く順序

古文を解く順序は、現代文とそう大差ない。まずは選択肢を見て、それから本文を読み進めていくようにする。

①選択肢を読む

まずは選択肢を先に読み、どういった観点が求められているのかを把握しておく。先ほども述べたように、古文の場合、あまり深い理解は求められない。そのため、選択肢も意味を捉えやすいものが多い。

②本文を読む

次に本文を読み進めていく。このとき注意したいのは、古文には主語が省略された文章が多い、ということである。そこで、会話の内容や敬語の使い方などに目を配り、的確に主語を把握するように心がける。また、主語がわかればその都度、問題文に書き入れていくようにするとよい。

 重要ポイント　古文の助動詞の種類

過去	き・けり
完了	つ・ぬ・たり・り
推量	む（ん）・むず（んず）・らむ（らん）・けむ（けん）・べし・らし・まし・めり
打消	ず
打消推量	じ・まじ
伝聞・推定	なり
断定	なり・たり
自発・可能・受身・尊敬	る・らる
使役・尊敬	す・さす・しむ
希望	まほし・たし
比況	ごとし

 ワン・ポイント　古文を読み解くためには、できるだけ多くの作品を読み、特徴的な言葉遣いに慣れるとともに、現代語訳を参考に、内容把握に努める。

レッスン 01 時制

時制に関する頻出事項は、状態動詞と動作動詞、完了形、時制の一致、時や条件を表す副詞節などである。

◆状態動詞と動作動詞

一定の期間、継続する状態を表す動詞を「状態動詞」といい、目に見える動きを表す動詞を「動作動詞」という。例えば love（愛している）、know（知っている）は状態動詞、run（走る）、study（勉強する）は動作動詞である。

動作動詞は、進行形（be doing）を作れるが、状態動詞は進行形にならないので、注意したい。

◆完了形

完了形には、現在完了（have＋過去分詞）、過去完了（had＋過去分詞）、未来完了（will have＋過去分詞）があり、それぞれ、ある時点までの継続、完了・結果、経験を表す。現在完了は、現在を中心とした表現なので、明らかに過去を示す語句とともには用いない。

I have visited France last year.

　　⇒ I visited France last year.　昨年フランスを訪れた。

I haven't seen her lately.　最近彼女に会っていない。

last year、last week、three years ago など過去を表す語句は現在完了形ではなく過去形で用いる。just now も過去を表すため、現在完了では用いないことに注意したい。lately、recently（最近）、so far（今までのところ）など、「現在」を含む語句は完了形と一緒に使うことができる。

◆未来を表す表現

未来を表すには、主に be going to や助動詞 will を使うが、状況によって進行形（be ～ ing）や現在形を使うこともできる。

I will call you tonight.（will：その場で決めた意思）
今夜電話します。

I am going to visit France this summer.（be going to：あらかじめ決めている予定）
今年の夏はフランスを訪れる予定です。

I am meeting her this afternoon.（進行形：変更の可能性のない確定した未来）
今日の午後彼女と会います。

The train leaves at 15:50.（現在形：時刻表にあるような確定した予定）
電車は 15 時 50 分に出発します。

◆時制の一致

従属節（主節を修飾する節で、その中に主語と動詞がある部分）の時制は、文の主節の動詞の時制に合わせて決まる。

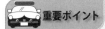

重要ポイント 　普遍の真理や一般的な事実は、過去、現在、未来、いつでも時制に関係なく成立する内容なので、時制の一致をうけず、常に現在形で表す。

We <u>learned</u> today that the sun <u>rises</u> in the east and <u>sets</u> in the west.
私たちは今日、太陽は東から昇り西に沈むことを学んだ。
Water <u>boils</u> at 100℃.
水は100℃で沸騰する。
The earth <u>goes</u> around the sun.
地球は太陽の周りを回っている。

◆時や条件を表す副詞節

　whenやifといった時や条件を表す接続詞に続く節（主語＋動詞の単位）では、その内容を実際に起きた場合という前提として扱っており、未来のことであっても未来表現でなく現在形で表す。

If it rains tomorrow, we will have to stay home.
明日雨が降ったら、家にいないといけない。

　このように、「明日雨が降る」という未来のことを仮定してそれを前提にしている場合、未来の内容でもIf it will rain tomorrow ではなく現在形を用いて If it rains…と表す。

【例題】
正しい時制表現を用いている英文として、最も妥当なのはどれか。
(1) I have finished the project yesterday.
(2) Tom and Jim are knowing each other for three years.
(3) By the end of the next week, we will have moved to Kyoto.
(4) Since you didn't come to school, I thought you are sick.
(5) I am liking the singer very much.

【解説】
(1) 　現在完了 have finished で「現在までに終えた」という意味を表すため、yesterday という過去を示す副詞とともに用いることができない。
(2) 　動詞は know「知っている」という状態動詞であるので、進行形にできず、正しくは、Tom and Jim have known each other for three years. である。
(3) 　未来完了の文であり、「来週末までには」という未来のある時点に、「京都に引っ越しているだろう」という動作の完了を表しており、正しい英文である。
(4) 　I thought が主節、you are sick は I thought の内容となっている従属節である。「私が思った」ときと「あなたは病気だ」は、どちらも過去のある時点でのことなので、動詞を過去形に合わせ you were sick とする。
(5) 　動詞は like「好きだ」という状態動詞であるので、進行形にできず、正しくは、I like the singer very much. である。

答　(3)

重要度
★★★

動詞

動詞は、その語法に関する知識を確実にしておく必要がある。目的語や前置詞の使い方と合わせてしっかり覚えておきたい。

◆ remind A of B の形をとる動詞

remind は「～に思い出させる」という意味の他動詞で、remind A of B で「A に B を思い出させる」となる。他にも同様の形をとる動詞には、以下のようなものがあるので、覚えておこう。

・inform A of B 　　 A に B を知らせる
・persuade A of B 　 A に B のことを納得させる
・convince A of B 　 A に B のことを確信させる

◆ deprive A of B の形をとる動詞……「A から B を奪う、取り除く」型

・deprive A of B 　　 A から B を奪う
・rob A of B 　　　 A から B を奪う
・rid A of B 　　　 A から B を取り除く
・cure A of B 　　　 A から B を取り除き治す
・relieve A of B 　　 A から B を取り除き楽にする

◆ provide A with B の形をとる動詞……「A に B を供給する」型

・provide A with B 　 A に B を供給する
・supply A with B 　 A に B を供給する
・serve A with B 　　 A に B を供給する
・share A with B 　　 A と B を分かち合う、共有する

出題パターン

　次の英文が「この歌を聞くと私は故郷での子ども時代を思い出します」という意味になるよう、空所 A ～ E に語を入れて文を完成させるとき、B に当てはまる語として、最も妥当なのはどれか。
This song (A) (B) (C) (D) (E) in my hometown.
(1) me 　(2) my 　(3) of 　(4) reminds 　(5) childhood

答（1）

◆自動詞と他動詞

動詞には、自動詞と他動詞がある。自動詞とは、主語が自らその動作をするもので、他動詞とは、主語が何か他の対象（目的語 =O）に動作を与えるものである。

例えば、動詞 move は、

① The student didn't move. 　その生徒は動かなかった。（自動詞）
② The student moved the chair. 　その生徒は椅子を動かした。（他動詞）

のように、①、②の文では、それぞれ異なる働きをしている。他動詞は直後に目的語が来ることを覚えておきたい。

【例題】

動詞を正しく用いている英文として、最も妥当なのはどれか。

(1) She married with the singer.

(2) We discussed about the matter.

(3) We reached to our goal.

(4) I entered into the house.

(5) He attended his friend's wedding last weekend.

【解説】

(1) から (4) は、すべて自動詞と間違えやすい他動詞。正しくは、

(1) marry「～と結婚する」。She married the singer.「彼女はその歌手と結婚した。」

(2) discuss「～を議論する」（= talk about）。We discussed the matter.「その問題を議論した。」

(3) reach「～に到着する、達する」（= arrive at）。We reached our goal.「我々は目的に達した。」

(4) enter「～入る」（= go into）。I entered the house.「私はその家の中に入った。」

(5) attend は他動詞。attend ～で「～に出席する」。attend と目的語の間に前置詞は不要である。「彼は先週友人の結婚式に出席した。」

答 (5)

◆自動詞と他動詞で形の違う動詞

自動詞と他動詞で異なる以下の動詞は、その活用形と合わせて覚えておこう。

⊙ **lie「（自）横たわる」**

lie on the bed　ベッドに寝そべっている

⊙ **lay「（他）～を横にする」**

lay a baby in the bed　赤ん坊をベッドに寝かせる

⊙ **rise「（自）上がる、昇る」**

The sun rises in the east.　太陽は東から昇る

⊙ **raise「（他）～を上げる」**

Raise your hand if you have a question.　質問があれば手を挙げなさい

原形	過去形	過去分詞形
lie	lay	lain
lay	laid	laid
rise	rose	risen
raise	raised	raised

態

「～される」という意味の受動態は、「be 動詞＋動詞の過去分詞＋ by ＋動作主」で表せる。この基本の形のほか、by 以外の前置詞を用いる場合なども覚えておきたい。

◆ by 以外の前置詞を用いる場合

受動態の基本形は、This building was built by the architect. のように、動作主の前に by を置き、「～により…される」であるが、by 以外の前置詞を用いる場合も多い。

・be covered with ～　　～で覆われている
・be married to ～　　　～と結婚している
・be killed in ～　　　　～で亡くなる
・be filled with ～　　　～で満たされている
・be injured in ～　　　　～で怪我をする
・be known to ～　　　　～に知られている

◆感情や心理状態を表す動詞の受動態

英語では、人の感情は、何かの出来事によってもたらされると考えるため、ほとんどの感情や心理状態を表す動詞は、surprise（驚かせる）、shock（衝撃を与える）のように他動詞である。このため人を主語にし、「～は…の感情になる」という場合は、受動態で表す。またこのような動詞は by 以外の前置詞を用いて表すことが多い。

・be shocked at（about）（～）　　　　～に衝撃を受ける
・be surprised at（～）　　　　　　　　～に驚く
・be excited at（about）（～）　　　　　～に興奮する
・be satisfied with（at/about）（～）　　～に満足する
・be confused with（at/about）（～）　　～に混乱する

【例題】
次の英文の空所に当てはまる語として、最も妥当なのはどれか。
a）The garden is covered（　　）snow.
b）My daughter is married（　　）a police officer.
c）A lot of people were killed（　　）the accident last week.
d）I was shocked（　　）the news.
　（1）by　（2）with　（3）in　（4）at　（5）to
【解説】
a）be covered with ～「～で覆われている。」「庭は雪で覆われている。」
b）be married to ～「～と結婚している。」「私の娘は警察官と結婚している。」
c）be killed in ～「～で亡くなる。」「多くの人が先週の事故で亡くなった。」
d）be shocked at（about）～「～に衝撃を受ける。」「私はそのニュースに衝撃を

受けた。」

答a（2）、b（5）、c（3）、d（4）

◆群動詞の受動態

　群動詞とは、動詞と前置詞などのまとまりで一つの動詞の働きをするものである。take care of（世話をする）や throw away（捨てる）などがある。群動詞を含む文が受動態になる時は、群動詞のまとまりを一つの動詞と考えることや、群動詞中の前置詞とは別に受動態の行為主を表す前置詞を置くことに注意したい。

【例題】
次の英文の空所 A 〜 E に（1）〜（5）の語句を 1 つずつ用いて文を完成させたとき、空所 C に当てはまる語句として、最も妥当なのはどれか。
My sister（ A ）（ B ）（ C ）（ D ）（ E ）at the station this morning.
　（1）to　（2）was　（3）by　（4）spoken　（5）a stranger
【解説】
speak to「話しかける」を含む受動態の文である。My sister was spoken to by a stranger ……で「姉は今朝駅で知らない人に話しかけられた」となる。

答（1）

◆ they say that と it is said that

　say、believe、know、think などの動詞は、「〜と言われている」「〜と考えられている」など、一般的に受け入れられていることを示す場合に it is said that のように受け身で表すことが多い。

◎ They believe that there is a ghost in the old house.
　→ It is believed that there is a ghost in the old house.
　その古い家には幽霊がいると信じられている。

◎ They used to think that milk is not good for babies.
　→ It used to be thought that milk is not good for babies.
　昔は赤ん坊にとって牛乳は良くないと信じられていたものだった。

【例題】
次の 2 つの英文がほぼ同じ意味になるようにするとき、空所に当てはまる語句として最も妥当なのはどれか。
They say that he is the best tennis player.
It（　　）that he is the best tennis player.
　（1）says　（2）is saying　（3）is said　（4）to say　（5）will say
【解説】
一般的に受け入れられていることなどを示す場合には it is said that「〜と言われている」と受け身で表される。「彼は一番上手いテニスの選手だと言われている。」

答（3）

重要度
★★★

レッスン 04 助動詞

助動詞は、会話でもよく使われるので、会話文の中で適切に用いられているかを問う出題も多い。それぞれの助動詞の意味を覚えておくとよい。

◆助動詞の意味

（1）許可

"Can I ～" "May I ～"「（私が）～してもいいですか」

May I speak to Samantha?　サマンサをお願いします。（電話をかけたときに）

Can I take a picture here?　ここで写真を撮っても良いですか。

（2）依頼

"Can you ～" "Will you ～"「（あなたは）～してくれますか」

Will you help me carry this bag?　このカバンを運ぶのを手伝ってくれませんか。

Would you do me a favor?　お願いしたいことがあるのですが。（慣用表現）

（＝ May I ask a favor of you?）

Can you close the window?　窓を閉めてくれませんか。

 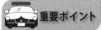 can、will は過去形の could、would にすると、より丁寧な意味になる。

（3）義務

"must" "should" "have to" "had better" "ought to"「～すべき／～しなければならない」

You must practice a lot.　たくさん練習しなければならない。

You should attend the meeting tomorrow.　明日の会議に出るべきだ。

She had to wait for a long time.　彼女は長時間待たなければならなかった。

You had better go now.　今すぐ行きなさい。

You ought to put on your jacket.　ジャケットを着たほうがいい。

重要ポイント　must、have to はいずれも「～しなければならない」という意味だが、否定形 must not は「禁止」、don't have to は「不必要」を表すので注意したい。

You must not play outside today.

今日は外で遊んではいけない。

You don't have to attend the meeting this afternoon.

午後の会議は出なくてもいい。

【例題】

次の各英文の空所に当てはまる語句として、最も妥当なのはどれか。

" (A) take a picture here?" "I'm sorry, you can't."

" (B) close the window? It started to rain." "OK. Just a moment."

(1) Can you　(2) May you　(3) Can I　(4) Will I

【解説】

Can I ～は「（私が）～してもいいですか」という許可を表す。Can you ～は「（あなたは）～してくれますか」という依頼を表す。

(A) Can I take a picture here?「ここで写真を撮ってもいいですか？」

I'm sorry, you can't.「すみませんが、それはできません。」

(B) Can you close the window? It started to rain.「窓を閉めてくれますか？雨が降ってきました。」

OK. Just a moment.「いいですよ。少し待ってください。」

答 A（3）、B（1）

◆推量を表す助動詞

助動詞には、推量を表す意味もある。助動詞によって、推量の確信の度合いが異なる。

must	～に違いない
may	～かもしれない
might	～かもしれない（may より確信度は低い）
can	～はありうる
can't	～のはずがない
should	～のはずだ

◆さまざまな助動詞

⊙ **used to do「かつては～だった」**

There used to be a movie theater on this corner.　以前この角に映画館があった。

⊙ **would often do「よく～したものだ」**

I would often go to see the movies with my friends.

よく友達と映画を見に行ったものだ。

⊙**助動詞+have+過去分詞（過去のことについての推量、後悔を表す）**

He may have left his umbrella somewhere.

彼はどこかに傘を忘れたかもしれない。

He cannot have bought the book.　彼はその本を買ったはずがない。

You should have come to the party.　君もパーティに来ればよかったのに。

⊙ **would rather do（than ～）「（～するよりも）むしろ～したい」**

I would rather stay home than go out.　外出するよりはむしろ家にいたい。

⊙ **may（might）as well「～する方が良いだろう、～してもよい」**

We might as well buy the book today since they'll have sold out soon.

すぐに売り切れるだろうからその本は今日買っておいた方が良いだろう。

レッスン
05

不定詞

不定詞は、「〜すること」「〜するために」「〜するための」の３つの意味を持つ。否定表現や知覚動詞、使役動詞を用いた文では、to の位置や to がない原形不定詞も使われる。

◆不定詞の否定語の位置

不定詞の内容を否定する場合、不定詞の直前に否定語 not や never を置く。

He promised not to be late for school.　彼は学校に遅刻しないと約束した。

◆〜 enough to 不定詞

形容詞や副詞の後に enough to do を置き「…するほど〜だ／…するのに十分〜だ」という意味を表すことができる。enough を置く位置に気をつけたい。

◆形式主語と不定詞の意味上の主語

不定詞の内容が文の主語になる場合、it を形式的に主語に置くことができる。

It is good to get up early.　早起きはいいことだ。

不定詞の動作主（不定詞の意味上の主語）を明らかにしたい場合は、不定詞の直前に for 〜（〜にとって）を置く。

It is good for children to get up early.　子供にとって早起きはいいことだ。

ただし、人の性格など人物評価を表す形容詞（kind、clever、nice など）が用いられる場合、for ではなく of を用いる。

It is kind of him to carry my bag.　私のカバンを持ってくれるなんて彼は親切だ。

◆知覚動詞 + 目的語（O）+ 原形不定詞

see、hear、feel など五感に関する動詞を知覚動詞という。「O が〜するのを見る」のように目的語の行為を知覚することを表す場合、知覚動詞 + 目的語（O）+ 原形不定詞（to なしの動詞の原形）の形を用いる。

I heard her sing in her room.　私は彼女が部屋で歌うのを聞いた。

この形の文は、知覚動詞が受け身になり、「彼女は部屋で歌っているのを聞かれた」という意味になると、She was heard to sing in her room. のように原形不定詞ではなく to 不定詞を用いる。

◆使役動詞 + 目的語（O）+ 原形不定詞

人に何かをさせるという意味を持つ動詞を使役動詞という。「O に〜させる、してもらう」と表す場合、使役動詞 + 目的語（O）+ 原形不定詞（to なしの動詞の原形）の形を用いる。

使役動詞には make、let、have がある。

⊙ **make O do「O に〜（強制的に）させる」**

He made the boy stand outside.

彼はその少年を外に立たせた。

⊙ **let O do「O に〜させてやる（許可）」**

ワン・ポイント　make も受け身になると、原形不定詞ではなく to 不定詞を用いる。
The boy was made to stand outside.
少年は外に立たされた。

Her parents let her study abroad.
彼女の両親は彼女が留学することを許した。

⦿ **have O do「O に〜してもらう」**

I had the man repair my watch.
その男性に時計を直してもらった。

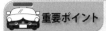 **重要ポイント** get も「〜してもらう」という使役の意味を持つが、get は to を伴うので注意。
I got Chris to repair my bike.
クリスに自転車を直してもらった。

【例題】

不定詞を正しく用いている英文として、最も妥当なのはどれか。

(1) The boy tried to not cry.

(2) The man was kind enough to carry my bag.

(3) It is very clever for him to answer this question.

(4) I saw the girl to cross the street.

(5) My mother made me to clean the room.

【解説】

(1) The boy tried not to cry.「その少年は泣くまいとしていた」が正しい。

(2)「その男性は、私のカバンを運んでくれるほど親切だった」で正しい英文である。

(3) It is very clever of him to answer this question.「その質問に答えられるなんて彼は賢い」が正しい。

(4) to をつけずに I saw the girl cross the street. が正しい。「私は彼女が通りを渡るのを見た」という意味になる。

(5) make O do「O に〜（強制的に）させる」で My mother made me clean the room.「母が私に部屋を掃除させた」が正しい。

答 (2)

◆**覚えておきたい SVO+to do の形**

ask O to do	O に〜するよう頼む
allow O to do	O が〜するのを許可する
enable O to do	O が〜するのを可能にする
force O to do	O に〜することを強制する
persuade O to do	O を説得して〜させる

◆**覚えておきたい独立不定詞**

to tell (you) the truth	本当のことを言うと
to be frank with you	率直に言えば
to make matters worse	さらに悪いことに
to begin with	まず第一に
needless to say	言うまでもなく

動名詞

動名詞とは、動詞〜ing で「〜すること」という意味を表し、名詞と同様の働きをする。文の中では主語、目的語、前置詞の目的語になる。

◆動名詞の意味上の主語

動名詞の意味上の主語が、文の主語と異なる場合は、**動名詞の直前に意味上の主語を置いて**、動名詞の意味上の主語を明らかにできる。意味上の主語が名詞の場合は、**所有格またはそのままの形、代名詞の場合は、所有格または目的格の形で置く。**

I don't like watching TV.
私は（自分が）テレビを見るのが好きではない。
I don't like my son's watching TV.
私は息子がテレビを見るのを好まない。
I don't like his（him）watching TV.
私は彼がテレビを見るのを好まない。

◆動名詞の否定形

動名詞を否定する場合、not や never などの否定語を**動名詞の直前に置く。**
She regrets not saying good bye to you.
彼女は君にさよならを言わなかったことを悔やんでいる。

◆動名詞の表す時制

動名詞の表す時制が、文の動詞の時制よりも以前に起きたことを表すには、having + 過去分詞を用いる。
She is proud of her mother being a famous actress.
母親が有名女優であることを誇りに思っている。（文の時制、動名詞の時制＝現在）
She was proud of her mother being a famous actress.
母親が有名女優だったことを誇りに思っていた。（文の時制、動名詞の時制＝過去）
She is proud of her mother having been a famous actress.
母親が有名女優だったことを誇りに思っている。（文の時制＝現在、動名詞の時制＝過去）

◆動名詞の受動態

動名詞は、being ＋過去分詞で受け身を表す。
He is afraid of being scolded.
彼は、叱られることを恐れている。

◆動名詞の重要表現

mind は、「〜を嫌がる、気にする」を表し、Do you mind 〜 ing?、Would you mind 〜 ing? で直訳すると「（あなたは）〜するのは嫌ですか」つまり「〜してくださいませんか」の意味となる。

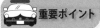 **重要ポイント**　mind は「嫌がる、気にする」という意味を持っているので、Would you mind 〜ing？ と聞かれた場合、「いいですよ」の意味で答える場合には、「嫌ではありませんよ、気にしませんよ」と、**否定形**で答えることに注意する。
"Would you mind me sitting here?"「ここに座ってもいいですか。」
"No, not at all."「いいですよ。」
他に、Of course, not. / Certainly, not.　などの答え方もある。

◎動名詞を使った慣用表現

keep 〜 ing	〜し続ける
cannot help 〜 ing	〜せずにはいられない
feel like 〜 ing	〜したい気がする
look forward to 〜 ing	〜するのを楽しみにしている
worth 〜 ing	〜する価値がある
it is no use 〜 ing	〜しても無駄だ
There is no 〜 ing	〜することはできない
keep（prevent）A from 〜 ing	A が〜するのを妨げる
on 〜 ing	〜するとすぐに

出題パターン

それぞれの日本語の意味を正しく表す英文として、最も妥当なのはどれか。
(1) 父はここでタバコを吸うのが好きではない。
I don't like my father's smoking here.
(2) ルーシーはその本を読んだことを謝った。
Lucy apologized for not reading the books.
(3) 彼は昨年試合に勝ったことを誇りに思っていた。
He is proud of having won the game last year.
(4) 姉は笑われるのが嫌だった。
My sister didn't like laughing at.
(5) 窓を閉めてもいいですか。
Would you mind me closing the window?

答（5）

◆動名詞と不定詞

　動名詞と不定詞は、どちらも「〜すること」という意味を持ち、動詞の目的語になれるが、動詞によっては、使い方や意味が異なる。動名詞、不定詞の性質の違いを理解しておくとよい。

　動名詞は、視覚的イメージを持てるような具体的な意味を持ち、既に実行、実施されていること、習慣的に繰り返し行っていることを表す性質がある。そのため、既に起きていることや繰り返し行っていることを表す動詞は、**動名詞を目的語にとる**。

　不定詞は、未来指向と言われ、これから起きることを表す性質がある。そのため、未実現、未来のことを表す動詞は、**不定詞を目的語にとる**。

06
動名詞

 **重要ポイント** 動名詞＝具体的なこと、既に起きていること、繰り返し行っていることを表す。
不定詞＝未来のこと、未実現のこと、頭の中で考えていることを表す。

⊙**動名詞を目的語とする動詞**

　avoid、mind、finish、put off、practice、give up、enjoy、escape など

⊙**不定詞を目的語とする動詞**

　want、plan、hope、manage、decide、mean、expect、promise など

 重要ポイント 動名詞と不定詞どちらも目的語にできるが、それぞれで意味が異なる動詞もあるので注意したい。

　I don't remember meeting him.
　彼に会ったことを覚えていません。（既に会っている）
　Please remember to meet him.
　彼に会うのを覚えておいてください。（まだ会っていない）
ここでも動名詞は既に起きていること、不定詞は未来指向、の原則は同じである。
remember の他にも、forget、try、regret なども同様に動名詞、不定詞で意味が異なる動詞である。

【例題】

動名詞および不定詞を正しく用いている英文として、最も妥当なのはどれか。

(1) He promised not to be late again.

(2) He gave up to smoke.

(3) She wants eating ice cream.

(4) I decided studying abroad.

(5) We enjoyed to cook together.

【解説】

(1)、(3)、(4) の動詞はいずれも、promise「今後のことを約束する」、want「これからしたいことを欲する」、decide「これからやることを決心する」と未来について述べている動詞である。そのため、これらは目的語に不定詞をとる動詞である。

正しくは、(3) She wants to eat ice cream.「彼女はアイスクリームを食べたがっている」(4) I decided to study abroad.「私は留学することを決心した」である。一方、(2) すでに始めていることを「やめる、あきらめる」の give up、(5) 実行済みのことや繰り返し行っていることを楽しむ enjoy は、動名詞を目的語にとる。正しくは、(2) He gave up smoking.「彼はタバコをやめた」(5) We enjoyed cooking together.「私たちは一緒に料理を楽しんだ」である。

答 (1)

レッスン 07 比較

比較とは、何かと比べる表現で、形容詞や副詞を比較級（より〜、もっと〜）や最上級（もっとも〜）という形に変化させたものを用いて表す。

◆比較の基本ルール

比較級、最上級の作り方は、原級の形容詞、副詞の長さ（音節の数）によって異なる。以下のルールを確認しておきたい。

◎基本ルール

①比較級
・-er をつける　cold → colder　small → smaller
・3 音節以上の単語には、more をつける　difficult → more difficult

②最上級
・-est をつける　cold → coldest　small → smallest
・3 音節以上の単語には、most をつける　expensive → most expensive

③不規則変化をする形容詞・副詞
・good（well）- better - best　　　bad（ill）- worse - worst
・many（much）- more - most　　little - less - least

重要ポイント senior、junior、superior、inferior などラテン比較級と呼ばれる -or で終わる比較級には than でなく to を用いる。

She is three years senior to her brother.　彼女は弟より 3 歳年上だ。

Humans are superior to chimpanzees in intelligence.　人間は知性においてチンパンジーより優れている。

◆さまざまな比較表現

⊙ 「…番目に〜だ」：the ＋ 序数（**first、second、third**）＋最上級
He is the second fastest runner in this team.
彼はチームで二番目に走るのが速い。

⊙ 「…倍〜だ」：倍数（**twice、three times、four times**）＋ as ＋原級＋ as
My bag is three times as big as my younger sister's.
僕の鞄は妹のものの 3 倍の大きさだ。

⊙ 「最も〜のうちの一つだ」：one of ＋ the 最上級＋名詞の複数形
New York is one of the biggest cities in the world.
ニューヨークは世界で最も大きい都市のうちの一つだ。

⊙ 「ますます〜だ」：比較級 and 比較級
The boy is growing taller and taller.
その少年はますます背が高くなっている。

⊙「～すればするほど、ますます…」: the 比較級 + SV, the 比較級 + SV

The higher you climb, the colder you feel.

高く登れば登るほど、ますます寒く感じるでしょう。

◎比較の慣用表現

・more…than ～「～というよりもむしろ…」（どちらの性質がより強いかを表す）

The girl is more beautiful than pretty.

その少女は可愛いというより美しい。

・as ～ as ever「相変わらず～」

She looks as beautiful as ever.

彼女は相変わらず美しい。

・not so much ～ as …「～というよりはむしろ…」

The story was not so much a tragedy as a comedy.

その話は悲劇というより喜劇だ。

【例題】

それぞれの日本語の意味を正しく表す英文として、最も妥当なのはどれか。

(1) ここは外より涼しいね。　It is more cool here than outside.

(2) ここは神奈川で3番目に大きい都市だ。　This is the third largest city in Kanagawa.

(3) 東京は世界で最も忙しい都市の一つだ。　Tokyo is one of the busiest city in the world.

(4) この棒はあの棒の2倍の長さがある。　This pole is twice as longer as that one.

【解説】

(1) 正しくは It is cooler here than outside. である。

(3) 名詞が単数形になっているので、正しくは、Tokyo is one of the busiest cities in the world. である。いくつかのうちの一つなので名詞は複数形にする。

(4) 正しくは、This pole is twice as long as that one. である。

答 (2)

◆比較の言い換え表現

「A は一番速く走る」は、「A より速く走る人はいない」「A は誰よりも速く走る」のように他の表現で言い換えることができる。さまざまな表現方法を覚えておこう。

⊙「時間ほど貴重なものはない」

Nothing is more precious than time.

Nothing is as precious as time.

Time is more precious than anything else.

⊙「彼はクラスで走るのが一番速い」

He is the fastest runner in the class.

He runs faster than any other students in the class.

He runs fastest in the class.

No other student runs faster than him.

No other student runs as fast as him.

重要度
★★

レッスン
08

関係詞

関係詞には、関係代名詞と関係副詞があり、名詞に相当するものを関係代名詞、副詞に相当するものを関係副詞と呼ぶ。関係詞で説明される語句のことを先行詞という。

◆関係詞のルール

先行詞と関係詞の文の中での働きから、下記のルールに従って適切な関係詞を用いる。

先行詞	主格（主語の役割）	所有格	目的格（目的語の役割）
人	who	whose	who（whom）
人以外	which	whose	which
人と人以外	that		that

関係副詞は、先行詞の意味により where（場所を表す）、when（時を表す）、why（理由を表す）、how（方法を表す）を用いる。

【例題】

空所に入れるのに最も適切な関係詞を語群から選びなさい。使用は１回のみとする。

(1) Ms. Dior teaches French to students （　　） native language is German.

(2) This is the man （　　） helped me a lot during my stay in Scotland.

(3) The picture （　　） my sister painted is really beautiful.

(4) They are students （　　） we met on our way home.

(5) We talked about the man and his dog （　　） we played with in the park.

(6) This is the house （　　） I want to live.

【which、who、where、whose、whom、that】

　　　　　答 (1) whose (2) who (3) which (4) whom (5) that (6) where

---

◆関係代名詞 that が好まれる場合

関係代名詞 that は which の代わりに使われることが多く、以下のような場合には、which でなく that を用いる。

①先行詞が人でなく、特定できる語（the only、the best、the same、the ＋最上級の語）や「すべて」all、every などを伴う場合。

②先行詞が人と人以外である場合。

③先行詞が疑問詞の what である場合。

◆関係代名詞 what

関係代名詞 what は、先行詞を含んでおり、「～するもの、～すること」という意

味になる。

What I bought at the store is this book.

私がその店で買ったものは、この本だ。

I believe what you say.

私は君の言うことを信じる。

【例題】

次の英文の空所に当てはまる語として、最も妥当なのはどれか。

(　　) made my daughter pleased the most on her birthday was the present from her grandmother.

(1) that　(2) whatever　(3) which　(4) whose　(5) what

【解説】

「誕生日で娘を最も喜ばせたのは、祖母からのプレゼントだった」の意味で、What made my daughter pleased で「娘を喜ばせたもの」となる。

答 (5)

◆関係詞の継続用法

関係代名詞には、先行詞の内容を限定する限定用法と、先行詞の内容について情報、説明を追加する継続用法がある。継続用法は先行詞の後に コンマ (,) を置き、継続して説明を加える。なお、継続用法では that を用いることはできない。下の例文では、下線部の先行詞について説明が加えられている。

I had a book, which my parents gave me for a present.

私は一冊の本を持っているが、その本は両親がプレゼントしてくれた。

【例題】

「ジェーンは試験に合格して、みんなを喜ばせた。」という意味の英文にするとき、(　　) に当てはまるものとして、最も妥当なのはどれか。

Jane passed the exam (　　) made everyone happy.

(1) which　(2) that　(3) ,which　(4) ,that　(5) what

【解説】

Jane passed the exam の部分が先行詞となっており、「ジェーンが試験に合格したこと」が「みんなを喜ばせた」という意味である。

答 (3)

◆複合関係詞

関係詞に -ever がついたものを複合関係詞といい、「どんな〜でも」という意味を表す。例えば whoever は anyone who に相当し、「どんな人でも、〜する人は誰でも」という意味をもつ。

You can eat whatever you like.

好きなものを何でも食べていいよ。

Please tell me whenever you have a problem.

何か問題があったらいつでも言ってください。

◆関係詞 what の慣用表現

慣用表現は、幅広く出題される傾向がある。関係詞 what を用いた以下の慣用表現も覚えておきたい。

He is not what he used to be.

彼は昔の彼ではない。

what S be は、動詞部分の時制が変化し、what you are は「現在のあなた」、what you were は「昔のあなた」のように、さまざまな意味を持つ。

It got colder, and what is worse, it started to snow.

寒くなってきた、さらに悪いことに、雪が降り出した。

◎ what を用いた慣用表現

what is called	いわゆる、世間で言うところの
what S is（are）	現在の S、今日の S
what S have（has）	S の持っているもの、S の財産
what is more	さらに、その上
what is worse	さらに悪いことに
what with A and what with B	A やら B やらで
A is to B what C is to D	A の B に対する関係は、C の D に対する関係に等しい

【例題】

次の英文の空所 A 〜 E に（1）〜（5）の語句を 1 つずつ用いて文を完成させたとき、空所 C に当てはまる語句として、最も妥当なのはどれか。

a）My son remembers every name of the flowers in the book.

　He is（ A ）（ B ）（ C ）（ D ）（ E ）．

（1）called　（2）a　（3）is　（4）genius　（5）what

b）An engine is（ A ）a car（ B ）（ C ）（ D ）（ E ）body.

（1）what　（2）the heart　（3）to the　（4）is　（5）to

【解説】

a）「彼はいわゆる天才だ」の意味で、He is what is called a genius. が正解である。

b）「エンジンの車に対する関係は、心臓の体に対する関係に等しい」の意味で、An engine is to a car what the heart is to the body. となる。

答 a）（1）、b）（2）

重要度
★★★

レッスン
09 **その他　さまざまな重要表現**

過去問題では、イディオムやコロケーション（連語関係）など、慣用的な英語についての出題が多い。知らなくては解けないものなので、できるだけ多くの表現を覚えておきたい。

　イディオムは、一定の出題頻度があり、語彙の問題で問われるのはもちろん、文章理解などでも知っておくと役に立つ。知らない表現があれば覚えておこう。

◆名詞を含むイディオム

up in the air	未決定で、未定の
above all	とりわけ、何よりも
in case	万一の場合に備えて
under consideration	考え中で、考慮している最中で
under construction	工事中で
in common	共通の
little by little	徐々に、少しずつ
at a loss	途方にくれて
as a matter of fact	実際のところ
by mistake	誤って、間違えて
by nature	生まれながらに
for nothing	無駄に、無料で、何の理由もなく
at short notice	急に、予告なく
on purpose	故意に、わざと
in the long run	長い目で見れば、結局は
in a sense	ある意味では
second to none	何にも劣らない
in progress	進行中で
all of a sudden	突然に
behind the times	時代遅れ
behind time	遅れて
for the time being	当面は、さしあたって
from time to time	ときどき
at will	意のままに、随意に、自分の思うままに
at work	仕事中で

in other words	言い換えれば
out of the question	論外で

◆前置詞を含むイディオム

after all	結局、とにかく
once in a while	ときどき、たまに（は）
in general	概して、一般に
at large	捕まらないで、野放しで
at length	ついに、やっと
in short	要するに、手短に言うと
in advance	前もって
in vain	無駄に
in detail	詳細に
ill at ease	落ち着かない
on duty	勤務中で
on end	続けて
out of order	故障して
upside down	逆さまで

◆群動詞

　群動詞とは、動詞が前置詞や副詞と結びつき、一つの動詞のような働きをするものである。群動詞に含まれる動詞とは全く異なる意味を持つことが多いので、それぞれ正確に覚えたい。

break out	急に始まる、（戦争などが）勃発する
call for A	A を求める
call off A	A を中止する
carry out A	A を実行する、成し遂げる
come about	起こる
come across A	A に出くわす
come to an end	終わる
come up to A	A（期待など）に応える
deal with A	A を扱う、対処する
do away with A	A を廃止する
find fault with A	A のあら探しをする
get along with A	A と仲良くする
get rid of A	A を取り除く
give way to A	A に譲歩する、取って代わられる

hand in A	A を提出する
look up to A	A を尊敬する
look down on A	A を見下す
look into A	A を調査する、研究する
look after A	A を世話する
make ends meet	収支を合わせる
make a point of doing	〜することに決めている
pay a visit to A	A を訪問する
put off A	A を延期する
put up with A	A に耐える、我慢する
refrain from doing	〜することを控える
run out of A	A がなくなる、A を切らす
see the sights of A	A を見物する
set out on	出発する
show up	現れる、暴露する、際立たせる
take advantage of A	A を利用する、A を有利に使う
take after A	A に似ている
take a break	休憩する
take notice of A	A に注意を払う
take off	離陸する
take part in A	A に参加する
try on A	A を試着する
turn down A	A を断る、拒絶する
turn out to be A	A だと判明する
wear out A	A を酷使して疲れさせる

 **重要ポイント** 動詞＋副詞の群動詞では、目的語が代名詞のときには、動詞と副詞の間に入れる。

She tried on the shirt. 彼女はシャツを試着した。（目的語：the shirt）
She tried it on. 彼女はそれを試着した。（目的語：it＝代名詞）

I will pick up my brother at the station. 兄を駅に迎えに行きます。
I will pick him up at the station. 彼を駅に迎えに行きます。

ワン・ポイント **群動詞を含む文を受動態で表す場合**
His friends laughed at him. を受動態にする時には、群動詞の一部である at を忘れないようにする。
He was laughed at by his friends. 彼は友人たちに笑われた。

◆群前置詞

群前置詞とは、前置詞の働きを持つイディオムである。出題頻度の高いものなので覚えておきたい。

(1) 理由を表すもの

due to ～、owing to ～、because of ～、on account of ～　「～の理由で、～のために」
後ろには名詞形が続く。

I was late for school because of the heavy rain.
激しい雨のため、学校に遅刻した。

(2) 目的を表すもの

for the sake of ～、for the purpose of ～ ing、with a view to ～ ing　「～の利益のために、～を目的として」

(3) その他の群前置詞

so as to do、in order to do　「～するために」（不定詞を用いた表現）

apart from ～	～は別にして
on behalf of ～	～を代表して、～の代理で
contrary to ～	～と反対に
at the expense of ～	～を犠牲にして
in favor of ～	～に賛成して
in return for ～	～のお返しに
in terms of ～	～の点から、～に関して
up to ～	～に及んで、～の責任で、～次第で

◆英語のことわざ

以下は知っておきたい英語のことわざである。表現と意味を確認しておきたい。

Time flies (like an arrow).　光陰矢の如し
Seeing is believing.　百聞は一見に如かず
When (you are) in Rome, do as the Romans do.　郷に入っては郷に従え
Necessity is the mother of invention.　必要は発明の母
A friend in need is a friend indeed.　まさかのときの友こそ真の友
It is no use crying over spilt milk.　覆水盆に返らず
The early bird catches the worm.　早起きは三文の得
Practice makes perfect.　習うより慣れよ
A rolling stone gathers no moss.　転石苔むさず
Good medicine tastes bitter to the mouth.　良薬口に苦し
Time and tide wait for no man.　歳月人を待たず
Strike while the iron is hot.　鉄は熱いうちに打て
There is no accounting for tastes.　蓼食う虫も好き好き
Too many cooks spoil the broth.　船頭多くして船山に登る

レッスン10 文章理解

文章理解では、選択肢を読み、本文の対応する部分を丁寧に読めば解答を導くことが可能だ。解き方のコツをチェックしよう。

　文章理解で出題される英文は、ある程度難しい語彙もあるが、英文を冒頭から丁寧に読む必要はない。解答するためには、文章全てを理解する必要はなく、5つの選択肢の内容が本文の内容と合致しているかどうかを判断する。ざっと英文全体を流し読んだ後、それぞれの日本語の選択肢が、英文のどこに書かれているかの見当をつけたら、該当箇所を照らし合わせて内容が合致しているか細かくチェックしていこう。

【例題】　次の英文の内容と合致しているものとして、妥当なのはどれか。

　I had really two options. One was not to speak and wait to be killed. And the second one was to speak up and then be killed. And I chose the second one because at that time there was terrorism, women were not allowed to go outside of their houses, girl's education was totally banned[1], and people were killed. At that time, I needed to raise my voice because I wanted to go back to school. I was also one of those girls who could not get education. I wanted to learn. I wanted to learn and be who I can be in my future. I also had dreams like a normal child has. I wanted to become a doctor at that time. Now I want to become a politician, a good politician.

　And when I heard I could not go to school, just for a second thought I would never be able to become a doctor. Or I would never be able to be who I wanted to be in future. And my life would just be getting married at the age of 13 or 14, not going to school, not becoming who I really can be. So I decided that I would speak up.

　So through my story, I want to tell other children all around the world that they should stand up for their rights. They should not wait for someone else. And their voices are more powerful. It would seem that they are weak, but at the time when no one speaks, your voices get so louder that everyone has to listen to it. Everyone has to hear it. So it is my message to children all around the world that they should stand up for their rights.

（「Malala's Nobel Peace Prize Speech in UK」による）

（注）banned[1]　ban「禁止する」の過去分詞

（1）　私には、声をあげず殺されないようにするか、声をあげて殺されるか、二つの選択肢しかありませんでした。

（2）　私のまわりの女の子たちが、学校教育も受けられず、13歳か14歳で結婚させられるのを見て黙ってはいられませんでした。

（3）　私は医者になりたいという夢がかなえられないと知り、今は政治家に、それも良い政治家になるために学びたいと思っています。

（4）　私は世界中の子どもたちに、誰を待つのではなく、自分が権利のために立ち上がらなければならないと伝えたいのです。

（5）　どんなに小さな声でも、たとえ言葉にしなくても、みんなで立ち上がり行動で示せば、誰もが耳を傾けざるを得なくなるのです。

【解説】

　冒頭、"I had really two options." とあり、直後に One was… と続いているので、何かについて「2つの選択肢」があり、それについて述べていることがわかる。1つ目の段落は、"Now I want to become a politician…" と将来の夢で終わっている。2つ目の段落では、「学校に行けない」ので「将来の夢を叶えられない」、"So I decided that I would speak up." 「だから声を上げることにした」という経緯を述べ、次の段落に続く。3つ目の段落は、"So through my story" で始まっており、自分の経験から何かを伝えたい、と予想できる。最後の文は、"So it is my message to children" で締められており、この段落の内容は、子供達へのメッセージであることがわかる。

　このように、英文は、全体を流し読みできない場合でも、**段落の最初と最後の文を読むだけで、ある程度内容が予測できる。**

【キーワード】

　選択肢（1）は、本文1行目に記述されている。"One was not to speak and wait to be killed." は「**声をあげずに殺されるのを待つ**」の意味であり、選択肢の「声をあげず殺されないように」の部分が異なる。

　選択肢（2）は、本文2行目からの声をあげるという2つ目の選択をした理由として、本文4行目に記述がある。"…girl's education was totally banned" は、「女の子たちが、学校教育も受けられず」に合っているが、選択肢の後半「13歳か14歳で…」は、本文12行目～には「私は、学校にも行かず、13歳か14歳で結婚するのだろう…」にあるが、選択肢の内容とは異なっている。

　選択肢（3）本文8行目～には "I wanted to become a doctor at that time. Now I want to become a politician…"「当時は医者になりたかった。今は政治家になりたい」とあり、選択肢の内容に合致しない。

　選択肢（4）最後の段落に合致している。

　選択肢（5）最終段落の3行目に書かれているが、"but at the time when no one speaks" は、「誰も話していない時には」の意味で、選択肢の「たとえ言葉にしなくても」ではないので、誤りである。

答（4）

練習問題

No.1　旧石器時代から弥生時代に関する記述として、最も妥当なのはどれか。

(1) 日本に旧石器時代があったことの証拠の一つとして、群馬県の岩宿遺跡から黒曜石が出土した。

(2) 縄文時代の住居や墓地の遺跡からは、すでに身分の差があったと考えられている。

(3) 縄文時代の遺跡には、青森県の鳥浜貝塚、福井県の大森貝塚などがある。

(4) 弥生時代の遺跡からは、土偶がはじめて発見された。

(5) 弥生時代の遺跡には、静岡県の登呂遺跡、佐賀県の吉野ヶ里遺跡などがある。

正答：(5)

(1) ×　群馬県の岩宿遺跡から出土したのは、黒曜石などの打製石器である。

(2) ×　縄文時代においては、住居や墓地が共同であったことから、身分の差はなかったと考えられている。

(3) ×　縄文時代の遺跡には、青森県の三内丸山遺跡、福井県の鳥浜貝塚、東京都の大森貝塚などがある。

(4) ×　土偶がはじめて発見されたのは、縄文時代の遺跡からである。

(5) ○　弥生時代の遺跡には、静岡県の登呂遺跡、佐賀県の吉野ヶ里遺跡、奈良県の唐古・鍵遺跡などがある。

No.2　日本の中世に関する記述として、最も妥当なのはどれか。

(1) 12世紀後半、源頼朝は鎌倉を拠点に勢力を固め、後白河法皇から東国の支配権を得た。

(2) 源頼朝は、後鳥羽上皇による承久の乱によって殺された。

(3) 浄土宗の開祖は親鸞、浄土真宗の開祖は法然である。

(4) 座禅の他に公案を重視し、上級武士を中心に信仰されたのは、曹洞宗である。

(5) 鎌倉時代の代表的な文学の一つには、古今和歌集がある。

正答：(1)

(1) ○　源頼朝は後白河法皇から東国の支配権を得たことを経て、1185年に鎌倉幕府を開いた。

(2) ×　後鳥羽上皇による承久の乱が起きたのは、源頼朝の死後である。

(3) ×　浄土宗の開祖は法然、浄土真宗の開祖は親鸞である。

(4) ×　座禅の他に公案を重視し、上級武士を中心に信仰されたのは、臨済宗である。

(5) ×　古今和歌集は平安時代の文学で、鎌倉時代に生まれたのは新古今和歌集である。

No.3　文明に関する記述として、最も妥当なのはどれか。

(1) メソポタミア文明は、チグリス川とナイル川の流域の沖積平野に成立した。

(2) エジプト文明は、ハンムラビと呼ばれる絶大な権力をもった王が支配していた。

(3) モエンジョ゠ダーロは、インダス文明の遺跡である。

(4) 中国文明では、象形文字が使われていた。

(5) 人類最古と考えられている文明は、エジプト文明である。

正答：(3)

(1) ×　メソポタミア文明は、チグリス川とユーフラテス川の流域の沖積平野に成立した。

(2) ×　エジプト文明は、ファラオと呼ばれる王が支配していた。

(3) ○　モエンジョ゠ダーロは、インダス文明の遺跡である。この他に、ハラッパーなどの遺跡も残っている。

(4) ×　中国文明では、甲骨文字が使われていた。

(5) ×　人類最古と考えられている文明は、メソポタミア文明である。

No.4　中世に関する記述として、最も妥当なのはどれか。

(1) イスラーム教の開祖はムアーウィアである。

(2) イスラーム文化においては、アラベスクと呼ばれる幾何学的文様を反復して作られた壁面装飾が有名である。

(3) アッバースは、アッバース朝を720年に開いた。

(4) 十字軍は、聖地バグダッド奪還のために派遣された。

(5) ビザンツ帝国が滅亡したのは、1455年である。

正答：(2)

(1) ×　イスラーム教の開祖はムハンマドである。

(2) ○　イスラーム文化においては、アラベスクのほかに、モスクの建築様式などが有名である。

(3) ×　アッバースは、アッバース朝を750年に開き、アラブ人の優遇政策を廃止した。

(4) ×　十字軍は、聖地エルサレム奪還のために派遣された。

(5) ×　ビザンツ帝国が滅亡したのは、1453年である。

No.5　地球の構造に関する記述として、最も妥当なのはどれか。

(1) 地球は層構造となっており、外側から、地殻、マントル、内核、外核の順となっている。

(2) 地殻は地球の最も外側となる表層部で、その深さは、大陸地域では平均50km〜60kmである。

(3) 地殻とマントルの間は、グーテンベルク面と呼ばれている。

(4) プレートには、大陸プレートと海上プレートがある。

(5) プレートの境界では、プレートの衝突、沈み込み、押し合いなどによる岩盤の摩

擦や破壊が繰り返されている。

正答：(5)

(1) ×　地球は、外側から、地殻、マントル、外核、内核の順となっている。
(2) ×　地殻は地球の最も外側となる表層部で、その深さは、大陸地域では平均
30km ～ 40km である。なお、海洋地域では平均 5km ～ 10km といわれている。
(3) ×　マントルは、地殻と外核との間にある層のことで、地殻とマントルの間は、
モホロビチッチ不連続面と呼ばれている。グーテンベルク面はマントルと外核の
間の呼び名である。
(4) ×　プレートには、大陸プレートと海洋プレートがある。
(5) ○　プレートの衝突、沈み込み、押し合いなどによる岩盤の摩擦や破壊が繰り返
され、これらが地震を生じさせていると考えられている。

No.6　次の文章は、ヨーロッパのある国に関するものであるが、その国名として、
最も妥当なのはどれか。

・国土面積は日本よりも広く、首都を含む盆地ではケスタ地形が見られる。
・南東部に位置する都市は、世界有数の観光保養都市として知られている。
・農業では、小麦やブドウといった作物の生産が盛んである。
・エネルギー資源に乏しいため、国の発電に占める原子力発電の割合が高い。
・今日の EU の基礎となった ECSC の原加盟国である。
・厳しい政教分離の政策をとっており、公的な場所で宗教的なシンボルを身につける
　ことを原則的に禁じている。

(1) イギリス
(2) スウェーデン
(3) スペイン
(4) デンマーク
(5) フランス

正答：(5)

　フランスの国土面積は約 55 万 km^2 で、日本の約 1.5 倍である。中央から北東に
広がるパリ盆地では、侵食された軟層と硬層が交互に重なったケスタ地形がみら
れる。シャンパーニュ地方では水はけの良いこの地形を利用してブドウの栽培が
盛ん。南東部には、地中海沿岸の観光保養都市ニースがある。又、フランスは EU
第 1 位の農業国であるが、エネルギー資源に乏しいため、発電に占める原子力比率
は約 70％である。近年は再生可能エネルギーの開発など、エネルギー転換を図っ
ている。EU の基礎である欧州石炭鉄鋼共同体（ECSC）は、フランス外相シューマ
ンが提唱者であった。また、フランスには 1905 年に成立した政教分離法がある。

No.7　ギリシア思想に関する記述として、最も妥当なのはどれか。

(1) タレスは万物の根源を数、ピタゴラスは万物の根源を水として考えた。
(2) 人間に関心を向け、「人間は万物の尺度」であるとしたのはヘラクレイトスであ
　る。

(3) 問答法を通じて無知を自覚させ「汝自身を知れ」と人々に問いかけたのは、ソクラテスである。

(4) プラトンは、デモクリトスの弟子であり、イデア（形相）こそがものの本質であり、永久不変の真理であるとした。

(5) ストア派を創始したのは、エピクロスである。

正答：(3)

(1) ×　タレスは万物の根源を水、ピタゴラスは万物の根源を数として考えた。

(2) ×　人間に関心を向け、「人間は万物の尺度」であるとしたのはプロタゴラスである。

(3) ○　「汝自身を知れ」と人々に問いかけ、知徳合一を主張したのは、ソクラテスである。

(4) ×　プラトンは、ソクラテスの弟子であり、イデア（形相）こそがものの本質であり、永久不変の真理であるとした。

(5) ×　ストア派を創始したのは、ゼノンである。エピクロスはエピクロス派を創始した。

No.8　東洋思想に関する記述として、最も妥当なのはどれか。

(1) ガウタマ＝シッダールタは儒教の開祖である。

(2) 荘子は、一切の差別がない博愛主義と非戦を説いた。

(3) 孟子は人間の性を「悪」、荀子は人間の性を「善」だとした。

(4) 王陽明は、朱子学の祖である。

(5) 万物の根本は「道」であるとしたのは、老子である。

正答：(5)

(1) ×　ガウタマ＝シッダールタは仏教の開祖である。儒教の開祖は孔子である。

(2) ×　一切の差別がない博愛主義と非戦を説いたのは墨子で、これを兼愛非攻という。

(3) ×　孟子は人間の性を「善」、荀子は人間の性を「悪」だとした。

(4) ×　王陽明は、陽明学の祖である。

(5) ○　道家の開祖である老子は、万物の根本は「道」であるとした。

No.9　大正時代に白樺派とされた作家名とその代表作の組み合わせとして、最も妥当なのはどれか。

(1) 武者小路実篤－「友情」

(2) 有島武郎－「城の崎にて」

(3) 谷崎潤一郎－「痴人の愛」

(4) 芥川龍之介－「或る女」

(5) 森鷗外－「羅生門」

正答：(1)

(1) ○　武者小路実篤は、大正時代の白樺派の作家の一人で、代表作には『友情』『お目出たき人』がある。

(2) ×　有島武郎は、大正時代の白樺派の作家の一人であるが、『城の崎にて』は同じ白樺派の志賀直哉の代表作である。

(3) ×　谷崎潤一郎の代表作は、『痴人の愛』『刺青』などであるが、自身は大正時代における耽美派の作家である。

(4) ×　芥川龍之介は、大正時代の新現実主義（新思潮派）の作家の一人であり、『或る女』は有島武郎の代表作である。

(5) ×　森鷗外は、明治時代に活躍した作家の一人で、『羅生門』は芥川龍之介の代表作である。

No.10　四字熟語とその意味の組み合わせとして、最も妥当なのはどれか。

(1) 海千山千…その時々や状況にふさわしい対応ができること

(2) 呉越同舟…過去の事物と新しい知識や見解の両方を取り入れること

(3) 明鏡止水…何の障害もなく物事が順調に進むこと

(4) 朝令暮改…同じ人の言動が、前後で食い違って矛盾していること

(5) 画竜点睛…物事を完成させるために、一番最後に加える大切な仕上げのこと

正答：(5)

(1) ×　海千山千とは、長い年月の間のさまざまな経験によって、世の中の裏も表も知り尽くして悪賢いことをいう。

(2) ×　呉越同舟とは、敵対する者同士が同じ場所に居合わせたり、協力して困難な状況を克服することをいう。

(3) ×　明鏡止水とは、心にわだかまりがなく、ありのままに物事を捉えることやそういった心持ちのことをいう。

(4) ×　朝令暮改とは、命令や方針が絶えず変わって、定まらないことをいう。

(5) ○　記述のとおりである。

No.11　次の文章の内容と一致しているものとして、最も妥当なのはどれか。

　対話法の元祖ともいえるのは古代ギリシアのソクラテスで、その弟子であるプラトンは、ソクラテスの思想を「対話篇」という形で後世に残しました。対話、ダイアローグです。ソクラテスが何かを問い議論する。そこから正解にたどりつくというのではなく、対話のなかで思考が深まっていって、一つずつ確かめながら先にいく、それが「真善美」に迫ることであるというのです。

　これは基本的な「弁証法」の考え方で、ダイアローグというのは弁証法ということでもあります。日本語で弁証法というと、あるテーゼ（正）があって、アンチテーゼ（反）があって、それを止揚（しよう）、アウフヘーベンして別次元のジンテーゼ（合）にいたるものと固定してイメージしがちですが、ダイアローグという原義にもどって、対話し、議論しながら発展していくやり方と、もう少し楽に考えていいと思います。対話が深まれば弁証法的になるということですね。

　対話が深まるための一つのきっかけは、二つの異なる意見が出会うことです。Aという意見に対して、対話の相手も「そうだね、Aだね」と言ってしまうと話はそこで終わってしまう。ここでAとは少し違うA′じゃないだろうかとか、やはりBだろうと言ってみることで、動きが出てくるのです。

（齋藤孝『考え方の教室』岩波書店刊より）

（注）アウフヘーベン…あるものを否定しながらも、さらに高い段階で生かすこと。止揚。

(1) 対話が深まると、二つの異なる考えもそれぞれ深まっていく。
(2) 議論が発展すると、弁証法的な結果につながる。
(3) ある意見に対して異論を唱えると、そこで対話は終わってしまう。
(4) 弁証法とは、テーゼをアウフヘーベンして、ジンテーゼにいたらせることである。
(5) 対話のなかで思考が深まると、一気に議論が発展していく。

正答：（2）

(1) ×　本文では、二つの異なる意見は、対話を深めるためのきっかけになると述べるにとどまっており、不適当である。
(2) ○　本文では、弁証法は「対話し、議論しながら発展していく」ものであり、「対話が深まれば弁証法的になる」と述べていることから、妥当である。
(3) ×　本文では、「Aとは少し違うA′じゃないだろうかとか、やはりBだろうと言ってみることで、動きが出てくる」と述べており、不適当である。
(4) ×　本文では、弁証法とは、テーゼとアンチテーゼをアウフヘーベンしてジンテーゼにいたると述べており、不適当である。
(5) ×　本文では、「対話のなかで思考が深まっていって、一つずつ確かめながら先にいく」と述べており、一気に議論が発展するとはしていない。よって不適当である。

No.12　次の英文が文法的に正しく、意味の通る文になるように〔　　〕内の単語を並び替えたとき、2番目と4番目にくる単語の組み合わせとして、最も妥当なのはどれか。

Please〔calls / when / me /tell /he〕me.

	2番目	4番目
(1)	calls	me
(2)	when	calls
(3)	he	tell
(4)	me	he
(5)	tell	when

正答：（4）

〔　　〕内の単語を並び替えて意味の通る文にすると、以下のようになる。

Please tell me when he calls me.　（彼が電話してきたら教えてください。）

No.13 次の英文を日本語に合うようにする場合、（　　　）に当てはまるものとして、最も妥当なのはどれか。

今、彼が家にいるはずがない。

He （　A　） be at home now.

ジェーンは本当に映画が好きに違いない。

Jane （　B　） really like movies.

事故はいつでも起こるものだ。

Accidents （　C　） happen anytime.

(1) must

(2) mustn't

(3) can't

(4) should

(5) can

正答：A（3）、B（1）、C（5）

(1) must は強い推量「〜にちがいない」、義務「〜しなければならない」

(2) mustn't は禁止「〜してはいけない」

(3) can't は不可能「〜できない」、否定の推量「〜のはずがない」

(4) should は義務「〜すべき」、推量「〜のはずだ」

(5) can は可能「〜できる」、可能性「〜しうる、〜がありうる」

No.14 次の英文を日本語に合うようにする場合、（　　　）に当てはまるものとして、最も妥当なのはどれか。

I am looking forward （　　　） this weekend.

週末に会えるのを楽しみにしています。

(1) to see you

(2) seeing you

(3) to seeing you

(4) see you

(5) on seeing you

正答：（3）

(1) ×　to の後ろが動詞の原形になっている。不定詞の to と勘違いしないようにしたい。

(2) ×　to が不足している。

(3) ○　to の後に動詞の名詞形である動名詞を用いる。

(4) ×　この場合は to ＋動名詞を用いる。

(5) ×　look forward to 〜ing で「〜することを楽しみにする」の意味。to は前置詞で、後ろには名詞形が来る。

警察官 Ⅲ類・B 合格テキスト

3章

自然科学

重要度 ★★

数と式

 高校数学の基礎となる単元である。式の展開・因数分解、対称式・無理数の計算、絶対値、1次不等式が主な出題範囲と考えられる。

◆乗法公式

乗法公式は多項式を展開するときに使われる重要な公式である。

- $(a + b)^2 = a^2 + 2ab + b^2$
- $(a - b)^2 = a^2 - 2ab + b^2$
- $(a + b)(a - b) = a^2 - b^2$
- $(x + a)(x + b) = x^2 + (a + b)x + ab$
- $(ax + b)(cx + d)$
  $= acx^2 + (ad + bc)x + bd$
- $(a + b + c)^2$
  $= a^2 + b^2 + c^2 + 2ab + 2bc + 2ca$
- $(a + b)^3 = a^3 + 3a^2b + 3ab^2 + b^3$
- $(a - b)^3 = a^3 - 3a^2b + 3ab^2 - b^3$
- $(a + b)(a^2 - ab + b^2) = a^3 + b^3$
- $(a - b)(a^2 + ab + b^2) = a^3 - b^3$

 重要ポイント 式を展開するときは（左辺）から（右辺）へ、因数分解は（右辺）から（左辺）へと処理する。

（1）展開の手順

- 同じかたまりを置き換える。
- 3つ以上の（ ）があるときは、順番・組み合わせを工夫する。
- 乗法公式を利用する。

（2）因数分解の手順

- 共通因数があれば、くくり出す。
- 同じかたまりを置き換える。
- 乗法公式を利用する。
- 文字が複数あるときは、それぞれの次数に注目し、

次数が違う→最低次の文字について整理する。

次数が同じ→どれか1つの文字について整理する。

◆実数

- 有理数とは、$\dfrac{整数}{0を除く整数}$ と表せる数。
- 実数は、有理数または無理数。

◆絶対値

数直線上で、原点と実数 a に対応する点の距離を a の絶対値とよび、$|a|$ と表す。

- $|a| = \begin{cases} a & (a \geqq 0 \text{ のとき}) \\ -a & (a < 0 \text{ のとき}) \end{cases}$
- $|a||b| = |ab|$
- $\dfrac{|a|}{|b|} = \left| \dfrac{a}{b} \right| \quad (b \neq 0)$
- $|a|^2 = a^2$

◆平方根

正の数 a に対し、2乗すると a になる数を a の平方根とよび、正の方を $\sqrt{a}$、負の方を $-\sqrt{a}$ と表す。

$a > 0$、$b > 0$ のとき、

- $(\sqrt{a})^2 = \sqrt{a^2} = a$
- $\sqrt{a^2 b} = a\sqrt{b}$
- $\sqrt{a}\sqrt{b} = \sqrt{ab}$

$\cdot \dfrac{\sqrt{a}}{\sqrt{b}} = \sqrt{\dfrac{a}{b}}$

$\cdot \dfrac{1}{\sqrt{a}} = \dfrac{\sqrt{a}}{a}$

$\cdot \dfrac{1}{\sqrt{a} \pm \sqrt{b}} = \dfrac{\sqrt{a} \mp \sqrt{b}}{a - b}$（複号同順）

分母の有理化

㋶分母の有理化

$\cdot \sqrt{\dfrac{3}{8}} = \dfrac{\sqrt{3}}{\sqrt{8}} = \dfrac{\sqrt{3}}{2\sqrt{2}} = \dfrac{\sqrt{3} \cdot \sqrt{2}}{2\sqrt{2} \cdot \sqrt{2}} = \dfrac{\sqrt{6}}{4}$

$\cdot \dfrac{1}{\sqrt{5} - \sqrt{3}} = \dfrac{1 \cdot (\sqrt{5} + \sqrt{3})}{(\sqrt{5} - \sqrt{3})(\sqrt{5} + \sqrt{3})}$

$= \dfrac{\sqrt{5} + \sqrt{3}}{(\sqrt{5})^2 - (\sqrt{3})^2} = \dfrac{\sqrt{5} + \sqrt{3}}{5 - 3}$

$= \dfrac{\sqrt{5} + \sqrt{3}}{2}$

◆対称式

文字を入れ換えても変わらない式を対称式とよぶ。

すべての対称式は基本対称式で表すことができる。

(1) 2文字のとき、基本対称式は $a + b$、ab

$\cdot a^2 + b^2 = (a + b)^2 - 2ab$

$\cdot a^3 + b^3 = (a + b)^3 - 3ab(a + b)$

$\cdot (a - b)^2 = (a + b)^2 - 4ab$

(2) 3文字のとき、基本対称式は
$a + b + c$、$ab + bc + ca$、abc

$\cdot a^2 + b^2 + c^2$
$= (a + b + c)^2 - 2(ab + bc + ca)$

㋶対称式

$a + b = 5$、$ab = 3$のとき、

$a^2 + b^2$の値を求める。

$a^2 + b^2 = (a + b)^2 - 2ab$
$= 5^2 - 2 \cdot 3$
$= 25 - 6$
$= 19$

◆1次不等式

(1) $a > b$のとき

$\cdot a + c > b + c$

$\cdot a - c > b - c$

両辺に同じ数を加減するとき、不等号の向きは変わらない。

(2) $a > b$で$k > 0$のとき

$\cdot ak > bk$

$\cdot \dfrac{a}{k} > \dfrac{b}{k}$

両辺に正の数を乗除するとき、不等号の向きは変わらない。

(3) $a > b$で$k < 0$のとき

$\cdot ak < bk$

$\cdot \dfrac{a}{k} < \dfrac{b}{k}$

両辺に負の数を乗除するとき、不等号の向きは変わる。

◆絶対値方程式・不等式

$a > 0$に対し

$\cdot |x| = a$の、解は　$x = \pm a$

$\cdot |x| < a$の、解は　$-a < x < a$

$\cdot |x| > a$の、解は　$x < -a$、$a < x$

🎺 出題パターン

式 $x^2 - 6x - 4y^2 - 8y + 5$ を因数分解したものとして、正しいのはどれか。

(1) $(x + 2y - 1)(x - 2y - 5)$
(2) $(x + 2y - 1)(x - 2y + 5)$
(3) $(x - 2y + 1)(x - 2y - 5)$
(4) $(x - 2y + 1)(x + 2y + 5)$
(5) $(x + 2y - 1)(x + 2y - 5)$

解答 (1)

【解説】

x、yともに2次なので、xの式とみて整理する。

（与式）$= x^2 - 6x - (4y^2 + 8y - 5)$
$= x^2 - 6x - (2y + 5)(2y - 1)$

かけて$-(2y + 5)(2y - 1)$、足して-6となる2つの式は$(2y - 1)$と$-(2y + 5)$なので、

（与式）$= \{x + (2y - 1)\}\{x - (2y + 5)\}$
$= (x + 2y - 1)(x - 2y - 5)$

重要度 ★

レッスン 02 ２次関数・２次方程式

「数学」において最も出題が多い単元である。グラフの移動、最大最小、２次方程式・解の判別式が主な出題範囲と考えられる。

◆ ２次関数のグラフ

⊙ $y = ax^2$ $(a \neq 0)$ のグラフ

原点を頂点、y 軸を軸とする放物線。

$a > 0$ のとき

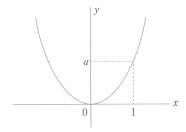

この開き方を下に凸とよぶ。

$a < 0$ のとき

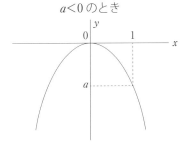

この開き方を上に凸とよぶ。

⊙ $y = a(x - p)^2 + q$ $(a \neq 0)$ のグラフ

$y = ax^2$ のグラフを x 軸方向に p、y 軸方向に q だけ平行移動したもの。このとき、頂点の座標は (p, q)、軸の方程式は $x = p$ となる。

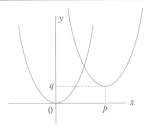

⊙ $y = ax^2 + bx + c$ $(a \neq 0)$ のグラフ

$$y = ax^2 + bx + c \quad \text{← } x^2 \text{の係数で} x^2 \text{と} x \text{をくくる}$$

$$= a\left(x^2 + \frac{b}{a}x\right) + c \quad \text{← } (x \text{の係数の半分})^2 \text{を足して引く}$$

$$= a\left\{x^2 + \frac{b}{a}x + \left(\frac{b}{2a}\right)^2 - \left(\frac{b}{2a}\right)^2\right\} + c \quad \text{← 最初の3項で( )}^2 \text{を作る}$$

$$= a\left\{\left(x + \frac{b}{2a}\right)^2 - \frac{b^2}{4a^2}\right\} + c \quad \text{← ( )を外す}$$

$$= a\left(x + \frac{b}{2a}\right)^2 - \frac{b^2}{4a} + c \quad \text{← 定数項を計算する}$$

$$= a\left(x + \frac{b}{2a}\right)^2 - \frac{b^2 - 4ac}{4a}$$

この式変形を平方完成とよぶ。平方完成することで、

頂点の座標 $\left(-\dfrac{b}{2a}, -\dfrac{b^2 - 4ac}{4a}\right)$、

軸の方程式 $x = -\dfrac{b}{2a}$ が求められる。

例 平方完成

$$y = -2x^2 + 3x + 1$$

$$= -2\left(x^2 - \frac{3}{2}x\right) + 1$$

$$= -2\left\{x^2 - \frac{3}{2}x + \left(\frac{3}{4}\right)^2 - \left(\frac{3}{4}\right)^2\right\} + 1$$

$$= -2\left\{\left(x - \frac{3}{4}\right)^2 - \frac{9}{16}\right\} + 1$$

$$= -2\left(x - \frac{3}{4}\right)^2 + \frac{9}{8} + 1$$

$$= -2\left(x - \frac{3}{4}\right)^2 + \frac{17}{8}$$

よって頂点は $\left(\dfrac{3}{4}, \dfrac{17}{8}\right)$、

軸は $x = \dfrac{3}{4}$

出題パターン

関数 $y = x^2 + 4x + c$ $(-3 \leqq x \leqq 3)$ の最大値が 8 であるとき、定数 c の値として、正しいのはどれか。
(1) -13
(2) -3
(3) 0
(4) 3
(5) 8

解答 (1)

【解説】
与式を平方完成すると、
$$y = (x + 2)^2 - 4 + c$$

よって、軸は $x = -2$ なので、軸から遠い、$x = 3$ のとき最大値 8 をとることになる。

そこで、与式に $x = 3, y = 8$ を代入して、
$$8 = 3^2 + 4 \cdot 3 + c$$
$$8 = 9 + 12 + c$$
$$c = -13$$

◆グラフの移動

(1) 対称移動

・x 軸対称：y を $-y$ でおきかえる。
$$y = f(x) \rightarrow -y = f(x)$$
・y 軸対称：x を $-x$ でおきかえる。
$$y = f(x) \rightarrow y = f(-x)$$
・原点対称：$\left.\begin{array}{l} x を -x \\ y を -y \end{array}\right\}$ でおきかえる。
$$y = f(x) \rightarrow -y = f(-x)$$

(2) 平行移動

x 軸方向に p：x を $x - p$
y 軸方向に q：y を $y - q$ $\Big\}$ でおきかえる。
$$y = f(x) \rightarrow y - q = f(x - p)$$

◆2次関数の決定

・頂点 (p, q) または軸 $x = p$ が与えられたとき、最大値、最小値が与えられたとき：
$$y = a(x - p)^2 + q \text{ を用いる。}$$
・x 軸との2交点 $(\alpha, 0)$、$(\beta, 0)$ が与えられたとき：
$$y = a(x - \alpha)(x - \beta) \text{ を用いる。}$$
・通る3点が与えられたとき、通る2点とグラフの平行移動のとき：
$$y = ax^2 + bx + c \text{ を用いる。}$$

◆2次関数の最大最小

まず、$y = ax^2 + bx + c$ $(a \neq 0)$ を平方完成し、$y = a(x - p)^2 + q$ に変形する。

(1) 定義域に制限がないとき

・$a > 0$ のとき
$x = p$ で最小値 q、最大値なし
・$a < 0$ のとき
$x = p$ で最大値 q、最小値なし

(2) 定義域に制限があるとき

軸と定義域の位置関係によって場合分けする。

$a > 0$ のとき
$$f(x) = a(x - p)^2 + q \quad (\alpha \leqq x \leqq \beta)$$
について、

①最小値

$\beta \leqq p$ のとき　$\alpha \leqq p \leqq \beta$ のとき　$p \leqq \alpha$ のとき
$x = \beta$ で　　　$x = p$ で最小値 q　$x = \alpha$ で
最小値 $f(\beta)$　　　　　　　　　最小値 $f(\alpha)$

この場合分けの仕方は、$a < 0$ のときの最大値も同様である。

②最大値

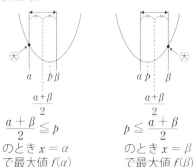

$$\frac{a+\beta}{2} \leqq p$$

のとき $x = \alpha$
で最大値 $f(\alpha)$

$$p \leqq \frac{a+\beta}{2}$$

のとき $x = \beta$
で最大値 $f(\beta)$

　この場合分けの仕方は $a < 0$ のときの最小値も同様である。

◆ 2 次方程式

⊙ 2 次方程式の解の公式

$ax^2 + bx + c = 0 \quad (a \neq 0)$ の解は、

$$x = \frac{-b \pm \sqrt{b^2 - 4ac}}{2a}$$

特に、x の係数が偶数のとき、
$ax^2 + 2b'x + c = 0 \quad (a \neq 0)$ の解は、

$$x = \frac{-b' \pm \sqrt{b'^2 - ac}}{a}$$

⊙ 2 次方程式の解の判別式

$ax^2 + bx + c = 0 \quad (a \neq 0、a, b, c は実数)$ に対し、

$D = b^2 - 4ac$（解の公式の $\sqrt{\ }$ の中身）
を解の判別式とよぶ。

・$D > 0 \Leftrightarrow$ 2 次方程式は異なる 2 つの
　実数解をもつ
・$D = 0 \Leftrightarrow$ 2 次方程式は重解
　$\left(x = \dfrac{-b}{2a} \right)$ をもつ
・$D < 0 \Leftrightarrow$ 2 次方程式は実数解をもた
　ない（異なる 2 つの虚数解をもつ）

　特に、$ax^2 + 2b'x + c = 0 \quad (a \neq 0、a、b'、c は実数)$ のときの解の判別式は、

$\dfrac{D}{4} = b'^2 - ac$ と表す。

性質は D と同じである。

🔔 出題パターン

　次の 2 次方程式のうち、実数解をもたないものはどれか。
(1) $x^2 - 3x - 1 = 0$
(2) $2x^2 - 2x + 1 = 0$
(3) $3x^2 + 4x - 1 = 0$
(4) $4x^2 - 4x + 1 = 0$
(5) $5x^2 + 6x - 1 = 0$

解答（2）

【解説】
実数解をもたないとき、判別式 D に対し、$D < 0$ となればよい。これより各設問を考える。
(1) $x^2 - 3x - 1 = 0$ について、
$D = (-3)^2 - 4 \cdot 1 \cdot (-1) = 9 + 4$
$= 13 > 0$
より、異なる 2 つの実数解をもつ。
(2) $2x^2 - 2x + 1 = 0$ について、
$\dfrac{D}{4} = (-1)^2 - 2 \cdot 1 = 1 - 2$
$= -1 < 0$
より、実数解をもたない。
(3) $3x^2 + 4x - 1 = 0$ について、
$\dfrac{D}{4} = 2^2 - 3 \cdot (-1) = 4 + 3 = 7 > 0$
より、異なる 2 つの実数解をもつ。
(4) $4x^2 - 4x + 1 = 0$ について、
$\dfrac{D}{4} = (-2)^2 - 4 \cdot 1 = 4 - 4 = 0$
より、重解（実数解）をもつ。
(5) $5x^2 + 6x - 1 = 0$ について、
$\dfrac{D}{4} = 3^2 - 5 \cdot (-1) = 9 + 5 = 14 > 0$
より、異なる 2 つの実数解をもつ。

⊙放物線と直線の位置関係
　放物線 $C : y = ax^2 + bx + c$ と
直線 $l : y = mx + n$ の位置関係は、連立させて、
　$ax^2 + bx + c = mx + n$
　$ax^2 + (b - m)x + c - n = 0$
この 2 次方程式の判別式 D に対し、

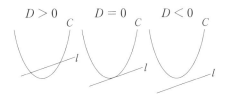

$D > 0$	$D = 0$	$D < 0$
異なる2点で交わる	1点で接する	共有点なし

◆ 2次不等式

$f(x) = ax^2 + bx + c$ （$a > 0$、a、b、c は実数）とし、2次方程式 $f(x) = 0$ の解の判別式を D、2つの実数解を α、$\beta (\alpha \leq \beta)$ とする。

このとき、2次不等式の解は下表の通りとなる。

🔔 出題パターン

曲線 $y = -x^2 + 3x + 10$ 上の点 (3, 10) における曲線の接線の方程式として、正しいのはどれか。
(1) $y = 3x + 1$
(2) $y = 2x + 4$
(3) $y = -x + 13$
(4) $y = -2x + 16$
(5) $y = -3x + 19$

解答（5）

【解説】

求める接線を $y = ax + b$ とおくと、点 (3, 10) を通るから代入して、
$$10 = a \cdot 3 + b$$
$$b = -3a + 10$$
これを接線の方程式に代入すると、接線は、
$$y = ax - 3a + 10 \cdots ①$$
となり、曲線 $y = -x^2 + 3x + 10$ と連立して、
$$ax - 3a + 10 = -x^2 + 3x + 10$$
$$x^2 + (a - 3)x - 3a = 0$$
判別式を D とおくと、接するので $D = 0$
よって、
$$D = (a - 3)^2 - 4 \cdot 1 \cdot (-3a) = 0$$
$$a^2 - 6a + 9 + 12a = 0$$
$$a^2 + 6a + 9 = 0$$
$$(a + 3)^2 = 0$$
$$a = -3$$
これを①に代入して、求める接線は、
$$y = -3x - 3(-3) + 10$$
$$y = -3x + 19$$

◎ 2次方程式・2次不等式の解

	$D > 0$	$D = 0$	$D < 0$
$y = f(x)$ のグラフ			
$ax^2 + bx + c = 0$ の解	$x = \alpha$、β	$x = \alpha$（重解）	実数解なし（虚数解をもつ）
$ax^2 + bx + c > 0$ の解	$x < \alpha$、$\beta < x$	α 以外のすべての実数	すべての実数
$ax^2 + bx + c \geq 0$ の解	$x \leq \alpha$、$\beta \leq x$	すべての実数	すべての実数
$ax^2 + bx + c < 0$ の解	$\alpha < x < \beta$	解なし	解なし
$ax^2 + bx + c \leq 0$ の解	$\alpha \leq x \leq \beta$	$x = \alpha$	解なし

重要度
★

レッスン 03 数列

数の規則性についての問題を解くための単元である。等差数列・等比数列、いろいろな数列の和が主な出題範囲として考えられる。

◆数列と項

数を一列に並べたものを数列とよび、その並べた数を数列の項とよぶ。項は最初から、初項（第1項）、第2項、第3項、……とよび、n番目の項を第n項、または一般項とよぶ。

また、項の個数が有限である数列を有限数列とよび、その個数を項数、最後の項を末項とよぶ。項の個数が無限である数列は無限数列とよぶ。

数列は、$a_1, a_2, \cdots\cdots a_n, \cdots\cdots$、または$\{a_n\}$と表す。

◆等差数列

各項に一定の数dを加えると次の項の値となるとき、この数列を等差数列とよび、dを公差とよぶ。等差数列$\{a_n\}$において$a_{n+1} = a_n + d$が成立する。

初項a、公差dの等差数列$\{a_n\}$について、

・一般項は $a_n = a + (n - 1)d$

・初項から第n項までの和S_nは

$$S_n = \frac{n}{2}(a + a_n)$$
$$= \frac{n}{2}\{2a + (n - 1)d\}$$

◆等比数列

各項に一定の数rをかけると次の項の値となるとき、この数列を等比数列とよび、rを公比とよぶ。等比数列$\{a_n\}$において$a_{n+1} = ra_n$が成立する。

初項a、公比rの等比数列$\{a_n\}$について、

・一般項は $a_n = ar^{n-1}$

・初項から第n項までの和S_nは

$$S_n = \begin{cases} \dfrac{a(1 - r^n)}{(1 - r)} = \dfrac{a(r^n - 1)}{(r - 1)} & (r \neq 1) \\ na & (r = 1) \end{cases}$$

◆中項

3つの数a、b、cがこの順に

・等差数列となる$\Leftrightarrow 2b = a + c$が成立
　このときbを等差中項とよぶ。

・等比数列となる$\Leftrightarrow b^2 = ac$が成立
　このときbを等比中項とよぶ。

◆調和数列

各項の逆数が等差数列となるような数列を調和数列とよぶ。

a_1、a_2、a_3、……が調和数列$\Leftrightarrow \dfrac{1}{a_1}$、$\dfrac{1}{a_2}$、$\dfrac{1}{a_3}$、……が等差数列

◆総和記号Σ（シグマ）

$$a_1 + a_2 + \cdots\cdots + a_n = \sum_{k=1}^{n} a_k$$

と表す。これはΣの後ろの○の文字に整数を△から▽まで1つずつ代入し、全て足せ、という意味の、和の省略記号である。このとき、

・$\sum\limits_{k=1}^{n}(a_k \pm b_k) = \sum\limits_{k=1}^{n}a_k \pm \sum\limits_{k=1}^{n}b_k$　（複号同順）

・$\sum\limits_{k=1}^{n}ca_k = c\sum\limits_{k=1}^{n}a_k$　（cはkと無関係な定数）

◆自然数の累乗の和

・$1 + 2 + \cdots + n = \sum\limits_{k=1}^{n}k = \dfrac{1}{2}n(n + 1)$

・$1^2 + 2^2 + \cdots + n^2 = \sum\limits_{k=1}^{n}k^2$
　$= \dfrac{1}{6}n(n + 1)(2n + 1)$

$\cdot\ 1^3 + 2^3 + \cdots + n^3 = \sum\limits_{k=1}^{n} k^3 = \left\{\dfrac{1}{2}\,n\,(n+1)\right\}^2$

$\cdot\ \underbrace{1 + 1 + \cdots + 1}_{(n\,\text{個})} = \sum\limits_{k=1}^{n} 1 = n$

◆階差数列

数列 $\{a_n\}$ に対し、

a_{n+1}（後ろの項）$-\,a_n$（前の項）$= b_n$

で定義される数列 $\{b_n\}$ を $\{a_n\}$ の階差
数列とよぶ。

これを用いて、もとの数列 $\{a_n\}$ の一
般項は、

$a_n = a_1 + \sum\limits_{k=1}^{n-1} b_k \quad (n \geqq 2)$

◆数列の和と一般項

数列 $\{a_n\}$ の初項から第 n 項までの和
を S_n とすると、

$\begin{cases} \cdot\ S_1 = a_1 \\ \cdot\ S_n - S_{n-1} = a_n \ (n \geqq 2) \end{cases}$

◆階差型の和

$\sum\limits_{k=1}^{n} \{f(k) - f(k+1)\} = f(1) - f(n+1)$

これを利用する例としては、

・分数型：$\dfrac{1}{k\,(k+1)} = \dfrac{1}{k} - \dfrac{1}{k+1}$

・無理数型：$\dfrac{1}{\sqrt{k} + \sqrt{k+1}} = \sqrt{k+1} - \sqrt{k}$

◆階差型の和の例

（1）分数型

$\dfrac{1}{1\cdot 2} + \dfrac{1}{2\cdot 3} + \dfrac{1}{3\cdot 4} + \cdots\cdots + \dfrac{1}{99\cdot 100}$

を計算するとき、一般項について、

$\dfrac{1}{k\,(k+1)} = \dfrac{1}{k} - \dfrac{1}{k+1}$

が成り立つので、与式は、

$\left(\dfrac{1}{1} - \dfrac{1}{2}\right) + \left(\dfrac{1}{2} - \dfrac{1}{3}\right) + \left(\dfrac{1}{3} - \dfrac{1}{4}\right)$

$+ \cdots\cdots + \left(\dfrac{1}{99} - \dfrac{1}{100}\right)$

$= 1 - \dfrac{1}{100}$

$= \dfrac{99}{100}$

（2）無理数型

$\dfrac{1}{\sqrt{1} + \sqrt{3}} + \dfrac{1}{\sqrt{3} + \sqrt{5}} + \dfrac{1}{\sqrt{5} + \sqrt{7}} + \cdots\cdots$

$+ \dfrac{1}{\sqrt{47} + \sqrt{49}}$

を計算するとき、一般項について、

$\dfrac{1}{\sqrt{2k-1} + \sqrt{2k+1}}$

$= \dfrac{\sqrt{2k-1} - \sqrt{2k+1}}{(\sqrt{2k-1} + \sqrt{2k+1})(\sqrt{2k-1} - \sqrt{2k+1})}$

$= \dfrac{\sqrt{2k-1} - \sqrt{2k+1}}{(\sqrt{2k-1})^2 - (\sqrt{2k+1})^2}$

$= \dfrac{\sqrt{2k-1} - \sqrt{2k+1}}{-2}$

が成り立つので、与式は、

$\dfrac{\sqrt{1} - \sqrt{3}}{-2} + \dfrac{\sqrt{3} - \sqrt{5}}{-2} + \dfrac{\sqrt{5} - \sqrt{7}}{-2} +$

$\cdots\cdots + \dfrac{\sqrt{47} - \sqrt{49}}{-2}$

$= \dfrac{\sqrt{1} - \sqrt{49}}{-2}$

$= \dfrac{1 - 7}{-2}$

$= 3$

03
数列

🎵 出題パターン

初項が -150 で、第 56 項が 15 である
等差数列の第 82 項の値として、正しい
のはどれか。

（1）91　（2）93　（3）95
（4）97　（5）99

解答（2）

【解説】

公差を d とおくと、初項は -150 なので、
一般項は、

$a_n = -150 + (n-1)d$

第 56 項が 15 なので、

$a_{56} = -150 + (56-1)d = 15$

$55d = 165$

$d = 3$

よって一般項は、

$a_n = -150 + (n-1)\cdot 3$

$\quad = 3n - 153$

これより第 82 項は、

$a_{82} = 3\cdot 82 - 153 = 93$

レッスン 01　運動と力

物体の運動では、加速度、種々の落下運動の計算問題、力ではいろいろな力のつり合いを理解することが重要だ。特に、公式は使いこなせるようにしておこう。

◆速度と加速度

距離の変化量をそれにかかった時間で割ったものを速さといい、速さに向きを含めた量を速度という。

◎速さを求める式

$$v\,(\mathrm{m/s}) = \frac{x_2 - x_1 \,(\mathrm{m})}{t_2 - t_1 \,(\mathrm{s})}$$

異なる2つの速度は、平行四辺形の対角線の方向の速度に合成でき、1つの速度は同様に平行四辺形の2辺に分解することができる。また、速度の変化量をかかった時間で割ったものを加速度という。

◎加速度を求める式

$$a\,(\mathrm{m/s^2}) = \frac{v_2 - v_1 \,(\mathrm{m/s})}{t_2 - t_1 \,(\mathrm{s})}$$

◆等加速度直線運動

一定の加速度で直線上を進む運動を等加速度直線運動という。

重要ポイント　等加速度直線運動の基本式

変位 $x\,(\mathrm{m})$、初速度 $v_0\,(\mathrm{m/s})$、速度 $v\,(\mathrm{m/s})$、加速度 $a\,(\mathrm{m/s^2})$、時間 $t\,(\mathrm{s})$ とすると、

$$x = v_0 t + \frac{1}{2}at^2$$
$$v = v_0 + at$$
$$v^2 - v_0^2 = 2ax$$

初速度がないときは $v_0 = 0$ とし、減速運動では加速度の値がマイナスになる。

◆落下運動

物体が落下するときの運動は、鉛直下向きの等加速度直線運動になる。このときの加速度を重力加速度 $g\,(\mathrm{m/s^2})$ という。重力加速度は物体の質量に関係なく一定の値となる。

$$g = 9.8\,(\mathrm{m/s^2})$$

◆落下運動のいくつかのパターン

(1) 自由落下

物体が重力だけで鉛直下向きに落下する運動で、等加速度直線運動の基本式の初速度を0とし、加速度 a を重力加速度 g で置き換える。

$$x = \frac{1}{2}gt^2 \qquad v = gt \qquad v^2 = 2gx$$

(2) 鉛直投げ上げ

初速度 v_0 で鉛直上方向に物体を投げ上げる運動。上向きを正の方向とし、加速度は下向きなので、$-g$ とする。

$$x = v_0 t - \frac{1}{2}gt^2 \qquad v = v_0 - gt$$
$$v^2 - v_0^2 = -2gx$$

【例題】　地面から鉛直上向きに初速度 19.6 $(\mathrm{m/s})$ で物体を投げ上げた。最高地点までの時間と最高地点の高さを求めよ。

【解説】　鉛直投げ上げの公式を利用する。初速度が 19.6 $(\mathrm{m/s})$ であり、上向きを＋の方向にしているので重力加速度を $-9.8\,(\mathrm{m/s^2})$ とし、最高地点では速度が 0 になることを利用して、$v = v_0 - gt$ に代入すると

$$0 = 19.6 - 9.8t$$
$$t = 2.0(s)$$

また、最高地点の高さは、
$v^2 - v_0^2 = -2gx$ より、
$$0 - 19.6^2 = -2 \times 9.8x$$
$$x = 19.6(m)$$

用　語　相対速度：互いに移動している 2 つの物体の一方を基準にしたときの、他方の物体の速度。物体 A の速度を V_A、B の速度を V_B とすると、A を基準にした物体 B の相対速度は $V = V_B - V_A$ で表される。

◆力

　力とは物体を変形させたり、運動させたりする原因である。力は大きさと向きを持つ。力の作用する点を作用点といい、作用点を通って力の向きに伸びる直線を作用線という。

　質量 1kg の物体に $1m/s^2$ の加速度を生じさせる力の大きさを 1N（ニュートン）とする。

　2 つの力を合成するとき、合力の向きと大きさは、2 つの力からできる平行四辺形の対角線の方向と長さに相当する。逆に、1 つの力を平行四辺形の規則に従って 2 つに分解することもできる。

◎力の種類

重力	物体が地球から受ける引力。質量 $m(kg)$ の物体に働く重力の大きさ $F(N)$ 　$F(N) = mg$　g：重力加速度
バネの弾性力	伸びたバネが元に戻ろうとする時の力。バネの伸びが $x(m)$ の時の弾性力の大きさ $F(N)$ 　$F(N) = kx$　k：ばね定数(N/m) これをフックの法則という
摩擦力	物体の動きを妨げる力。摩擦力は垂直抗力 $N(N)$ に比例する。静止時に物体にかかる最大の摩擦力（最大静止摩擦力）は 　$F(N) = \mu N$　μ：静止摩擦係数

運動している物体に働く摩擦力（動摩擦力）は
　$F(N) = \mu' N$　μ'：動摩擦係数

ワン・ポイント　　**張力：**糸が引かれるとき、元に戻ろうとして生じる弾性力。張力は 1 本の糸のどこでも同じ大きさになる。
浮力：気体や液体中の物体を浮かせる力。物体が押しのける液体や気体の重さと等しい。
垂直抗力：物体が床を押すのと同じ力で反対向きに、床が物体を押しかえす力。

◆力のつり合い

　合力が 0 のとき、力がつり合う。このとき、静止している物質は静止し続け、運動している物質は等速で動き続ける。

◆力のモーメント

　物体を回転させる働きの大きさを力のモーメントという。力の大きさを $F(N)$、回転軸から作用線までの距離を $x(m)$ とすると、力のモーメント $M(N\cdot m)$ は

$$M = Fx$$

　モーメントの単位は N・m であり、モーメントは方向を持つベクトルである。モーメントの合計が 0 になるとき、物体は回転しない。

　また、物体の各部に働く重力の合力の作用点を重心という。

出題パターン

　質量 0.25kg、体積 $5.0 \times 10^{-4}m^3$ の木片を水に浮かべると、木片の一部が水面から出て静止した。水面上に出ている木片の体積として、正しいのはどれか。ただし、水の密度は $1.0 \times 10^3 kg/m^3$ とする。
(1) $1.0 \times 10^{-4}m^3$
(2) $1.5 \times 10^{-4}m^3$
(3) $2.0 \times 10^{-4}m^3$
(4) $2.5 \times 10^{-4}m^3$
(5) $3.0 \times 10^{-4}m^3$

解答　(4)

レッスン 02 運動と仕事・エネルギー

運動の3法則、仕事の定義、種々のエネルギーについて学ぶ。また、力学的エネルギー保存の法則は出題頻度の高い分野であり、要注意だ。

◆**運動**

物体に加わる力が変化すると、物体の速度も変化する。力と運動の関係に関する3つの法則をニュートンの運動の法則という。

重要ポイント 運動の3法則

1. 慣性の法則：物体に外部から力がはたらかないとき、または合力が0のとき、静止している物体は静止し続け、運動している物体は等速直線運動を続ける。
2. 運動の法則：物体に力がはたらくと力と同じ向きに加速度が生じ、その大きさは力の大きさに比例し、物体の質量に反比例する。
3. 作用・反作用の法則：2つの物体の間では、同一作用線上で互いに反対の向きに、同じ大きさの力を及ぼし合う。

昇っていたエレベーターが停止するとき、体が浮き上がるように感じる。このように運動している物体は運動を続けようとし、静止している物体は静止し続けようとする性質を慣性という。

ワン・ポイント 作用・反作用の力は別々の物体に働く力であるのに対し、力のつり合いは同じ物体に働く力である。

◆**運動方程式**

運動の法則より、質量 m（kg）の物体に F（N）の力が働くとき加速度 a（m/s²）

が生じる。質量、加速度、力の間には次の関係が成立する。

$$F = ma$$

【例題】 図のように、摩擦のない滑らかな台の上に質量 m（kg）の物体Aが載せられており、これに糸で M（kg）のおもりBがつながっている。支えていた手を放すと物体が動き始める。このとき生じる加速度 a（m/s²）はいくらか。ただし、重力加速度を g（m/s²）とする。

【解説】 糸の張力を T（N）とすると、物体Aに関して次の運動方程式が成り立つ。

$$T = ma$$

また、おもりBには下向きの重力と上向きの張力がかかるので

$$Mg - T = Ma$$

となる。両方の式から T を消去すると、加速度 a は

$$a = \frac{Mg}{M + m} \ (\text{m/s}^2)$$

となる。

◆**仕事**

力の大きさ F（N）と、力の向きに移動した距離 s（m）の積を仕事 W といい、仕事の単位は J（ジュール）である。

$$W = Fs$$

1N の力で、力の向きに 1m 移動したときの仕事が 1J である。仕事は物体が移動する方向には関係しない。

滑車やてこなどの道具を使っても、仕事の総量は変わらない。これを仕事の原理という。

> **例** なめらかな斜面で物体を引き上げても、まっすぐ物体を引き上げても仕事の大きさは変わらない。
> 斜面を引き上げる場合、力は小さくなるが、移動距離が長くなるのでその積は、まっすぐ引き上げるときと同じになる。
>
>
>
> $F' × l' = F × l$

◆エネルギー

物体のもつ、仕事をする能力をエネルギーという。エネルギーの単位は仕事の単位と同じ J（ジュール）である。

◆エネルギーの種類

①運動エネルギー：運動している物体が持つエネルギー。質量 m(kg) の物体が速度 v(m/s) で運動しているときの運動エネルギーは

$$運動エネルギー = \frac{1}{2}mv^2$$

②重力による位置エネルギー：基準点より高い位置にある物体の持つエネルギーで、質量 m(kg) の物体が、高さ h(m) にあるときの位置エネルギーは

$$重力による位置エネルギー = mgh$$

③弾性力による位置エネルギー：バネ定数が k(N/m) のバネを x(m) 伸ばしたときのバネの持つエネルギーは

$$弾性力による位置エネルギー = \frac{1}{2}kx^2$$

> **用語** **仕事率：**単位時間(1s) 当たりにする仕事の量。仕事率の単位は W（ワット）である。t(s) 間に W(J) の仕事をすると、そのときの仕事率 P(W)は、
>
> $$P = \frac{W}{t}$$

重要ポイント　力学的エネルギー保存の法則

物体に働く力が、重力や弾性力だけのとき、「位置エネルギー＋運動エネルギー＝一定」となる。

◆運動量と力積

質量と速度をかけた値を運動量といい、運動量の単位は kg·m/s（キログラムメートル毎秒）である。同じ質量の物質では、速度が速いほど衝突の衝撃は大きく、同じ速度では質量が大きいほど衝撃は大きい。物体の運動の状態を変えるはたらきの大きさを運動量という。運動量の変化が力積である。力積は力×時間で求まる。力積の単位は N·s である。

ワン・ポイント　運動量と力積の関係

運動量の変化が力積である。
$$Ft = mv - mv_0$$

◆運動量保存の法則

2 つの物体が一直線上で衝突するとき、衝突前の 2 つの物体の運動量の和と衝突後の 2 つの物体の運動量の和は等しくなる。これを運動量保存の法則という。

> **【例題】** 地面から 4.9m の高さにある 10kg の物体を自然落下させると、物体が地面に衝突する直前の速度はいくらか。最も妥当なのを選べ。ただし、重力加速度は 9.8m/s² である。
> (1) 4.9m/s　(2) 9.8m/s　(3) 14.7m/s
> (4) 19.6m/s　(5) 24.5m/s
>
> **【解説】** 力学的エネルギー保存の法則より、初めに物体の持っていた位置エネルギーと地面に衝突する直前の運動エネルギーが等しくなる。衝突直前の速度を v(m/s) として
> $$10 × 9.8 × 4.9 = \frac{1}{2} × 10 × v^2$$
> $$v = 9.8 \ (m/s) \qquad 答 (2)$$

02
運動と仕事・エネルギー

重要度
★★★

レッスン 03 電気と磁気

ここではオームの法則、回路と電流、電圧、抵抗の関係、電流の作る磁場、誘導電流がポイントとなる。特に、オームの法則に関しては計算問題が頻出である。

◆静電気

電気を帯びた物体（帯電体）では、電荷は物体の表面にとどまる。この時の電荷を静電気という。同符号の電荷どうしは互いに反発し、異符号の電荷どうしは互いに引き合う。電荷の間に働く力を静電気力という。

◆静電誘導

絶縁した導体に帯電体を近づけると、近づけた電荷に近い側は逆の符号の電荷を帯び、遠い側は同じ符号の電荷を帯びる。これを静電誘導という。

◆電流

電荷やイオンが移動すると電流が生じる。正電荷の移動する向きを電流の向きと定める。電流の大きさは、導体の断面を1秒間に通過する電気量であり、1秒間に1C（クーロン）の電荷が移動するときを、1A（アンペア）とする。

◆オームの法則

電流の強さ I(A)は、電圧 V(V)に比例し、抵抗 R(Ω)に反比例する。

$$I = \frac{V}{R}$$

◆回路と抵抗、電流、電圧の大きさ

(1) 直列回路

全体の抵抗の大きさは、各抵抗の大きさの和になる。

$$R = R_1 + R_2$$

直列回路では、各抵抗に流れる電流の大きさは同じになり、各抵抗にかかる電圧の合計は、全体の電圧に等しくなる。

$$V = V_1 + V_2$$

(2) 並列回路

全体の抵抗の逆数は、各抵抗の逆数の和に等しい。

$$\frac{1}{R} = \frac{1}{R_1} + \frac{1}{R_2}$$

並列回路では、各抵抗にかかる電圧の大きさが同じになり、各抵抗を流れる電流の大きさの合計が、回路を流れる全体の電流の大きさに等しい。

$$I = I_1 + I_2$$

導線の抵抗の大きさは導線の長さに比例し、太さ（断面積）に反比例する。また、温度が高くなるほど、抵抗の大きさは大きくなる。

用 語　キルヒホッフの法則

第一法則：回路中の1つの分岐点に流れ込む電流の和と、そこから流れ出る電流の和は等しい。

第二法則：任意の一回りの回路について、起電力の代数和は電圧降下の代数和に等しい。

◆電力

電流が1秒間にする仕事を電力といい、その単位は、仕事率の単位と同じW（ワット）である。電力 P（W）、電圧 V（V）、電流 I（A）、抵抗 R（Ω）とし、オームの法則を使うと

$$P = VI = I^2R = \frac{V^2}{R}$$

また、熱量 Q（J）、時間 t（s）とすると

$$P = \frac{Q}{t}$$

が成り立つ。さらに、電流のする仕事の合計を電力量といい、単位は仕事と同じ J（ジュール）である。電力量は電力に時間をかけると求められる。

【例題】　100V の電圧で 400W の電力を消費する電化製品がある。このときの電気抵抗はいくらになるか。
(1) 5 Ω　　(2) 10 Ω　　(3) 15 Ω
(4) 20 Ω　　(5) 25 Ω
【解説】　電力と電圧、抵抗の関係は、

$$P = VI = I^2 R = \frac{V^2}{R}$$

これより、

$$400 = \frac{100^2}{R}$$
$$R = 25(\Omega) \qquad \text{答 (5)}$$

オームの法則：$I = \dfrac{V}{R}$

電力：$P = V \cdot I = I^2 \cdot R = \dfrac{V^2}{R}$

◆電流と磁場

　磁石には N 極と S 極と呼ばれる磁極があり、異種極どうしの間に働く力を磁力という。また N 極から S 極に向かって磁力線が出ている。磁力のはたらく空間を磁場（磁界）という。電流が流れると磁場が生じる。

(1) 直線電流のつくる磁場

　直線電流では、導線を中心とする同心円上の磁場をつくり、磁力線の向きは電流の流れる方向に対して、右ねじの進む方向である。

ワン・ポイント　電流の向きを右ねじの進む向きに流すと、磁場の向きは右ねじの回転方向になる。これを右ねじの法則という。

(2) コイルのつくる磁場

　図のように生じる磁場に右ねじの法則が当てはまる。コイルに鉄の棒などを入れると、電磁石ができる。

◆電磁力

　磁石の磁場がある中に電流による磁場を作り出すと、互いが影響を及ぼし合い力を生じる。この力を電磁力という。電流が磁場から受ける力 $F(\text{N})$ の向きと、磁場 $H(\text{A/m})$ の向き、電流 $I(\text{A})$ の向きは直行し、右図のように左手の3本の指を直交させた関係になる。これをフレミングの左手の法則という。電荷をもつ粒子が、磁場を移動するときに受ける力をローレンツ力という。

◆電磁誘導

　コイルに磁石を近づけたり遠ざけたりすると、コイルに電流が流れる現象を電磁誘導といい、流れる電流を誘導電流という。誘導電流は、コイルを通り抜ける磁力線の本数の変化を妨げる方向に発生する。これをレンツの法則という。

【例題】　次の各図で検流計を流れる誘導電流の向きを「右向き」「左向き」で答えよ。

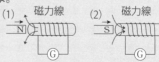

【解説】　誘導電流は、N 極を近づけると N 極が向き合うように電流が発生する。
答　(1) 右向き　　(2) 左向き

重要度
★★

熱とエネルギー

熱の3通りの伝わり方、熱量、ジュール熱、消費電力などの計算、およびエネルギー保存に関して理解する。熱力学第一法則についても知っておこう。

◆熱と温度

原子や分子などの粒子は不規則で乱雑な熱運動をしており、温度は粒子の熱運動の激しさを表している。セルシウス温度（セ氏温度）は、水の融点を0℃、沸点を100℃とし、その間を100等分した温度目盛りであり、絶対温度（ケルビン温度）は、−273℃を0K（ケルビン）とした温度目盛りである。セ氏温度 t（℃）と絶対温度 T（K）の関係は次のとおり。

$$T(\mathrm{K}) = 273 + t$$

熱の単位はエネルギーの単位と同じJ（ジュール）である。

◆熱の伝わり方

①伝導：接触している物質間で、直接熱が伝わる現象。

②対流：気体や液体などの流れによって熱が運ばれる現象。

③放射：光（熱線）の形で熱が伝わる現象。輻射とも呼ばれる。

熱は高温部から低温部へ移動する。

ワン・ポイント 伝導・対流・放射の例

伝導：熱したヤカンの取っ手が熱くなる
対流：風呂の上層のお湯が熱くなる
放射：太陽の熱が地球に届く

◆熱の仕事当量

仕事 W（J）と熱量 Q（cal）は比例し、比例定数 J を熱の仕事当量という。

$$W(\mathrm{J}) = JQ \qquad J = 4.19 \text{ (J/cal)}$$

また、水1gの温度を1K上げるのに必要な熱量を1cal（カロリー）ともいう。1calの熱量は4.19Jの仕事に相当する。

1gの物質の温度を1K上げるのに必要な熱量を比熱という。熱量 Q（J）と比熱 c（J/g·K）、質量 m（g）、温度差 t（K）の関係は

$$Q(\mathrm{J}) = mct$$

である。また、物体の温度を1℃上げるのに要する熱量を熱容量という。熱容量 C（J/K）と比熱の関係は

$$C(\mathrm{J/K}) = mc$$

◆熱量保存の法則

物体の熱量の総和は変化せず一定である。これを熱量保存の法則という。これより、高温の物体が失った熱量＝低温の物体が得た熱量の関係が成り立つ。

◆電気と熱量

電流が流れるときに生じる熱をジュール熱という。電圧 V（V）、電流 I（A）、時間 t（s）で、ジュール熱 Q（J）は次のように求められる。

$$Q(\mathrm{J}) = VIt$$

この関係をジュールの法則という。

◆電力

電流が1秒間にする仕事を電力という。電力 P（W）と熱量の関係は、電圧を V、電流を Iとして、$P = VI$ より

$$P(\mathrm{W}) = \frac{Q}{t} \quad (Q(\mathrm{J})、t(\mathrm{s}))$$

【例題】 100g の水が入ったカップに 5.0 Ω の電熱線を入れ、10V の直流電源につないで電流を 10 分間流すと上昇する温度は何 K か。水の比熱を 4.2 (J/(g·K)) とし、電気エネルギーがすべて水温上昇に使われるとする。

【解説】 ジュールの法則より $Q(\mathrm{J}) = VIt$ であり、オームの法則より $I = \dfrac{V}{R}$ なので、生じる熱量は

$$Q(\mathrm{J}) = V^2 t/R = (10)^2 \times 10 \times \frac{60}{5.0}$$

温度が $\Delta T(\mathrm{K})$ 上昇すると、$Q(\mathrm{J}) = mc t$ より

$$(10)^2 \times 10 \times \frac{60}{5.0} = 100 \times 4.2 \times \Delta T$$

$$\Delta T = 28.5 \fallingdotseq 29(\mathrm{K})$$

◆気体

温度一定のもとでは、一定量の気体の圧力と体積は反比例する。これをボイルの法則という。また、圧力一定のもとでは、一定量の気体の体積は絶対温度に比例する。この関係をシャルルの法則と呼ぶ。これらを一つの式にまとめたものがボイル・シャルルの法則である。

$$\frac{pV}{T} = K(\text{一定値})$$

p：圧力、V：体積、T：絶対温度

◆圧力の単位

単位面積に加わる力の大きさを圧力という。圧力の単位は $\mathrm{N/m^2}$ であり、$1\mathrm{N/m^2}$ が $1\mathrm{Pa}$（パスカル）である。さらに $100\mathrm{Pa} = 1\,\mathrm{hPa}$（ヘクトパスカル）である。

1 気圧の大気圧は $1013\,\mathrm{hPa}$（$1.013 \times 10^5\mathrm{Pa}$）であり、水銀柱を使った圧力単位では、760mmHg に相当する。

ワン・ポイント　理想気体の状態方程式

気体の圧力 p(Pa)、体積 V(L)、絶対温度 T(K)、物質量 n(mol) の関係を表す式

$pV = nRT$

R：気体定数 8.31(J/mol·K)

理想気体とは、状態方程式を完全に満たす仮想の気体のこと。実際の気体（実在気体）は、状態方程式に完全には従わない。

◆エネルギーの保存

物質内部で分子や原子がもつエネルギーを内部エネルギーという。加熱すると分子や原子の熱運動が活発になり、内部エネルギーは増加する。

◆熱力学第一法則

気体に外部から熱を加えたり、仕事をすると気体の内部エネルギーがその分だけ増加する。加えた熱を Q、加えた仕事を W とし、内部エネルギーの増加量を ΔU とすると

$$\Delta U = Q + W$$

が成り立つ。これを熱力学第一法則という。

◆エネルギー保存の法則

エネルギーには多くの形がある。これらは互いに変換可能であり、変換前後のエネルギーの総和が変化しないことをエネルギー保存の法則という。

このうち、力学的エネルギーだけに注目したものが力学的エネルギー保存の法則であり、熱量だけに注目したものが、熱量保存の法則である。

【例題】 体積を自由に変えることのできる容器に、27℃、1.0×10^5Pa で、ある気体を入れたところ、その体積は 3.0L であった。この容器を7℃、5.0×10^4Pa の山頂に持っていったときの体積として、正しいのはどれか。
(1) 1.6L　　(2) 3.0L　　(3) 5.6L
(4) 6.4L　　(5) 9.0L

【解説】 ボイル・シャルルの法則より、求める体積を V(L) として

$$\frac{1.0 \times 10^5 \times 3.0}{300} = \frac{5.0 \times 10^4 \times V}{280}$$

$$V = 5.6(\mathrm{L})$$

音と光

ここでは、波の種類と性質、種々の現象について理解することと、ドップラー効果の簡単な計算問題に習熟することが大切だ。凸レンズによる像についても知っておきたい。

◆波

波が伝わる現象を波動、波を伝える物質を媒質という。波の山から山まで（谷から谷まで）の距離を波長といい、波の山の高さを振幅という。さらに、1秒間に定点を通過する波の山（もしくは谷）の数を周波数（振動数）といい、波が往復するのに要する時間を周期という。

波長を λ (m)、周波数を f (Hz)、周期を T (s)、波の速さを v (m/s) とすると、波の関係式は次のようになる。

$$T = \frac{1}{f} \qquad v = f\lambda$$

◆波の種類

波には、媒質の振動方向と波の進行方向が垂直な横波と、媒質の振動方向と波の進行方向が一致する縦波がある。音波は縦波、光は横波である。

> **用語** **地震波**：地震では主に2種類の波が生じる。観測点に最初に到達する波をP波（primary wave）といい、続く波をS波（secondary wave）という。P波は縦波で、S波は横波である。揺れが激しいのは横波のS波である。

◆波の性質

2つの波の山と山が重なると、振幅は大きくなり、同じ大きさの山と谷が重なると振動しない。波が強め合ったり、弱め合ったりする現象を干渉という。波が物体の裏側に回り込む現象を回折、波が壁に当たってはね返る現象が反射であ

る。次図に示す角度が入射角と反射角を示す。2つの角には、入射角＝反射角の関係がある。これを反射の法則という。

さらに、波が異なる媒質の境界を通るとき進行方向が変化する現象を屈折といい、屈折波のなす角を屈折角という。入射角と屈折角の正弦の比を屈折率という。

$$屈折率 = \frac{\sin i}{\sin r}$$

◎媒質Ⅰに対する媒質Ⅱの屈折率

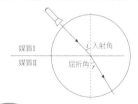

> **用語** **ホイヘンスの原理**：進行する波の各点は、次の波（素元波）の波源となり、これが重なり新しい波になる。

出題パターン

シャボン玉の薄膜が色づいて見える現象を説明する光の性質として、最も妥当なのはどれか。
(1) 屈折　　(2) 分散　　(3) 回折
(4) 偏光　　(5) 干渉

解答（5）

◆**音波**

音の高さは、振動数が小さいと低い音、大きいと高い音になる。音の大きさは、振幅の大小による。

◆**音の速さ**

音波は媒質がなければ伝わらないため、真空中では伝わらない。

一般に音の伝わる速さは、固体中＞液体中＞気体中の順である。音の速さは気温によって変化する。気温が 1℃ 上昇するごとに、0.6（m/s）だけ音速は速くなる。気温が t℃ の時の音速 v（m/s）の式は次のように表される。

$$v = 331.5 + 0.6t$$

◆**ドップラー効果**

救急車が近づいてくる時の音は高く、遠ざかってゆくときの音は急に低くなる。この現象をドップラー効果という。音源や観測者が移動するとき、振動数が変化することがその原因である。

◆**光**

光の速さは真空中で 3.00×10^8（m/s）である。光も波であるので、反射や屈折が生じる。

◆**レンズ**

レンズに垂直な線を光軸、光軸と平行な光が凸レンズで光軸上の1点に光が集まる点を焦点、レンズの中心から焦点までの距離を焦点距離という。

凸レンズで、焦点距離より遠くに像を置くとスクリーンにできる像を実像という。このとき像は上下左右が逆になる。像を焦点に置くと、像はできない。像をレンズから焦点距離より内側に置くと実像はできないが、反対側からレンズをのぞくと、像の後ろの位置に虚像ができる。虫めがねで物を見るときの現象である。

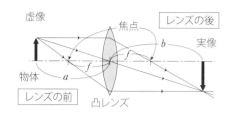

◆**レンズの公式**

凸レンズの中心から物体までの距離を a、実像までの距離を b、レンズの焦点距離を f とすると、次の関係式が成り立つ。これをレンズの公式という。

$$\frac{1}{a} + \frac{1}{b} = \frac{1}{f}$$

また、物体に対する像の倍率は $\frac{b}{a}$ になる。

出題パターン

全反射に関する記述中の空所 A〜C に当てはまる語句の組み合わせとして、最も妥当なのはどれか。

屈折率の（A）媒質から（B）媒質に光が進むとき、屈折の法則により屈折角は入射角より大きい。入射角をしだいに大きくしていくと、やがて屈折角が（C）になる。その時の入射角を臨界角という。入射角が臨界角を超えると光は全て反射される。この現象を全反射という。

	A	B	C
(1)	小さい	大きい	45度
(2)	小さい	大きい	90度
(3)	小さい	大きい	180度
(4)	大きい	小さい	90度
(5)	大きい	小さい	180度

解答（4）

レッスン 01 物質の構成・物質量

原子の構造・電子配置・物質量について学ぶ。化学の基本分野である。物質量の計算は化学の基礎であり、習熟が必要だ。

◆混合物の分離

物質を構成する成分を元素といい、1種類の元素でできた物質を単体、2種類以上の元素からできる物質を化合物、これらを純物質という。2種類以上の純物質が混ざり合ったものを混合物という。

ワン・ポイント 同素体

結合の仕方が異なるため性質の違う単体どうしをいう。
炭素の同素体…ダイヤモンド、黒鉛
酸素の同素体…酸素、オゾン
硫黄の同素体…斜方硫黄、単斜硫黄、ゴム状硫黄
リンの同素体…黄リン、赤リン

◎混合物の分離方法

ろ過	ろ紙によって固体と液体を分ける方法
蒸留	沸点の違いを利用して分離する方法
再結晶	溶解度の違いを利用して、分離する方法
昇華	固体の混合物を加熱して、昇華性のある物質だけを気体にして分離し、その後冷却して再び固体に戻す方法
抽出	溶媒への溶解度の違いを利用して分離する方法

◆族と周期

周期表の縦の列を族、横の列を周期という。1,2,11～18族の元素を典型元素、3～12族を遷移元素という。典型元素では同族の元素に類似した化学的性質（周期律）が見られる。水素を除く1族の元素をアルカリ金属、2族の元素をア

ルカリ土類金属、17族をハロゲン、18族を貴ガスという。

用語 周期表

周期表：元素を原子番号の順に並べると、周期的に性質のよく似た元素が現れる。これを元素の周期律といい、その表を元素の周期表という。

◆原子の構造

原子は中心の原子核と、その周りを飛び回る電子からできている。原子核は正の電荷をもつ陽子と電荷をもたない中性子からできる。

陽子の数を原子番号、陽子数と中性子数の和を質量数という。陽子と中性子の質量はほぼ等しい。

電子は負の電荷をもつ粒子で、質量は陽子の1840分の1程度である。原子番号が同じで、質量数が異なる原子どうしを同位体という。化学的な性質はほぼ同じ。

◆電子殻

原子は原子核を中心に、電子がその周り（電子殻）を飛び回っている。電子殻は内側からK殻、L殻、M殻……という。電子は基本的には内側の電子殻から詰まってゆく。電子の場所と数を示すのが電子配置である。

＋アルファ

それぞれの電子殻に入る電子の数には限界がある。K殻をn=1、L殻をn=2とすると、n番目の電子殻に入る電子の最大数は$2n^2$で示される。

◆価電子

最外殻にある電子を価電子という。価電子は結合に使われる。貴ガスは化学結合をせず価電子数は 0 とする。

◆イオン

電荷をもった粒子をイオンという。貴ガスは安定した原子で、他の原子も貴ガスと同じ電子配置のイオンとなり、安定する。Na は価電子を 1 個放出すると貴ガスの Ne と同じ電子配置になる。全体の電荷は＋ 1 となるので、Na^+ になる。Cl は電子を 1 個受け取ると貴ガスの Ar と同じ電子配置になり、電荷は－ 1 になるので Cl^- になる。

◆化学結合

原子は他の原子と結びついて、より安定な状態になる。結合の仕方には、イオン結合、共有結合、金属結合などがある。また、分子からなる物質では分子間力や水素結合といった結合力が働く。

◎化学結合とその特徴

イオン結合	陽イオンと陰イオンが静電気力（クーロン力）で結合する
共有結合	非金属元素どうしが不対電子を出し合い、共有電子対をつくって結びつく結合
金属結合	金属原子が自由電子を放出し、自由電子によって生じる結合

用語 **イオン化エネルギー：**気体状態の原子が電子を 1 個放出して、1 価の陽イオンになるのに必要なエネルギー。値が小さいほど陽イオンになりやすい。
電子親和力：気体状態の原子が電子を 1 個受け取って 1 価の陰イオンになるとき放出するエネルギー。値が大きいほど陰イオンになりやすい。

◆結晶の種類と性質

構成粒子が規則正しい配列の固体を結晶という。

種類	構成粒子	性質
イオン結晶	陽イオン 陰イオン	水溶液や融解液で導電性あり
共有結合の結晶	原子	非常に硬く、融点は極めて高い
金属結晶	金属原子 自由電子	延性、展性があり、導電性もある
分子結晶	分子	軟らかい。融点は低い

◆原子量・物質量

^{12}C の質量の値を 12 とし、これを基準とした各原子の質量の比を原子の相対質量という。各原子の相対質量に同位体の存在比をかけて合計した相対質量の平均値を原子量という。

重要ポイント ^{12}C 原子 12g 中に含まれる原子の数は 6.02×10^{23} であり、これをアボガドロ数という。アボガドロ数個の集団を、1 モル（mol）とした物質の量を物質量と呼び、モルは物質量の単位である。またモル質量とは物質 1mol の質量をさし、単位は g/mol である。

・物質量と質量、モル質量の関係
$$物質量＝\frac{質量}{モル濃度}$$

・物質量と、標準状態の気体の体積の関係
$$物質量＝\frac{標準状態の体積}{22.4}$$

・物質量と粒子数の関係
$$物質量＝\frac{粒子数}{アボガドロ定数}$$

ワン・ポイント **モル質量**

モル質量は、原子量、分子量、式量と同じ値になる。また、1mol の気体の体積は、標準状態（0℃、1 気圧）では、気体の種類に関係なく 22.4L になる。

重要度 ★★★

レッスン 02 化学反応式・熱化学方程式・溶液の性質

濃度・化学反応式・熱化学方程式についての計算が大切だ。また希薄溶液の性質についても学ぶ。

◆化学反応式

化学反応とは、物質を構成する原子の組み合わせが変化することである。化学反応式の左辺の物質を反応物、右辺の物質を生成物という。化学反応式では、どのような反応が、どれだけ生じているかを示す。

◆化学反応式の量的関係

化学反応式の係数は、反応物、生成物の物質量の比に相当する。気体の反応では、反応前後で同温、同圧であれば、体積の比に等しい。

◆濃度

・**質量パーセント濃度**：溶質の質量を溶液の質量で割り、100％で示したもの。

$$質量パーセント濃度＝\frac{溶質の質量}{溶液の質量}× 100$$

・**モル濃度**：溶液1L中に含まれる、溶質の物質量をあらわす。

$$モル濃度＝\frac{溶質の物質量（mol）}{溶液の体積（L）}$$

> **用語** **溶質**：溶かされる物質。
> **溶媒**：溶質を溶かす液体。
> **溶液**：溶質と溶媒の合計。

◆熱化学方程式

化学反応に伴う熱を反応熱といい、反応熱を含む式を熱化学方程式という。

(例) $H_2（気）+\frac{1}{2} O_2（気）→ H_2O（液）$

$\Delta H = - 286$ kJ

熱化学方程式では、関係する物質の状態を（気）、（液）、（固）などで示し、反応熱はkJで示す。分数係数も使用してよい。反応に伴って熱が放出される反応を発熱反応、熱が吸収される反応を吸熱反応という。

◎反応熱の種類

燃焼熱	物質1molが完全燃焼するときの熱量
生成熱	物質1molをその成分元素の単体から生成するときの熱量
溶解熱	物質1molが水に溶けるときの熱量
中和熱	中和反応で1molの水が生じるときの熱量
結合エネルギー	共有結合1molを断ち切って、原子にするのに必要なエネルギー

◆ヘスの法則

化学反応において、反応熱の総和は、はじめと終わりの状態だけで決まる。これをヘスの法則という。

重要ポイント　化学の基礎法則

質量保存の法則（ラボアジエ）	反応前後で物質の質量合計は変化しない
定比例の法則（プルースト）	同一化合物では、成分元素の質量比は常に一定である
倍数比例の法則（ドルトン）	複数の元素からできる化合物で、一方の元素の質量を同じにして、他の元素の質量を化合物同士で比

	較すると、簡単な整数比になる
気体反応の法則（ゲーリュサック）	気体反応では、関係する気体の体積比は簡単な整数比になる
アボガドロの法則（アボガドロ）	同温同圧で、同体積の気体は種類によらず、同数個の分子を含む

◆状態変化

物質は粒子の配列の仕方の違いで、固体、液体、気体の三態をとる。これらの間の変化を状態変化という。

◎状態変化の名称

融解	固体から液体への変化。その温度を融点、この時必要な熱量を融解熱という
凝固	液体から固体への変化
蒸発	液体から気体への変化。液体の内部から蒸発が起こるようになる現象を沸騰といい、そのときの温度を沸点という。1molの液体を気体にするのに必要な熱エネルギーを蒸発熱という
凝縮	気体から液体への変化
昇華	固体から直接気体になる変化
凝華	気体から直接固体になる変化

＋アルファ 蒸発は液体表面から気化が起こる現象であり、それぞれの温度で生じる。沸騰は液体の内部から気化が生じる現象で、大気圧と飽和蒸気圧がつり合う時に生じる。

◆溶液の性質

①固体の溶解度

溶媒 100g に溶けうる溶質の最大質量を溶解度という。固体の溶解度は、一般的に温度が高いほど大きい。

②蒸気圧降下

溶媒の蒸気圧に比べて、溶液の蒸気圧が低くなる現象。

③沸点上昇

溶液の沸点は溶媒の沸点より高くなる。この現象を沸点上昇という。

④凝固点降下

溶液の凝固点は溶媒の凝固点より低くなる。この現象を凝固点降下という。海水が0℃で凍らないのはこの現象による。

⑤浸透圧

濃度の違う溶液を半透膜で隔てると、低濃度側の溶液から水が高濃度側へ移動し液面差が生じる。これを浸透という。この液面差を生じさせないためにかける圧力を浸透圧という。浸透圧は溶液の濃度と絶対温度の積に比例する。

◆コロイド溶液

直径が $10^{-7} \sim 10^{-5}$cm程度の大きさの粒子をコロイド粒子という。コロイド粒子は、表面に帯電している。

◎コロイド粒子の性質

チンダル現象	コロイド粒子に光を当てると、コロイド粒子による光の散乱により光の通路が輝いて見える現象
ブラウン運動	コロイド溶液を限外顕微鏡で観察すると、コロイド粒子に溶媒分子が衝突するため、コロイド粒子の反射する光の点が不規則に動いて見える現象
透析	半透膜を用いてコロイド粒子と他の分子やイオンを分離する操作
電気泳動	コロイド溶液を直流電源につなぐと、帯電したコロイド粒子が一方の極へ移動する現象
凝析	水和水の少ない疎水コロイドの溶液に少量の電解質を加えると、コロイド粒子が沈殿する現象。電解質のイオンがコロイド粒子の帯電を中和し、粒子間の反発力がなくなり凝集して、沈殿する
塩析	水和水の多い親水コロイドの溶液に多量の電解質を加えると、コロイド粒子が沈殿する現象。豆乳ににがりを加えて、豆腐が沈殿するのはその例
保護コロイド	疎水コロイドに凝析を抑えるために加える親水コロイドのこと。墨汁に、にかわを加えるのはその例

レッスン 03 物質の反応

酸と塩基・酸化と還元・反応速度について学ぶ。化学反応の重要な部分であり、中和滴定や酸化還元滴定では、計算問題が出題される。

◆酸と塩基

（1）定義

酸と塩基の代表的な定義は以下の通り。水に溶ける塩基をアルカリとよぶ。

◎アレニウスの定義

酸	水に溶けて水素イオンを放出する物質
塩基	水に溶けて水酸化物イオンを放出する物質

◎ブレンステッドの定義

酸	水素イオンを出す物質
塩基	水素イオンを受け取る物質

（2）酸・塩基の価数

酸 1mol が放出する水素イオンの物質量、塩基 1mol が放出する水酸化物イオンの物質量を価数という。

（3）電離度

酸や塩基のうち、電離したものの割合を電離度という。電離度 0 は全く電離していない状態、1 は完全に電離した状態を指す。

（4）酸・塩基の強弱

電離度の大きい酸や塩基を強酸または強塩基、電離度の小さい酸や塩基を弱酸または弱塩基という。

◎酸・塩基の例

弱酸	CH_3COOH（酢酸） H_2CO_3（炭酸） H_2S（硫化水素）	弱塩基	NH_3 $Cu(OH)_2$ $Al(OH)_3$
強酸	HCl（塩酸） HNO_3（硝酸） H_2SO_4（硫酸）	強塩基	$NaOH$、KOH $Ca(OH)_2$ $Ba(OH)_2$

◆酸化物

（1）酸性酸化物

水に溶けて酸性を示したり、塩基と反応する酸化物。主に非金属元素の酸化物である。二酸化炭素（CO_2）、二酸化硫黄（SO_2）、二酸化窒素（NO_2）など。

（2）塩基性酸化物

水に溶けて塩基性を示したり、酸と反応する酸化物。主に金属元素の酸化物である。酸化カルシウム（CaO）、酸化ナトリウム（Na_2O）など。

（3）両性酸化物

両性金属（Al、Zn、Sn、Pb）の酸化物。酸とも強塩基とも反応する酸化物。

◆水素イオン濃度

水溶液中の水素イオンのモル濃度を、水素イオン濃度といい、[H^+] で表す。

ワン・ポイント **弱酸や塩基の水素イオン濃度** 濃度 C（mol/L）の弱酸の電離度が a の場合、水溶液中の水素イオン濃度 [H^+] は、[H^+] ＝ C a となる。また塩基の水素イオン濃度は、水溶液中の水酸化物イオン濃度を [OH^-] とすると、
[H^+][OH^-] ＝ 1.0×10^{-14}（mol/l）^{2}
が成り立ち、
[H^+] ＝ 1.0×10^{-14}／[OH^-] の式から求められる。[H^+] と [OH^-] の濃度の積を水のイオン積という。

（1）pH（水素イオン指数）

水溶液中の水素イオン濃度の逆数の常用対数を取ったものを水素イオン指数という。

$$\mathrm{pH} = \log_{10} \frac{1}{[\mathrm{H}^+]} = -\log_{10}[\mathrm{H}^+]$$

(2) 水の電離

水はわずかに電離し、H^+ と OH^- のモル濃度は等しい。25℃の水溶液中では $[\mathrm{H}^+]=[\mathrm{OH}^-]=1.0\times10^{-7}$（mol/L）であり、水のpHは7となる。水は中性なので、pH の値が7より小さければ酸性、7より大きければ塩基性（アルカリ性）である。

◆中和反応

酸と塩基の反応を中和という。中和反応では、水が生じることが多い。中和反応で生じる、酸の陰イオンと塩基の陽イオンからできる物質を塩という。

◆中和の量的関係

酸と塩基がちょうど反応するとき、酸から生じる水素イオンの物質量と塩基から生じる水酸化物イオンの物質量が等しくなる。

酸の価数×酸のモル濃度×体積
　＝塩基の価数×塩基のモル濃度×体積

【例題】　0.10mol/L の硫酸 10.0mL と過不足なく中和するアンモニアの体積は標準状態で何 mL か。
【解説】　硫酸は 2 価の酸なので、アンモニアの体積を x(mL) として、
$$2 \times 0.10 \times \frac{10.0}{1000} = 1 \times \frac{x}{22400}$$
$$x = 44.8 \,(\mathrm{mL})$$

＋アルファ　塩の水溶液の液性は、塩の種類によって異なる。
強酸と強塩基の中和で生じる塩：中性
強酸と弱塩基の中和で生じる塩：酸性
弱酸と強塩基の中和で生じる塩：塩基性

◆酸化・還元
◎酸化・還元の意味

酸化	還元
酸素原子と化合すること	酸素原子を失うこと
水素原子を失うこと	水素原子と化合すること
電子を放出すること	電子を受け取ること
酸化数が増加すること	酸化数が減少すること

用語　**酸化数：**電子の授受を明らかにするために定められた値。酸化数は各原子に割り当てられ、この数が増加するとその原子（あるいは原子を含む物質）が酸化されたといい、減少すると還元されたという。

ワン・ポイント　**酸化数のルール**
①単体中の原子の酸化数は 0。
②化合物中の酸化数の合計は 0。
③化合物中で Na、K は酸化数 +1、Ca、Ba は +2、H は +1、O は −2。ただし、過酸化水素 $\mathrm{H_2O_2}$ 中の O の酸化数は −1 とする。
④単原子イオンの酸化数はイオンの価数に等しい。
⑤多原子イオンでは、イオン中の原子の酸化数合計がイオンの価数に等しくなる。

＋アルファ　**代表的な酸化剤・還元剤の半電池反応式**
酸化剤

$\mathrm{KMnO_4}$ (酸性)	$\mathrm{MnO_4}^- + 8\mathrm{H}^+ + 5\mathrm{e}^- \rightarrow \mathrm{Mn}^{2+} + 4\mathrm{H_2O}$
$\mathrm{H_2O_2}$ (酸性)	$\mathrm{H_2O_2} + 2\mathrm{H}^+ + 2\mathrm{e}^- \rightarrow 2\mathrm{H_2O}$
$\mathrm{K_2Cr_2O_7}$ (酸性)	$\mathrm{Cr_2O_7}^{2-} + 14\mathrm{H}^+ + 6\mathrm{e}^- \rightarrow 2\mathrm{Cr}^{3+} + 7\mathrm{H_2O}$

還元剤

$\mathrm{H_2S}$	$\mathrm{H_2S} \rightarrow \mathrm{S} + 2\mathrm{H}^+ + 2\mathrm{e}^-$
$\mathrm{SO_2}$	$\mathrm{SO_2} + 2\mathrm{H_2O} \rightarrow \mathrm{SO_4}^{2-} + 4\mathrm{H}^+ + 2\mathrm{e}^-$
$(\mathrm{COOH})_2$	$(\mathrm{COOH})_2 \rightarrow 2\mathrm{CO_2} + 2\mathrm{H}^+ + 2\mathrm{e}^-$

酸化剤・還元剤のイオン反応式の作り方
それぞれの半電池反応式より、電子の数を合わせて消去する。
（例）　$\mathrm{MnO_4}^-$ と $(\mathrm{COOH})_2$ のイオン反応式
$$\mathrm{MnO_4}^- + 8\mathrm{H}^+ + 5\mathrm{e}^- \rightarrow \mathrm{Mn}^{2+} + 4\mathrm{H_2O}$$
　　　　　　　　　　……①

$(COOH)_2 \rightarrow 2CO_2 + 2H^+ + 2e^-$ ……②

①×2＋②×5より、

$2\ MnO_4^- + 6H^+ + 5(COOH)_2$
$\rightarrow 2\ Mn^{2+} + 10CO_2 + 8H_2O$

となる。これがイオン反応式であり、この式より $KMnO_4$ と $(COOH)_2$ が2:5の物質量比で反応することがわかる。また酸化剤 1mol が受け取る e^- の物質量、還元剤 1mol が放出する e^- の物質量を価数といい、（価数）×（モル濃度）×（体積）＝ e^- の物質量という関係が成立する。

◆酸化還元反応の量的関係

酸化還元反応は、電子のやり取りをする反応である。そのため授受する電子の物質量が等しいとき過不足なく反応する。

酸化剤が受け取る電子の物質量
　＝還元剤が放出する電子の物質量

【例題】　濃度未知の過酸化水素水 10.0mL を、適当量の希硫酸を加えた 0.025mol/L の過マンガン酸カリウム水溶液で滴定したところ、終点までに 8.0mL を要した。過酸化水素水のモル濃度はいくらか。

【解説】　過酸化水素の価数が2、過マンガン酸カリウムの価数が5なので

$$5 \times 0.025 \times \frac{8.0}{1000}$$
$$= 2 \times C \times \frac{10.0}{1000}$$

$C \fallingdotseq 0.05 mol/L$

価数とは 1mol の酸化剤（還元剤）が受け取る（放出する）電子の物質量である。

◆金属のイオン化傾向

水溶液中で金属単体が陽イオンになろうとする傾向がイオン化傾向、その強さを示したものがイオン化列である。

◎イオン化列

K, Ca, Na, Mg, Al, Zn, Fe, Ni, Sn, Pb,
　　(H_2), Cu, Hg, Ag, Pt, Au

左側の金属ほどイオン化傾向が強い。

それらの金属ほど陽イオンになりやすく、相手を還元する還元力が強い。右側の金属ほど安定しており、反応性に乏しい。

＋アルファ　金属と酸との反応

イオン化傾向が水素より大きい金属は、希酸と反応して溶け水素が発生する。ただし、鉛は水素よりイオン化傾向は大きいが、希塩酸や希硫酸には表面に難溶性の塩を生じて溶けない。イオン化傾向が水素より小さい金属では、希酸には溶けず、酸化力のある酸（熱濃硫酸、希硝酸、濃硝酸）に溶ける。このとき生じる気体は水素ではなく、SO_2 や NO、NO_2 である。しかし、白金、金は王水（濃硝酸と濃塩酸を1:3の割合で混合した酸）にしか溶けない。

◆電池

化学エネルギーを、電気エネルギーに変換する装置を電池という。

- **一次電池**：マンガン乾電池のように充電できない電池
- **二次電池**：鉛蓄電池のように、充電で元の状態に戻すことのできる電池

◆電気分解

外部電池を接続し、電子を送り込んで強制的に酸化還元反応を起こすことを電気分解という。電池の負極から電解槽の陰極に電子が流れ込み、還元反応が生じ、陽極側で酸化反応が生じる。

用語　ファラデーの法則：各電極で生じる物質の物質量は、流れた電気量に比例する。電気量の単位はクーロンであり、1クーロンは1アンペア（A）の電流が1秒間流れるときの電気量である。また電子 1mol のもつ電気量は $9.65 \times 10^4 C/mol$ であり、この値をファラデー定数という。$F = 9.65 \times 10^4 C/mol$

◆電解工業

（1）水酸化ナトリウムの製造

　陽極側に食塩水、陰極側に純水を用いて電気分解すると、陽極側から塩素、陰極側には水素と水酸化ナトリウム水溶液が得られる。その際、両極間を陽イオン交換膜で隔てて電気分解を行う。

（2）銅の電解精錬

　不純物を含む銅（粗銅）を陽極に、純度が 99.99% 以上の純銅を陰極に用いて硫酸銅（Ⅱ）水溶液を電気分解すると、粗銅が溶け出し純銅が陰極側に析出する。この操作を銅の電解精錬という。

（3）溶解塩電解によるアルミニウムの製造

　原料鉱石のボーキサイトから精錬した酸化アルミニウムを、氷晶石の融解液に溶かして電気分解すると、陰極側にアルミニウムが生じる。これを溶融塩電解（融解塩電解）という。

◆反応速度

　粒子の衝突により、物質を構成する原子の組み合わせが変化することを化学反応という。しかし、ゆるやかな衝突では変化が生じず、一定以上のエネルギーで衝突が起きなければ反応は進まない。

◆反応の速度に影響を与える要因

・**濃度**：濃度が濃いと、粒子どうしの衝突回数が増えるため、反応速度は増加する。
・**圧力**：気体では圧力が大きいほど、単位体積当たりの分子の数が多く、衝突回数も多くなる。
・**温度**：温度を上げると、粒子のもつ運動エネルギーが大きくなり、反応速度が速くなる。一般に温度が 10℃ 上がるごとに反応速度は 2 ～ 3 倍になる。
・**触媒**：それ自身は反応前後で変化せず、反応の速度を速める。反応が進む途中の、エネルギーの高い中間的な状態を

活性化状態という。この状態に達するまでに必要なエネルギーを、活性化エネルギーという。触媒を用いると、活性化エネルギーが低下し、反応速度が速くなる。

◆化学平衡

　可逆反応において、正反応と逆反応の反応速度が等しくなるときを化学平衡という。化学平衡に達すると、見かけ上変化が止まって見える。

　化学平衡が成り立っているとき、温度や濃度などの条件を変えると、その影響を少なくするように平衡が移動する。これをルシャトリエの原理という。

> **用語** **可逆反応**：化学反応において、右向きの反応（正反応）と同時に左向きの反応（逆反応）も生じるもの。
> **不可逆反応**：燃焼反応や中和反応のように、一方の方向にしか反応が進まない反応。

🎵 出題パターン

　次のア～オの化学反応式の下線部の物質が化学反応後に還元されたものの組み合わせとして、最も妥当なのはどれか。

ア　$H_2S + \underline{I_2} \rightarrow S + 2HI$
イ　$\underline{Mg} + Cl_2 \rightarrow MgCl_2$
ウ　$\underline{CuO} + H_2 \rightarrow Cu + H_2O$
エ　$2H_2\underline{S} + O_2 \rightarrow H_2O + 2S$
オ　$Fe + \underline{S} \rightarrow FeS$

(1) ア、イ、エ
(2) ア、ウ、オ
(3) イ、ウ、エ
(4) イ、オ
(5) ウ、エ

解答（2）

無機化学

気体の発生反応・物質の工業的製法・酸や塩基の製法について問われる。個々の知識が問われる頻出分野であり、広く浅い知識が必要だ。

◆**非金属元素**

　He や Ne など周期表の右上側に位置する元素が非金属元素である。電子を引き付ける傾向（陰性）が強い。

◆ **17 族元素（ハロゲン）の物質**

　17 族の元素をハロゲンといい、価電子数は 7 個で、電子を 1 個受け取り、1価の陰イオンになる。

　塩素水には漂白・殺菌作用がある。ヨウ素はデンプンと反応して、青紫色になる。これをヨウ素デンプン反応という。

（1）単体の性質

分子式	常温での状態と色	酸化力
F_2	気体　淡黄色	強
Cl_2	気体　黄緑色	↕
Br_2	液体　赤褐色	
I_2	固体　黒紫色	弱

（2）ハロゲン化水素

・**フッ化水素（HF）**：分子間の水素結合により、他のハロゲン化水素より沸点が異常に高い。水溶液は弱酸である。また、ガラスを溶かす性質があるので、ポリエチレン容器に保存する。

・**塩化水素（HCl）**：常温で気体である。塩化水素の水溶液を塩酸といい、強酸である。アンモニアと反応して、NH_4Cl（塩化アンモニウム）の白煙を生じる。

◆ **16 族元素の物質**

（1）単体の性質

　酸素や硫黄の単体には同素体が存在する。酸素の同素体は酸素 O_2 とオゾン O_3 であり、硫黄の同素体は斜方硫黄 S_8、単斜硫黄 S_8、ゴム状硫黄 S_n がある。

（2）硫黄の化合物

・**硫化水素（H_2S）**：腐卵臭をもつ無色の有毒な気体で、水に溶け酸性を示す。還元力がある。

・**二酸化硫黄（SO_2）**：刺激臭、無色の有毒な気体。水に溶け弱い酸性を示す。還元力をもち、漂白剤として使われる。

・**硫酸（H_2SO_4）**：濃硫酸には、①不揮発性②吸湿性③脱水性④酸化作用⑤溶解熱の発生などの特徴がある。希硫酸は強酸性である。硫酸の工業的製法は接触法とよばれる。

◆ **15 族元素の物質**

（1）単体の性質

　窒素は不燃性の気体で、空気中に体積割合で約 80％含まれる。リンには同素体が存在する。黄リン P_4 は有毒であり空気中で自然発火するので、水中に保存する。赤リンは無毒、層状高分子である。

（2）窒素の化合物

・**アンモニア（NH_3）**：塩基性の気体。工業的製法はハーバー・ボッシュ法とよばれ、窒素と水素を原料とし、鉄の化合物を触媒として合成する。

・**一酸化窒素（NO）**：無色、有毒、水に溶けない気体。酸素と反応して二酸化窒素となる。

・**二酸化窒素（NO_2）**：赤褐色、有毒、水に溶ける気体。水溶液は酸性を示す。

- 硝酸（HNO_3）：無色、発煙性の液体。強酸性を示し、酸化力をもつ。工業的製法はオストワルト法とよばれる。

◆ 14 族元素の物質

炭素にはダイヤモンド、黒鉛、フラーレンなどの同素体が存在する。ケイ素の単体は、ダイヤモンドと同じ正四面体構造である。ケイ素は酸素に次いで 2 番目に多い、地殻中に含まれる元素である。

◆金属元素

周期表の左下側に位置する元素が金属元素である。電子を放出して陽イオンになる傾向（陽性）が強い。

◆アルカリ金属元素の物質

（1）単体の性質

銀白色の固体。価電子が 1 個で、1 価の陽イオンになる。水と常温で反応し、水素を発生する。化合物は各元素に特有の色の炎色反応を示す。

（2）ナトリウムの化合物

- 水酸化ナトリウム（$NaOH$）：白色の固体。潮解性があり空気中の水分を吸収して溶ける。水に溶け、強塩基性（アルカリ性）を示す。
- 炭酸ナトリウム（Na_2CO_3）：白色固体。水に溶け塩基性（アルカリ性）を示す。
- 炭酸水素ナトリウム（$NaHCO_3$）：白色固体で水に溶けにくい。熱分解して炭酸ナトリウムになる。

ワン・ポイント　アンモニアソーダ法
塩化ナトリウム水溶液に、二酸化炭素とアンモニアを加えて炭酸水素ナトリウムを沈殿させ、これを加熱して炭酸ナトリウムを生成する方法。

◆ 2 族元素の物質

（1）単体の性質

銀白色の固体。価電子は 2 個で、2 価の陽イオンになる。アルカリ土類金属元素の化合物も炎色反応をする。

用語　炎色反応の色： Na（黄）、K（赤紫）、Ca（橙赤）、Ba（黄緑）

（2）カルシウムの化合物

- 水酸化カルシウム（$Ca(OH)_2$）：白色粉末。水にわずかに溶け強塩基性を示す。消石灰ともよばれ、水酸化カルシウムの水溶液を石灰水という。石灰水に CO_2 を吹き込むと炭酸カルシウムが沈殿する。さらに CO_2 を吹き込み続けると炭酸水素カルシウムが変化し溶解する。
- 炭酸カルシウム（$CaCO_3$）：石灰石の主成分。強熱すると二酸化炭素を発生し、酸化カルシウム（CaO）に変化。酸化カルシウムは生石灰ともよばれる。

◆両性金属

酸とも強塩基とも反応する金属であり、Al（アルミニウム）、Zn（亜鉛）、Sn（スズ）、Pb（鉛）などがある。

◆遷移元素

- 銅：赤色の金属、熱伝導性、電気伝導性に優れる。1 価と 2 価のイオンがある。
- 銀：最も電気伝導性の大きい金属。1 価のイオンになる。
- 鉄：2 価と 3 価のイオンになる。鉄は鉄鉱石（Fe_2O_3）を、コークス（C）から生じる CO で還元して製錬する。このとき炭素分を多く含む鉄を銑鉄といい、さらに炭素分を除いた鉄を鋼という。

重要ポイント　合金

黄銅（ブラス）：銅と亜鉛との合金
青銅（ブロンズ）：銅とスズとの合金
ジュラルミン：アルミニウムと銅、マグネシウムなどの合金
ステンレス：鉄とクロム、ニッケルなどの合金

04
無機化学

自然科学：化学

 有機化学

有機化学の基礎と代表的な化合物及びその性質について学ぶ。詳しい内容までは必要とされないが、炭化水素の構造式や反応の特徴などを押さえておこう。

◆**有機化学の性質**

有機化合物とは炭素の化合物である。主な構成元素は、C、H、O、Nなどで、次のような特徴がある。

① 主に共有結合による分子であり、融点、沸点は低い。

② 異性体があり、構成元素の種類は少ないが、化合物数は非常に多い。

③ 水に溶けにくい種類が多い。

◆**炭素原子の結合による分類**

・**鎖式化合物**：炭素が鎖のように並んだもので、単結合だけのものを飽和化合物、炭素間に二重結合や三重結合を含むものを、不飽和化合物という。

・**環式化合物**：炭素が環状構造をもつもので、その中でベンゼン環を含むものを芳香族化合物という。

◎官能基による分類

官能基	官能基の名前	一般名
R-OH	ヒドロキシ基	アルコール フェノール
R-O-R'	エーテル結合	エーテル
R-CHO	ホルミル基 (アルデヒド基)	アルデヒド
R-CO-R'	ケトン基 (カルボニル基)	ケトン
R-COOH	カルボキシ基	カルボン酸
R-COO-R'	エステル結合	エステル

◆**異性体**

分子式が同じで、構造式や立体構造の異なるものどうしを異性体という。異性体には構造式が異なる構造異性体と、立体構造の異なる立体異性体があり、シス-トランス異性体と鏡像異性体に区別される。

・**シス-トランス異性体**：炭素の二重結合は回転ができないため、シス型とトランス型の異性体が存在する。

・**鏡像異性体**：不斉炭素原子を持つ化合物では、偏光に対する性質の異なる鏡像異性体が存在する。

用語 **不斉炭素原子**：炭素原子に結合する4つの置換基の種類が全て異なるもの。

◆**脂肪族炭化水素**

アルカンは鎖式飽和炭化水素であり、分子式は C_nH_{2n+2} で表される。反応性が低く、置換反応をする。アルケンはC=C結合を1個持つ化合物で、分子式は C_nH_{2n} である。アルキンはC≡C結合を1個持つ化合物であり、分子式は C_nH_{2n-2} である。ともに付加反応をする。

◎代表的な脂肪族炭化水素の名前

アルカン	CH_4（メタン）、C_2H_6（エタン） C_3H_8（プロパン）、C_4H_{10}（ブタン）
アルケン	C_2H_4（エチレン）、C_3H_6（プロペン）
アルキン	C_2H_2（アセチレン）

◆**酸素を含む脂肪族化合物**

・**アルコール**：炭化水素のH原子を-OH基に置き換えた物質をアルコールという。炭素数の少ないアルコールは水に溶ける。

・**アルデヒド**：ホルミル基を持つ化合物

で還元性を持つ。還元性は銀鏡反応（銀の析出）やフェーリング反応（酸化銅（I）の沈殿）で確認される。

・**ケトン**：ケトン基を持つ化合物。アセトンはケトンの一種。

> **用語　ヨードホルム反応**：アセトンにヨウ素と水酸化ナトリウムを加えて温めると、ヨードホルムの黄色沈殿が発生。アセチル基の検出反応。

・**カルボン酸**：カルボキシ基を持つ化合物で、酸性。ギ酸は還元性も持つ。アルコールと反応してエステルになる。
・**エステル**：エステル結合を持つ化合物で水に溶けにくい。
・**油脂**：グリセリンと高級脂肪酸のエステルを油脂という。常温で固体の油脂を脂肪、液体の油脂を脂肪油という。油脂を水酸化ナトリウム水溶液でけん化すると、グリセリンと脂肪酸のナトリウム塩になる。脂肪酸のナトリウム塩がセッケンである。

◆芳香族化合物

　ベンゼン環を持つ化合物を芳香族化合物といい、水に溶けず有機溶媒に溶ける。主に置換反応を行う。

・**フェノール類**：ベンゼン環に直接-OH基が結合した化合物。弱酸性を示し、塩化鉄（III）水溶液で紫色の呈色をする（フェノール類の検出反応）。
・**サリチル酸の化合物**：ナトリウムフェノキシドに高温高圧で二酸化炭素を反応させ、酸性にするとサリチル酸ができる。サリチル酸にメタノールを反応させると消炎湿布剤のサリチル酸メチルが、無水酢酸を反応させると解熱鎮痛剤のアセチルサリチル酸が生じる。
・**アニリン**：塩基性の物質で、さらし粉で赤紫色を呈色（アニリンの検出反応）する。

ワン・ポイント　芳香族化合物の例

ベンゼン　トルエン　フェノール
安息香酸　アニリン　サリチル酸

◆合成高分子化合物

　いくつもの低分子量の分子が重合して、分子量が非常に大きくなった物質を高分子化合物という。もとになる低分子量の物質を単量体（モノマー）、高分子を重合体（ポリマー）という。

・**付加重合**：付加反応で高分子をつくること。付加重合の例には、水道管などに使われるポリ塩化ビニル、包装材料に使われるポリスチレン、容器、袋に使われるポリエチレンなどがある。
・**縮合重合**：縮合反応で高分子をつくること。縮合重合の例には、合成繊維に使われるナイロン6,6、PET（ポリエチレンテレフタラート）などがある。
・**熱可塑性樹脂**：熱を加えると軟らかくなり、冷えると固まる性質を持つ樹脂。直鎖状の高分子の性質。
・**熱硬化性樹脂**：熱を加えると固くなる樹脂。立体網目構造の高分子が持つ性質。

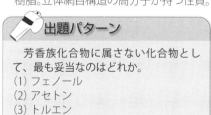

出題パターン

　芳香族化合物に属さない化合物として、最も妥当なのはどれか。
(1) フェノール
(2) アセトン
(3) トルエン
(4) アニリン
(5) ベンゼン

解答（2）

05
有機化学

重要度
★★

細胞・細胞分裂

細胞の構成と細胞各部の働き、膜の機能、体細胞分裂のしくみなどがポイントとなる。

◆生物に共通してみられる特徴

生物は細胞からできている。化学反応を行い、エネルギーを取り出し生命活動に利用することを代謝という。DNA を持ち、自己複製をする。外界の変化に対応して体内環境を一定に保つ仕組みがある。

◆細胞の種類

細胞は核膜に包まれた核をもつ真核細胞と、核膜に包まれた核のない原核細胞に分類される。真核細胞は、核、ミトコンドリア、葉緑体など膜で覆われた構造を内部にもつ。原核細胞は、核膜に包まれた核はなく、遺伝子は細胞質中に存在する。ミトコンドリアや葉緑体はない。原核細胞からなる生物を原核生物といい、細菌類（バクテリア）、シアノバクテリア（ラン藻類）がこれに当たる。細胞の大きさは数μm〜数十μmである。

◆細胞の構造

真核細胞は、核と細胞質からなる。

中心体は動物細胞に、細胞壁、色素体、液胞は植物細胞に存在する。

◆細胞各部の働き

◎核の働き

核膜	核への物質の出入りの調節
染色体	DNA を含み、遺伝情報を伝達
核小体	リボソーム RNA を合成

◎細胞質の働き

ミトコンドリア	ATP 生産にかかわり、エネルギーを作り出す
小胞体	タンパク質の輸送路
リボソーム	アミノ酸からタンパク質を合成する
ゴルジ体	細胞内小胞の生成
色素体	光合成を行う
リソソーム	細胞内消化酵素を含む
液胞	不要物の貯蔵、分解、解毒。植物細胞で特に発達している

その他に細胞質基質という液体が含まれる。これは細胞質の形を保ち、物質の移動、細胞分裂などに重要な役割をする。

◆膜の性質

細胞膜や生体膜は 2 重の層でできていて、主成分はリン脂質とタンパク質であ

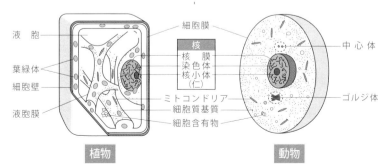

液　胞	細胞膜
葉緑体	中心体
細胞壁	ゴルジ体
液胞膜	ミトコンドリア

核
核　　膜
染色体
核小体
（仁）

細胞質基質
細胞含有物

植物　　　　　動物

る。これを単位膜という。細胞膜は溶媒を通すが溶質は通さない半透性に近い性質をもつが、特定の分子やイオンだけを選択的に通過させる選択的透過性をもつ。膜の内外に濃度差があると、濃度の濃い側から薄い側へ分子やイオンが移動する。これを受動輸送といい、エネルギーを要さない。一方、浸透圧に逆らって特定の物質だけを透過させる働きを能動輸送といい、エネルギーを使って必要な物質の吸収、排出を行う。

◆細胞への水の出入り

濃度の異なる水溶液では、半透膜で隔てた濃度の低い方の水溶液から水分子が移動してくる。このような現象を浸透という。2つの溶液の浸透圧が等しいときを等張といい、2つの溶液の浸透圧の大きい側を高張、小さい側を低張という。

◆細胞分裂

細胞が新たな細胞に分かれることを細胞分裂という。細胞分裂には、体をつくる細胞の分裂である体細胞分裂と、生殖細胞をつくる減数分裂がある。体細胞分裂では分裂の前後で染色体の数は変化しないが、減数分裂では半分になる。

◆体細胞分裂

◎体細胞分裂の過程

前期	染色体、紡錘体の出現
中期	染色体が赤道面上に並ぶ
後期	染色体が二分して染色分体が両極へ移動する
終期	細胞質が分裂し、核膜、核小体が出現する

動物細胞では中心体から紡錘体ができるのに対し、植物細胞には中心体がなく極帽から紡錘糸ができる。また、終期に動物細胞では赤道面で細胞膜がくびれて細胞質が2つに分かれるが、植物細胞では赤道面の中心に細胞板ができ、これが広がって細胞質が二分される。

◆ヒトの染色体

ヒトの染色体は、22対の相同染色体と、大きさも形も違う1対の性染色体の、合計23対46本の染色体がある。

> **用語** **相同染色体：**高等な動物や植物の体細胞の核には、同じ大きさ、形の染色体が2本ずつ入っている。これを相同染色体という。

◆核相

核内の染色体の組の様子を核相という。相同染色体が対になって細胞内に含まれるときを複相といい、染色体数は $2n$ となる。生殖細胞のように相同染色体の片方だけを含むものを単相といい、染色体数は n である。

> 【例題】　細胞を構成する成分などに関する記述として、最も妥当なのはどれか。
> (1) リボソームではタンパク質が合成される。
> (2) 植物細胞の細胞壁の主成分はリン脂質である。
> (3) 小胞体は、核分裂のときの紡錘糸の起点となる。
> (4) 葉緑体の中のストロマには、クロロフィルなどの色素が含まれている。
> (5) ミトコンドリアは、細胞内消化酵素を含んでいる。
> 【解説】
> (2) 細胞壁の主成分はセルロース。
> (3) 小胞体は一重の膜で、表面にリボソームが付着している。リボソームで合成されたタンパク質の輸送路である。
> (4) 色素の多くはチラコイドに含まれる。ストロマはチラコイドの間を満たす基質である。
> (5) ミトコンドリアでは ATP を合成し、エネルギーを作り出す。細胞内消化酵素を含むのはリソソーム。
>
> 答　(1)

自然科学：生物

レッスン 02 生殖・発生

重要度 ★★★

減数分裂、生殖細胞の形成、動物の発生過程について取り上げる。減数分裂がどのような過程を経て生じるかがポイントだ。

◆生殖

生物が新しい個体を作ることを生殖という。生殖には、配偶子によらない無性生殖と配偶子による有性生殖がある。

> **用語** **配偶子**：胞子や卵、精子などの生殖細胞のことで、卵は大型で細胞質に栄養を貯えた配偶子で運動性がない。精子は小型でべん毛を持ち、運動性を持つ配偶子である。

◎無性生殖の種類

分裂	体が分かれて増える方法
出芽	体の一部が、芽が出るようにふくらんで、新しい個体ができる方法
胞子生殖	胞子による生殖
栄養生殖	植物の根・茎・葉などの栄養器官から新しい個体ができる方法

◎有性生殖

有性生殖には大きさや形の同じ同形配偶子の接合、大きさや形の違う異形配偶子の接合、卵と精子の受精とがある。

◆減数分裂

精子や卵、胞子などの生殖細胞をつくる分裂を減数分裂という。

◎減数分裂の過程

第一分裂の前期では相同染色体どうしが対合して、4本の染色分体からなる二価染色体を形成する。中期で二価染色体が赤道面上に並び、紡錘体ができ、後期には4本の染色分体が2本ずつに分かれて両極へ移動し、終期に染色体が両極に達する。

第二分裂は前期が第一分裂の終期と重なるため中期から始まり、染色体が赤道面上に並ぶ。後期に2本の染色分体が縦裂して両極へ移動し、終期で染色体が両極に達し、4つの娘細胞ができる。

> **用語** **二価染色体**：2本の相同染色体が対合してできた染色体。

重要ポイント 減数分裂と体細胞分裂の比較

減数分裂	体細胞分裂
生殖細胞をつくる	体細胞をつくる
1つの母細胞から単相（n）の娘細胞4つができて終了する	母細胞と同じ複相（$2n$）の娘細胞が2つでき、分裂を繰り返す
相同染色体が対合し、二価染色体をつくる	相同染色体は対合しない
染色体数が半分になる	染色体数は変化しない

◆動物の配偶子の形成
（1）精子の形成

精巣内の始原生殖細胞（$2n$）が精原細胞（$2n$）になり、体細胞分裂によって増加する。これらが一次精母細胞（$2n$）になり、減数分裂により精細胞（n）になる。精細胞は変形して運動性に特化した精子になる。

194

（2）卵の形成

　卵原細胞が卵巣で一次卵母細胞まで増殖、大形化した後、減数分裂を行う。このとき4個の娘細胞のうち1個だけに多量の細胞質が集中して卵となり、残りは極体になる。

◆動物の発生

　受精卵の初期では、特殊な体細胞分裂の卵割が生じる。卵黄は卵割を妨げるので、卵黄の分布の違いにより卵割の仕方が異なる。

◎卵の種類と卵割

等黄卵	卵黄が少なく、均等に卵割が起きる	ウニ、ほ乳類
端黄卵	卵黄が多く、植物極側に偏る。動物極側で卵割が起こり不等割になる	両生類
心黄卵	卵黄が卵の中心部に集中し、表面が分割する	昆虫

 ワン・ポイント　端黄卵でも特に卵黄の多いものでは、一部だけが分割される部分割が起きる。これを盤割という。魚類、は虫類、鳥類に見られる。

◆ウニの発生

　受精卵は卵割を繰り返し、細胞の数が32〜64個のクワの実のような形の胚である桑実胚になる。やがて胞胚腔が生じ胞胚になる。その後、胞胚の植物極側が内部に落ち込んで（陥入）原腸ができ原腸胚となる。原腸の入り口を原口という。原腸胚では、外胚葉、中胚葉、内胚葉に分化する。そして独立生活ができるようになった幼生へ変化する。

◆カエルの発生（原腸胚以降）

　カエルの発生も原腸胚までは同様の過程をたどる。その後、外胚葉で神経板ができ、やがて神経管へと変化し、内胚葉からは腸管ができる。この時期の胚を神経胚という。さらに神経胚が伸びて胚の尾（尾芽）ができる時期を尾芽胚という。

この時期にさらに分化し、特定の器官へ変化する。

◆発生のしくみ

　発生のしくみに関して前成説と後成説が唱えられたが、現在では後成説が確立している。

> **用語**　**前成説：**卵や精子の中に初めから個体のもとがあって、それが成長するとした説。
> **後成説：**発生の過程で、次第に必要な器官が決まってくるとする説。

　周囲の部分を特定の器官に分化させる働きを持つものを形成体（オーガナイザー）といい、その働きを誘導という。

> **ワン・ポイント　三胚葉からの分化**
> **外胚葉：**表皮、神経系（脳、脊髄）、感覚器官
> **中胚葉：**脊椎骨、筋肉、心臓、血管、腎臓
> **内胚葉：**消化管、肝臓、肺

> 【例題】　減数分裂や発生に関する記述として、最も妥当なのはどれか。
> (1) 精細胞はべん毛があり、運動性を持つ。
> (2) 精子は細胞質に栄養を蓄えている。
> (3) 二価染色体は、2本の相同染色体が対合し、4本の染色分体からできている。
> (4) 減数分裂により、染色体の数は半分になるが、DNAの量は変化しない。
> (5) 1個の一次卵母細胞は、4個の卵を生じる。
> 【解説】　精細胞が変形して精子となりべん毛をもつ。精子は栄養分を蓄えず、卵に栄養分が蓄えられる。1個の一次卵母細胞から1個の卵と3個の極体ができる。
> 答（3）

レッスン 03 遺伝・遺伝情報

メンデルの遺伝の3法則、種々の遺伝、DNA、RNAの構成物質とタンパク質合成の仕組みなどを学ぶ。特に遺伝は頻出分野であるので、習熟が必要だ。

◆メンデルの遺伝法則

・**顕性の法則**：対立形質をもつ純系の親を交配すると、雑種第一代（F_1）には顕性形質のみが現れる。

・**分離の法則**：生殖細胞ができるとき、対立遺伝子は互いに分離して別々の生殖細胞に入る。

・**独立の法則**：2対以上の対立遺伝子が存在する場合でも、生殖細胞ができるとき各遺伝子はそれぞれ独立して生殖細胞に入る。

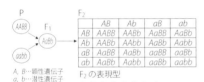

P（AABB）

F_1（AaBb）

（aabb）

A, B…顕性遺伝子
a, b…潜性遺伝子

	AB	Ab	aB	ab
AB	AABB	AABb	AaBB	AaBb
Ab	AABb	AAbb	AaBb	Aabb
aB	AaBB	AaBb	aaBB	aaBb
ab	AaBb	Aabb	aaBb	aabb

F_2の表現型
[AB]：[Ab]：[aB]：[ab]
9 ： 3 ： 3 ： 1

◆検定交雑

顕性形質を持つ個体の遺伝子型（AAとAa）は、外見では判別できないので、これを見分けるために潜性ホモ（aa）と掛け合わせる方法を**検定交雑**という。もし親がAAであれば交配の結果はすべて顕性形質となるが、Aaでは顕性形質と潜性形質が1：1の比で現れる。

◆遺伝子間の相互関係

マルバアサガオ

桃（Rr）────（Rr）桃

（RR）（Rr）（rr）

赤　　桃　　白
1 ： 2 ： 1

・**不完全顕性**：対立形質間で優劣の差が小さく、ヘテロ型が中間雑種になる。

・**致死遺伝子**：ある遺伝子がホモになると、致死作用を現す遺伝子を致死遺伝子という。致死遺伝子は潜性で潜性ホモになると死ぬ。

用語 **形質**：生物の形や大きさ、色などの性質
対立形質：「丸」と「しわ」のように、対になる形質
遺伝子：形質を伝え、発現するもとになるもの。染色体に含まれる
遺伝子記号：遺伝子の組み合わせをアルファベットで表したもの
遺伝子型：個体の遺伝子の構成を遺伝子記号で表したもの
表現型：個体に現れる形質
顕性形質：ヘテロで発現する形質
潜性形質：ヘテロで発現しない形質
ホモ：遺伝子の形が同じ組み合わせのもの
ヘテロ：遺伝子の形が違う組み合わせのもの
純系：すべての遺伝子の組み合わせがホモであるもの
一遺伝子雑種：1対の対立形質だけに注目し、交配してできた雑種
二遺伝子雑種：2対の対立形質に注目し、交配してできた雑種
雑種第一代（F_1）：純系の両親（P）の交配で生まれた一代目の雑種
雑種第二代（F_2）：F_1どうしの交配で生まれた二代目の雑種

・**複対立遺伝子**：1組の対立する形質に、3つ以上の遺伝子が存在するとき、そ

れらを複対立遺伝子という。ヒトの ABO 式血液型では、A、B 遺伝子はともに顕性で、O 遺伝子は潜性である。A、B に優劣はなく、AB の遺伝子型では血液型は AB 型になる。

血液型	遺伝子型
A 型	AA、AO
B 型	BB、BO
AB 型	AB
O 型	OO

◆性染色体

多くの生物で雄、雌で形や数の異なる遺伝子があり、これを性染色体と呼ぶ。それ以外の染色体を常染色体という。ヒトの性染色体は XY 型であり、遺伝子型が XX になると女性、XY では男性になる。

◆伴性遺伝

性染色体にある遺伝子による遺伝を伴性遺伝という。

赤緑色覚異常に関係する遺伝子は X 染色体にあり、Y 染色体に対立遺伝子がないため、女性では潜性ホモで発現するが、男性では X 染色体に潜性遺伝子があれば発現する。

◆ DNA

遺伝子の本体は DNA（デオキシリボ核酸）である。DNA には自己複製能力と遺伝情報を記憶する働きがある。核酸には DNA と RNA（リボ核酸）がある。

◎ DNA と RNA の構造

	構成糖	構成塩基	リン酸
DNA	デオキシリボース	アデニン（A）グアニン（G）シトシン（C）チミン（T）	リン酸
RNA	リボース	アデニン（A）グアニン（G）シトシン（C）ウラシル（U）	リン酸

塩基と五炭糖とリン酸からなる物質をヌクレオチドといい、これが重合したポリヌクレオチドが核酸である。DNA は二重らせんの構造、RNA は 1 本の鎖でできている。

◆タンパク質の合成

DNA の遺伝情報は、DNA に複製されるか、RNA に転写され、翻訳されてタンパク質ができる。これはすべての生物に共通する原則で、セントラルドグマと呼ばれる。

◆ RNA の働き

RNA には、mRNA（伝令 RNA）、tRNA（運搬 RNA）、rRNA（リボソーム RNA）がある。RNA は DNA の塩基配列を写し取り（転写）、スプライシングによって mRNA が合成される。mRNA は核内から細胞質中に移動し、リボソームに付着する。tRNA はアミノ酸と結合し、指定されたアミノ酸をリボソームに運ぶ。rRNA は運ばれてきたアミノ酸を結合させる。

出題パターン

ある種のネズミの体色には、灰色、黒色、白色の 3 種類がある。これらの体色は 2 対の対立遺伝子 C、c と G、g によって支配されており、遺伝子 C は黒色の色素を作り、遺伝子 G は黒色の色素を灰色に変える。遺伝子 c は遺伝子 C に対して潜性、遺伝子 g は遺伝子 G に対して潜性で、色素の合成に関与しない。今、遺伝子型 CCGG で体色が灰色の個体と、遺伝子型が ccgg で体色が白色の個体を交配したところ、全ての子（F_1）の体色が灰色であった。この F_1 と、遺伝子型 CCgg で体色が黒色の個体を交配したときの子の表現型の分離比として、最も妥当なのはどれか。

(1) 灰色：黒色：白色＝ 9 : 3 : 4
(2) 灰色：黒色：白色＝ 12 : 3 : 1
(3) 灰色：黒色：白色＝ 1 : 1 : 0
(4) 灰色：黒色：白色＝ 3 : 1 : 0
(5) 灰色：黒色：白色＝ 1 : 0 : 0

解答（3）

レッスン 04

代謝・酵素の働き

異化と同化・内呼吸・光合成・酵素の種類と働きについてまとめる。ATP についても取り上げる。

◆**代謝**

　細胞内のさまざまな物質の化学反応を代謝という。生体内で物質を分解してエネルギーを取り出したり、合成して蓄えたりすることをエネルギー代謝という。

　生物の行う呼吸はエネルギーを取り出す方法であり、植物の行う光合成はエネルギーを作り出す方法である。

◆**異化**

　代謝には異化と同化がある。異化とは有機物を呼吸などで分解して、エネルギーを取り出す過程のことである。異化には 2 つの呼吸があり、酸素と二酸化炭素の交換を行うのが外呼吸、体内で有機物を分解してエネルギーを取り出す働きが内呼吸である。

◆**内呼吸**

　有機物の分解に酸素を用いる過程を好気呼吸といい、酸素を用いないで有機物を分解する過程を嫌気呼吸という。呼吸は細胞質基質とミトコンドリアで行われる。

（1）好気呼吸のしくみ

　好気呼吸は 3 つの過程からなる。

① **解糖系**：第一段階は解糖系と呼ばれ、グルコース 1 分子が 2 分子のピルビン酸に分解される。この反応は細胞質基質内で生じ、酸素は必要でなく、脱水素酵素などの働きで反応が進む。

② **クエン酸回路**：第二段階はクエン酸回路と呼ばれ、この反応はミトコンドリアのマトリックスで行われる。

③ **電子伝達系**：第三段階は電子伝達系であり、先の 2 つの段階で発生した水素原子から、酵素反応により ATP を作り出す。これはミトコンドリアのクリステで行われる。

　好気呼吸では、最終的にグルコース 1mol から 38mol の ATP が生じる。

（2）嫌気呼吸のしくみ

　嫌気呼吸には発酵、腐敗、解糖があり、発酵にはアルコール発酵、乳酸発酵などがある。

・**アルコール発酵**：酵母菌の働きで、グルコース 1 分子からエタノール 2 分子と ATP2 分子、二酸化炭素 2 分子が発生する。

・**乳酸発酵**：乳酸菌により、グルコース 1 分子から乳酸 2 分子と ATP2 分子が発生する。

・**解糖**：激しい運動時の筋肉内でグルコースが分解され乳酸ができるまでの過程。反応過程は乳酸発酵と全く同じである。

> **用語** **チマーゼ**：酵母菌に含まれる、アルコール発酵に働く酵素。

◆**同化**

　生物が外界から取り入れた物質を、より複雑な有機物に変化する働き。エネルギーを必要とする。

◆**光合成**

　植物の葉緑体で、二酸化炭素と水を原

料に、光エネルギーにより糖やデンプンと酸素を合成する反応を光合成という。

　植物の葉緑体は二重膜で包まれていて、膜の内部の空間をストロマ、内の扁平な袋状の構造をチラコイドといい、その中にクロロフィルなどの光合成色素が含まれる。チラコイドが数多く重なった部分をグラナという。

ワン・ポイント　光合成

光合成はチラコイド内で生じる①光化学反応、②水の分解と H+ の発生、③ ATP の生成反応（光リン酸化）及びストロマ内で生じる CO_2 の固定反応の過程からなる。このうちストロマ内での反応をカルビン・ベンソン回路という。

◆ ATP

　塩基のアデニンと五炭糖のリボースが結合したアデノシンにリン酸が3分子結合したアデノシン三リン酸（ATP）のリン酸どうしの高エネルギーリン酸結合が切れて、ADP（アデノシン二リン酸）とリン酸に分かれるとき、エネルギーが放出される。逆に呼吸で生じたエネルギーを使って ADP を ATP に変換して生命活動に必要なエネルギーを蓄える。

◆酵素

　自身は変化せず、化学反応の速度を速めるものを触媒という。生体内で触媒作用を行う物質を酵素といい、主成分はタンパク質である。酵素の働く相手の物質を基質、酵素が基質と結合する部分を活性部位という。特定の酸素は特定の基質のみに働く。これを基質特異性という。

　一般的に酵素が働く最適温度は、35～40℃付近であり、高温になると変性によりその働きを失う。これを失活という。酵素に最適な pH は中性付近である。しかし胃で働くペプシンは、最適 pH が2付近である。

◎代表的な酵素

カタラーゼ	過酸化水素の分解
アミラーゼ	デンプンをマルトースに分解
マルターゼ	マルトースをグルコースに分解
スクラーゼ	スクロースをフルクトースとグルコースに分解
リパーゼ	脂肪をグリセリンと脂肪酸に分解
ペプシン	タンパク質をペプチドに分解
トリプシン	タンパク質をペプチドに分解

重要ポイント

内呼吸：好気呼吸と嫌気呼吸がある。有機物を分解して ATP を作り出す。
光合成：葉緑体内のチラコイドとストロマで行われる。二酸化炭素と水から光エネルギーで ATP を合成する。
ATP：生体内でエネルギーを蓄える働きをする物質。
酵素：生体内で触媒作用を行う物質で、タンパク質が主成分。基質特異性、最適温度、最適 pH をもつ。

出題パターン

　酵素に関する記述として、最も妥当なのはどれか。
(1) 酵素は触媒作用をもち、主にデンプンからできている。
(2) 酵素には細胞内でつくられる酵素と細胞外でつくられる酵素がある。
(3) アミラーゼはタンパク質を分解する酵素である。
(4) カタラーゼは細胞外に分泌されてから働く消化酵素である。
(5) ミトコンドリアには呼吸に関係する酵素がある。

解答（5）

重要度
★★★

レッスン
05 内部環境と生物の反応

免疫について・肝臓と腎臓の働き・自律神経系とホルモンの関連性を学ぶ。免疫の仕組みや血糖値の調整などは重要分野だ。

◆体液と内部環境

体液には血液、組織液、リンパ液がある。組織液は毛細血管から細胞の間に滲み出した血しょうの成分であり、リンパ液はリンパ管を流れる体液で、組織液の一部がリンパ管に吸収されたものである。

◆免疫

特定の病原体や毒素を非自己と識別し、それを排除する現象を免疫という。免疫にはもとから備わっている自然免疫と、獲得する適応免疫がある。

◆体液性免疫と細胞性免疫

抗原抗体反応によって抗原を無害化し排除する仕組みを体液性免疫といい、T細胞やマクロファージが標的細胞を直接攻撃する免疫を細胞性免疫という。

体液性免疫の抗体産生の仕組みは、抗原をマクロファージや樹状細胞が細胞内に取り込み（食作用）、抗原の情報をT細胞に伝える（抗原提示）。次に抗原情報をB細胞に伝え、B細胞が活性化し抗体産生細胞に分化する。このとき一部は抗体の情報を記憶する記憶細胞に分化する。

細胞性免疫では、抗原提示がキラーT細胞に伝えられ、標的細胞を攻撃する。このとき一部は抗体の情報を記憶する記憶細胞に分化する。

用語 **抗原**：免疫系によって異物と識別される物質。
抗体：免疫系でつくられる抗原とだけ反応するタンパク質（免疫グロブリン）。
抗原抗体反応：抗体が抗原と結合してその働きを弱める反応。
免疫記憶：一度抗体を産生すると、その抗体の情報が記憶細胞に記憶され、すみやかに抗体を産生できる。
T細胞：骨髄でもとになる細胞ができ、胸腺で増加し成熟する。
B細胞：T細胞によって活性化され、形質細胞（抗体産生細胞）に変化する。

重要ポイント **免疫のポイント**

細胞性免疫	体液性免疫
キラーT細胞が異物を攻撃する 異物は増殖したT細胞によって破壊される	抗体がつくられ、抗原抗体反応が起こる 抗原の種類に応じて異なる抗体がつくられる

◆免疫の応用

・**ワクチン**：毒素を弱めた抗原。あらかじめ接種することで、抗体を形成し病気を予防する。

・**血清療法**：動物に弱毒化した毒素を注射し、抗体をつくらせて、抗体を含む血清を患者に接種する治療方法。

◆腎臓

体内で生じる老廃物のうち、アンモニアはヒトでは肝臓で尿素に変えて腎臓から尿として排出している。腎臓はソラマ

メのような形の 2 つの対称な器官である。皮質、髄質、腎うの 3 つの部分からなり、皮質には腎小体（マルピーギ小体）が無数にあり、糸球体とボーマン嚢からなる。

　糸球体を流れる血管から、血しょう中のタンパク質以外の成分がボーマン嚢にこし出される。これを原尿という。原尿からはブドウ糖や塩類などが再吸収され、残った成分が腎うに集まって尿となる。

◆肝臓

　肝臓では、小腸で吸収されたブドウ糖をグリコーゲンに再合成して蓄え、必要に応じて血液中にブドウ糖を放出する。さらに、毒性の強いアンモニアをオルニチン回路で毒性の弱い尿素に変える。また、脂肪の消化を助ける胆汁の合成（胆汁は胆嚢に貯蔵）、代謝による体温維持、解毒作用などがある。

◆ホルモン

　特定の器官（内分泌腺）でつくられ、体液中に分泌され、体の他の部分（標的器官）に作用し調節する物質をホルモンという。

◆脳下垂体と視床下部

　脳下垂体は間脳の視床下部にある器官で前葉、中葉、後葉の 3 つの部分にわかれ、種々のホルモンを分泌する。間脳の視床下部が、これらの分泌をコントロールする。

◆自律神経系

　内臓、皮膚、血管などに分布し、無意識・自律的に調節する神経。間脳の視床下部で調節される。自律神経系には、交感神経と副交感神経がある。交感神経は体を活動的にさせ、副交感神経は体を疲労回復に向かわせるように対抗的（拮抗的）に働く。

◎交感神経と副交感神経の作用の例

交感神経		副交感神経
拡大	瞳孔	縮小
促進	心臓拍動	抑制
上昇	血糖	低下
拡張	膀胱	収縮
上昇	血圧	低下

◆自律神経系とホルモンの協調

　血液中のブドウ糖を血糖といい、自律神経とホルモンによって調節される。

（1）高血糖のとき

　視床下部が感知し、副交感神経によりすい臓からインスリンを分泌させる。すい臓自身も高血糖を感知しインスリンを分泌する。インスリンは細胞でのグルコースの取り込みを促し、肝臓や筋肉でグルコースをグリコーゲンにすることにより血糖値が低下する。

（2）低血糖のとき

　視床下部が感知し、交感神経により副腎髄質からアドレナリンを分泌させる。アドレナリンは、貯蔵されているグリコーゲンをグルコースにするよう促す。別に、脳下垂体前葉より、副腎皮質刺激ホルモンが分泌され、次いで副腎皮質から糖質コルチコイドを分泌させ、タンパク質や脂肪をブドウ糖に変える。

出題パターン

　ヒトの肝臓の働きに当たるものとして、最も妥当なのはどれか。
（1）タンパク質の合成及び分解を行う。
（2）成長ホルモンを分泌する。
（3）体液のイオン濃度を一定に保つ。
（4）消化酵素のペプシンを分泌する。
（5）アドレナリンを分泌する。

解答　（1）

重要度
★★★

レッスン
06 刺激の受容と反応

刺激の受容器と効果器について・ヒトの神経系について学ぶ。刺激の伝わり方、脳の構造や神経系の構成が重要なポイントだ。

◆刺激の受容と反応

生物を取り巻く環境の変化を刺激という。刺激に対する反応を興奮といい、刺激を受け取る器官を受容器（感覚器）という。目、耳、鼻、舌、皮膚、筋肉などである。刺激は感覚神経を経て中枢神経系に伝わる。

また、中枢神経系からの指令によって刺激され、反応する器官を効果器（作動体）という。効果器には筋肉やべん毛、分泌腺などがある。中枢神経系からの指令は運動神経を経て効果器に伝わる。

◆ヒトの視覚器の構造と働き

光は角膜を通り瞳孔、水晶体、ガラス体を経て網膜の視細胞に達し、興奮は視神経に伝わり、大脳へ伝達される。視細胞には光の感度は弱いが、色の区別ができる錐体細胞と、色の区別はできないが、光に対する感度が大きいかん体細胞がある。

> **用語** **盲斑（盲点）**：視神経の束が出ていく部分で、視細胞がないので光を受容できない。

◆ヒトの聴覚器の構造と働き

ヒトの耳は外耳、中耳、内耳の３つの部分からなる。耳殻からの音は、外耳道を通り鼓膜を振動させ、耳小骨で増幅され、うずまき管内のリンパ液を振動させる。これが基底膜、コルチ器、聴細胞、大脳を経て音を感じる。また、内耳の中

の前庭は傾きの知覚を、半規管は回転方向の知覚に関与する。

◆刺激の伝達

神経組織を構成する細胞をニューロンといい、細胞体、樹状突起、軸索からなる。軸索は神経鞘で覆われ、軸索と神経鞘を合わせて神経線維という。ニューロン間の接続部分をシナプスといい、興奮が軸索の末端まで伝わると、神経伝達物質がシナプス小胞から放出され、シナプスの間隙を通って次の神経細胞の細胞膜にある受容体へと伝えられる。

 ワン・ポイント 神経伝達物質

> **アセチルコリン**：運動神経や副交感神経の末端から分泌される。
> **ノルアドレナリン**：交感神経の末端から分泌される。

◆興奮の伝達

（1）静止電位

ニューロンも細胞膜で覆われていて、膜の外側は Na^+ が多く、内側は K^+ が多い。膜の内側の K^+ は一部がカリウムチャネルを通って細胞外に流出するため、膜の内側が－の電荷、外側が＋の電荷になっている。刺激を受けていないときの、膜の内と外の電位差を膜電位といい、静止時の膜電位を静止電位という。

（2）活動電位

刺激を受け興奮が生じると、Na^+ が急激に膜内に流れ込み、電位が瞬間的に内

側が＋、外側が－に逆転する。この時の電位の変化を活動電位という。活動電位が発生すると興奮部と隣接部の間に電流が流れる。これを活動電流といい、活動電流が次々に伝わることで刺激が伝達される。

（3）限界刺激（閾値）

興奮を引き起こす最小限の刺激の強さを閾値と呼ぶ。

（4）全か無かの法則

閾値以下の刺激では興奮は起こらず、それ以上の強さになると興奮が起こる。刺激に対しては、全く反応しないか、一定の大きさで反応するかのどちらかである。これを全か無かの法則という。

◆ヒトの神経系

（1）中枢神経系

脊椎動物の中枢神経系は脳と脊髄からなり、脳は大脳、間脳、中脳、小脳、延髄に分かれる。脊髄は脊椎骨の中にあり、脳の延髄とつながる。

◎中枢神経の働き

大脳	運動、感覚、思考、記憶、言語などの精神活動の中枢
間脳	自律神経の中枢。血糖値、体温調節の中枢
中脳	眼球の反射など。姿勢を保つ中枢
小脳	体の平衡を保つ
延髄	呼吸、心臓拍動の調節。だ液の分泌
脊髄	脳への刺激の伝達。脊髄反射の中枢

大脳の表面に近い灰色の部分（大脳皮質）は細胞体が集合しているので灰白質という。中心部（大脳髄質）は軸索が集合し白色に見える。これを髄質という。

（2）末梢神経系

中枢から出て、体の各部に達する神経であり、働きによって体性神経系と自律神経系に区分される。また、末梢神経系はつくりの上から脳神経と、脊髄神経に分類できる。

・体性神経系

運動や感覚に関する神経で、受容器から中枢へ興奮を伝える神経を感覚神経、中枢から体の各部へ興奮を伝える神経を運動神経という。

・自律神経系

意志とは関係なく働き、内臓の働きを自律的に調整する。自律神経系は交感神経と副交感神経に分かれる。両者は拮抗的に作用する。

◆反射

刺激に対して無意識に起こる反応を反射という。反射は大脳以外の中脳、延髄、脊髄が中枢となる反応で、大脳を経由しない。刺激を受けてから反射が起こるまでの経路を反射弓という。

出題パターン

ヒトの聴覚に関する記述中の空所A〜Dに当てはまる語句の組み合わせとして、最も妥当なのはどれか。

ヒトの耳は外耳・中耳・内耳の3つの部分からなる。外耳に入ってきた空気の振動は中耳にある（A）を振動させる。その振動は中耳の（B）によって増幅され、中耳の（C）に伝えられる。（C）はリンパ液で満たされており、リンパ液が振動すると、音の周波数によって基底膜の特定の場所が振動する。基底膜の上にあるコルチ器官には聴細胞があり、音波の伝わりによる聴細胞の興奮が聴神経を経て（D）に伝わり、聴覚が生じる。

	A	B	C	D
(1)	外耳道	鼓膜	半規管	大脳
(2)	外耳道	鼓膜	うずまき管	小脳
(3)	鼓膜	耳小骨	うずまき管	大脳
(4)	鼓膜	耳小骨	半規管	小脳
(5)	鼓膜	うずまき管	半規管	大脳

解答（3）

レッスン 01 地球の内部構造・地層・岩石

地球の内部構造・地震波・地層の成り立ち・岩石の種類と特徴について学ぶ。
地層や岩石の分野は頻出分野であり、重要度が高い。

◆地球の形

地球の形は完全な球ではなく、赤道方向に少しふくらんだ回転楕円体であり、地球の大きさは、

・赤道半径…約6378km
・極半径…約6356km
・表面積…約 $5.1 × 10^8 km^2$

で、海洋部分が約70%を占める。

地球の表面を平らにならすと、海面で覆われ、その深さは約2700mになる。地球全体を平均海水面で覆ったときにできる球面で示した地球の形をジオイドという。

◆地震波

観測点に最初に到達する初期微動を起こす波をP波という。P波は縦波で、固体、液体、気体のいずれでも伝わる。地表付近での速さは5〜6km/sであり、S波より速い。

主要動を引き起こす波がS波で、横波である。S波は固体中のみを伝わる。地表付近での速さは3〜3.5km/sである。

（1）初期微動継続時間

P波が到達してからS波が達するまでの時間を、初期微動継続時間という。P波の速さを V_p (km/s)、S波を V_s (km/s) とし、震源から観測点までを d (km) とすると、初期微動継続時間 t (s) は以下の式になる。

$$t = \frac{d}{V_s} - \frac{d}{V_p}$$

（2）震度

地震の揺れの大きさを表す値を震度という。震度は0〜5弱、5強、6弱、6強、7までの10段階で表す。

（3）マグニチュード

地震のエネルギーの大きさを表す値がマグニチュードで、数値が1大きくなると、地震のエネルギーは約32倍になる。

> 【例題】 ある地点で観測したP波の到達時刻が12時59分57秒であり、S波の到達時刻が13時00分11秒であった。観測点から震源までの距離はいくらか。ただし、P波の速さは5.5km/s、S波の速さは3.3km/sとする。
>
> 【解説】 震源から観測点までの距離を x (km)、P波が観測点に到達するのにかかる時間を t (秒) とすると、P波について
>
> $x = 5.5t$
>
> また、S波については、初期微動継続時間が14秒なので、
>
> $x = 3.3(t + 14)$
>
> となる。両式より t と x を求めると
>
> $t = 21$ 秒、$x = 115.5$km
>
> となる。

◆地球の内部構造

地球の内部構造は、表層側から順に、地殻（0〜50km）、マントル（50〜2900km）、外核（2900〜5100km）、内核（5100〜6400km）と続く（kmはおおよその目安）。⇒ P.82 参照。

マントルはかんらん岩質の固体だが流動性がある。外核は高圧、高温のため鉄、ニッケルが融解した液体の層であり、内核は鉄、ニッケルの固体の層である。

01
地球の内部構造・地層・岩石

用　語　**モホロビチッチ不連続面**：地殻
とマントルの境界面のことであり、モホ
面ともいう。
グーテンベルク不連続面：マントルと外
核の境界面。
レーマン不連続面：外核と内核の境界面。

◆地殻の構造
　地殻は大陸地殻と海洋地殻に分けら
れ、高い山の部分では厚く、海などの低
い部分では薄い。
　大陸地殻は陸地部分の地殻で、厚みは
おおよそ 30km ～ 50km である。上層部
は花崗岩質、下層部は玄武岩質の岩石か
らなる。海洋地殻は海洋部分の地殻で、
厚みは 5km ～ 10km 程度である。花崗
質の岩石の層はなく、玄武岩質の岩石
の層のみからなる。
・**アイソスタシー**：地殻はマントルに浮
　かんだ状態で、厚みの厚いところと薄
　いところの重さは釣り合っていると考
　えられている。これをアイソスタシー
　（地殻平衡）と呼ぶ。
・**プレートテクトニクス**：地球の表面が
　プレートと呼ばれる固い岩盤で覆われ
　ていて、それぞれのプレートが 1 年
　に数 cm の速さで移動するという考え
　方。プレートどうしがぶつかるところ
　では山脈ができ、沈み込むところでは
　海溝ができ、規模の大きな地震が生じ
　る。
・**リソスフェア**：地表からマントル上部
　までの、粘性の大きい部分をリソス
　フェア、その下側の粘性の小さい部分
　をアセノスフェアという。プレートは
　リソスフェアにあたる。
・**マントル対流**：マントルは固体である
　が、対流をしている。これがプレート
　の移動を生じさせている。

◆日本付近のプレート
　日本付近には 4 つのプレートがある。
海洋プレートは大陸プレートの下側に沈
み込み、大陸プレートも少しずつ引きず
り込まれ岩石に歪みのエネルギーが蓄積
される。これが限界に達すると、岩石の
破壊が生じ、大きなエネルギーが放出さ
れ巨大地震が発生する。
◆火山活動
　岩石のもとになる、地下の溶解した物
質をマグマという。地表に噴出したもの
が溶岩である。マグマはマントル上部で
生じ、上昇して地殻のマグマ溜りに蓄え
られる。マグマ溜りの圧力が上昇すると、
火山の噴火などが生じる。
◆火山噴出物
・**火山ガス**：大半が水蒸気で、二酸化炭
　素、二酸化硫黄、硫化水素を含む。
・**火山砕屑物**：噴火で飛び散る岩石のこ
　とで、火山岩塊、火山れき、火山灰な
　どがある。
・**溶岩**：マグマが地表に噴出したもの
　で、冷えて固まると火山岩になる。
◆溶岩の性質と噴火の形式
　粘性の小さい溶岩では、穏やかな噴火
が起こり溶岩流が発生しやすく、溶岩台
地や楯状火山を形成する。粘性が大きい
と爆発的な噴火になり、溶岩ドームがで
きることもある。
◆火成岩
　マグマが固まってできる岩石を火成岩
といい、火山岩と深成岩に分類される。
・**火山岩**：マグマが急激に冷えて固まっ
　てできた岩石。細かな結晶やガラス質
　（石基）の間に、大きな鉱物粒（斑晶）
　が含まれる。これを斑状組織という。
・**深成岩**：マグマがゆっくりと固まって
　できる岩石。岩石中の鉱物粒は大きく、
　大きさがそろっている。これを等粒状
　組織という。

ワン・ポイント 火山岩と深成岩

火山岩		玄武岩	安山岩	流紋岩
深成岩	かんらん岩	斑れい岩	閃緑岩	花崗岩
色	黒っぽい ◀━━━━▶ 白っぽい			

◆**流水の働き**

　河川の働きには侵食、運搬、堆積の3つがある。

（1）侵食による地形

　勾配の大きい河川の上流部では、川底が侵食されV字谷ができる。中流域では、河床の隆起後川底が侵食され河岸段丘ができる。下流域では、川の蛇行が進んだ河川に洪水などで大量の水が流れることがあると、河川は再びまっすぐに流れ、残された部分に三日月湖ができる。

（2）堆積による地形

　山間部から平野部に出る部分には、土砂が扇形に堆積した扇状地ができる。下流域では、河口付近に三角州ができる。また、河床が周りより高くなる天井川ができることもある。

◆**堆積岩**

　風化や侵食でできた岩石が、運搬され堆積してできる岩石を堆積岩という。堆積岩は堆積物の起源や種類によって砕石岩、生物岩、化学岩に分類される。

◆**堆積岩の分類と名称**

・**砕屑岩**：風化、侵食によってできたれき、砂、泥が堆積した岩石。

れき岩	粒子の直径が 2mm以上のもの
砂岩	粒子の直径が 2 〜 1/16mmのもの
泥岩	粒子の直径が 1/16mm以下のもの

・**生物岩**：生物の遺骸が堆積した岩石。

・**化学岩**：水中に溶けている成分が沈殿し堆積した岩石。石灰岩、チャートな

ど。

石灰岩	炭酸カルシウムを主成分とする。貝殻、サンゴ、フズリナなどからできている
チャート	海水中のケイ酸分が主成分。放散虫、珪藻土などからできている
石炭	植物からできている

◆**地層**

　大きな地殻変動がない場合、地層が堆積するとき下から上に重なるので、上側の地層の方が下側より年代が新しい。これを地層累重の法則という。

　地層と地層の境界面を層理面といい、流れのない水底に地層が堆積する場合、粒の大きいものほど下位になる。こうしてできた層理を級化層理という。細い筋状の模様（ラミナ）が斜めに交わったものをクロスラミナという。

> **用語 ラミナ**：葉理と呼ばれる、地層中の成層構造の最小単位のこと。類似した葉理が重なり単層を形成し、単層が何枚か重なり地層となる。

（1）整合と不整合

　層理が連続して堆積したものを整合といい、地層が隆起し、風化・侵食をうけた後再び沈降し、新しい地層が堆積するような大きな地殻変動があった場合を不整合という。不整合は陸化があったことを示す。

（2）基底れき岩

　地層が隆起したのち、風化・侵食を受けるため、不整合面には不規則な凹凸が生じる。その上のれき岩の層を基底れき岩という。

◆**断層**

　地層が圧力や張力を受けて破壊され、ある面を境にずれたもの。

・**正断層**：水平方向の張力による断層。

上盤側がずり落ちている。

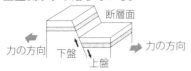

・**逆断層**：水平方向の圧力による断層。上盤側が乗り上げる。

・**横ずれ断層**：水平方向に地層がずれたもの。

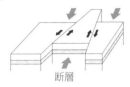

断層

・**褶曲**：地層が横方向からの圧力で、波状に曲げられたもの。褶曲の波形の谷の部分を向斜、褶曲の波形の山の部分を背斜という。
・**活断層**：数十万年前に動いた断層で、今後も動く可能性のある断層。

ワン・ポイント　日本の代表的な活断層

中央構造線：関東から西南日本を横断し、九州に至る日本最大級の断層群。
糸魚川―静岡構造線：親不知（新潟県）から諏訪湖を経由し、安倍川（静岡市）に至る巨大な断層。
断層の集まりを構造線という。

◆**化石と地質年代**

化石は地質時代の生物の遺物であり、生物の遺体や足跡、糞などの生痕を含む。示準化石と示相化石がある。

示準化石	特定の時代の地層にだけ発見され、地層の年代の推定に役立つ化石	生存期間が短い。数多く発見される。地理的分布が広い
示相化石	地層が堆積した時代の環境が推定できるような化石	現生種と比較して、生息環境がある程度推定できる。化石が流水などで運搬されていない

＋アルファ　**示準化石**：三葉虫、フズリナ、アンモナイト
示相化石：始祖鳥、マンモス

◆**造山運動と変成岩**

激しい地殻変動が起きている地域を造山帯という。造山運動は大山脈を作るような大規模な地殻変動で、数千万年から数億年の規模で生じる。それを引き起こしているのがプレートの衝突である。

◆**変成岩**

堆積岩や火成岩が地下で高温、高圧を受けて変化した岩石を変成岩という。鉱物が一定方向に並んだ構造（片理）で板状にはがれる。光沢があり、化石を含まないなどの特徴がある。

（1）接触変成岩

周囲の岩石がマグマの熱で変成作用を受けることを接触変成作用といい、そうしてできる岩石を接触変成岩という。泥岩や砂岩が変成作用を受けてできるホルンフェルス、石灰岩が変成作用を受けてできる結晶質石灰岩（大理石）などがある。

（2）広域変成岩

造山運動の際の広域での高圧、高温による変成を広域変成作用という。この時できるのが広域変成岩である。片麻岩、結晶片岩、千枚岩などがある。

レッスン 02 地球の熱収支

ここでは、大気圏の構造、水の循環について学び、地球全体としての熱のつり合いである地球の熱収支を考えよう。また、フェーン現象も取り上げる。

◆大気圏の構造

大気の層は高さとともに、気温、密度、組成などが変化する。上空 80km までは窒素（約 80%）、酸素（約 20%）、アルゴン、二酸化炭素などを含む。それ以上では、酸素原子とヘリウムが多くなる。

（1）大気圏の構造

- **対流圏**：地表〜約 11km 上空までの範囲。大気の対流が活発で雲や降水などの気象現象が起こる。高度が 100m 上昇するごとに、気温が約 0.65℃低下する。
- **成層圏**：約 11km 〜約 50km の範囲。20km 付近までは気温はほぼ一定で、その後は気温が上昇する。20km 〜30km 付近にオゾン層があり、太陽の紫外線が吸収されるためである。
- **中間圏**：約 50km 〜 80km の範囲。高度とともに気温は低下し、80km 付近で最低気温（約− 85℃）になる。
- **熱圏**：約80km〜大気圏の終わり（500km）まで高度とともに気温は急激に上昇する。大気中の分子や原子が紫外線でイオンになり電波を反射する。これを電離層という。オーロラが出現するのは熱圏。
- **外気圏**：熱圏より外側の部分。
- **圏界面**：対流圏と成層圏の境目。

> **用語　オゾン層**：成層圏に存在するオゾン（O_3）の多い層。太陽からの有害な紫外線を吸収し、地表に届かないように保護する役目がある。

（2）太陽放射

太陽のエネルギーは紫外線、可視光線、赤外線の形で地球に伝わるが、そのうち可視光線によるもののエネルギーが最も大きい。

（3）太陽定数

地球の大気圏の外側で、太陽光線に垂直な $1m^2$ の面積が 1 秒間に受ける太陽光線のエネルギーを太陽定数という。その値は $1.37kW/m^2$ である。

◎太陽定数

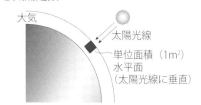

大気
太陽光線
単位面積（$1m^2$）
水平面（太陽光線に垂直）

◆地球の熱収支

地球は赤外線を放射して熱を放出している。これを地球放射という。また、地球の大気や雲も太陽放射を吸収、反射、散乱、熱放射する。このような熱の出入りを熱収支といい、地球の熱収支はつり合っている。入射する太陽放射のうち、地表に吸収されるのは約半分である。

◆熱収支の緯度による違い

緯度によって太陽高度が異なるため、単位面積当たりの太陽放射のエネルギーも低緯度地域で多く、高緯度地域で少なくなる。

一方、地球の放射するエネルギーは緯

度による違いは少ない。そのため緯度ごとの熱収支は釣り合わず、低緯度地域では熱が過剰になり、高緯度地域では不足する。

これを解消するために、低緯度地域の熱は高緯度地域へ大気の循環、海流、水蒸気（潜熱）によって運ばれる。

◆水の循環

水は固体、液体、気体と状態を変化させるときに熱の出入りを伴い、これが地球上で熱を運ぶ役割をしている。

ワン・ポイント　状態変化と熱

物質の固体、液体、気体の状態を三態という。三態の変化に伴う熱を潜熱といい、気体から液体に変わるとき凝縮熱（凝結熱）が放出され、液体から気体に変わるときには蒸発熱（気化熱）が吸収される。固体から液体への変化では融解熱が吸収され、液体から固体への変化では凝固熱が放出される。

◆飽和水蒸気圧

一定温度で単位体積あたりに含まれる水蒸気が示す最大の圧力を飽和水蒸気圧という。温度と飽和水蒸気圧の関係を示したグラフを蒸気圧曲線という。

◆湿度（相対湿度）

ある温度での飽和水蒸気圧に対する実際の水蒸気圧の割合を湿度といい、空気の湿り具合を示す。

$$\text{相対湿度} \atop \text{(\% RH)} = \frac{\text{実際の水蒸気圧}}{\text{その温度での飽和水蒸気圧}} \times 100$$

◆断熱変化

周囲との熱の出入りを断って気体の体積を変化させることを断熱変化という。体積が膨張すると温度が下がり、圧縮すると温度が上がる。

用語　乾燥断熱減率：水蒸気が不飽和状態で断熱的に上昇するとき、100m 高度が上昇するごとに約1℃温度が低下する。

湿潤断熱減率：飽和状態では100m 上昇すると 0.5℃温度が低下する。これは飽和している水蒸気が凝結し、凝縮熱を放出するため温度の減率が小さくなるためである。

ワン・ポイント　フェーン現象

暖かく湿った空気が山の斜面を上昇すると、ある高度から飽和になった水蒸気が雨となり、このとき 100m 上昇するごとに 0.5℃気温が低下する。雨を降らせた空気は、乾燥し山頂から100m 下降するごとに 1.0℃温度が上昇するため、高温の風となって吹き下る。このような現象をフェーン現象という。

出題パターン

地球の大気に関する記述として、最も妥当なのはどれか。
(1) 地表付近の大気の組成は、体積比で酸素約 78%、窒素約 21% である。
(2) 大気圏内では、気圧は高度とともに小さくなり、気温は高度とともに下降する。
(3) 地表から約 10km までを中間圏といい、雲ができたり雨が降ったりする気象現象はこの範囲で起こる。
(4) 高度約 10km ～ 50km までの範囲を対流圏といい、この上層にあるオゾン層が多く含まれる層をオゾン層という。
(5) 高度約 80km ～ 500km までの範囲を熱圏といい、この範囲にある高度 100km 付近で太陽から放出された電子などの粒子が大気の分子と衝突し、オーロラと呼ばれる現象が起こる。

解答　(5)

大気と海洋・気象・環境問題

レッスン 03

熱収支に伴う風の流れと海洋の役割について学ぶ。さらに重要度の高い分野である環境問題について考えていこう。

◆**風**

大気中に生じる気圧の差による大気の流れを風という。風は気圧の高い方から低い方に向かって吹く。等圧線の間隔が狭いほど、風は強い。水平方向の2地点の気圧差を気圧傾度といい、その力を気圧傾度力という。

◆**熱対流による風**

周囲より温度が高い部分では上昇気流が生じ、その下層で空気が流れ込み対流が生じる。このとき風が生じる。

- **海陸風**：日中に海から山に向かって吹き、夜間は山から海に吹く風。水は比熱が大きく、昼間は海より陸地の方が温度が高くなり、地表付近では海からの風が吹く。一方、夜間は海の方が温度が高いので、陸側から海に風が吹く。

- **季節風**：夏には海洋から大陸に向かって風が吹き、冬には大陸から海洋に向かって風が吹く。夏は陸地の方が高温で、冬は海洋の方が高温になるため。

◆**大気の大循環**

地球は低緯度地帯で熱が余り、高緯度地帯で不足している。これによって生じる温度差を解消するため、大気の循環によって熱が移動する。大気の大循環は、緯度ごとに生じる3つの循環と考えることができる。

① **緯度0°〜30°付近**：赤道付近の熱帯収束帯で上昇した大気が緯度30°付近（亜熱帯高圧帯）で下降し、低緯度地帯への北東貿易風（南半球では南東貿易風）が吹く（ハドレー循環）。

② **緯度30°〜60°付近**：亜熱帯高圧帯で下降した大気は、一方で高緯度地帯で偏西風となり、寒帯前線で上昇する（フェレル循環）。

③ **緯度60°〜90°付近**：極高圧帯から東風（極偏東風）が吹き出す（極循環）。

◎大気の循環

◆**気団と前線**

周囲より気圧の高いところを高気圧という。上空で空気はまとまり、下降気流を生じ一般に天気は良い。周囲より気圧の低いところを低気圧といい、上昇気流が生じるため、雲が発達し天気は悪い。

（1）気団

大陸や海洋上に長期間とどまる高気圧により、広い範囲で均一な性質の大気のかたまりを気団という。

（2）前線

2つの異なる気団の境界面にできる、厚さ1kmほどの層を前線面という。前線面が地表面と交わる線が前線である。

- **温暖前線**：暖かくて軽い空気（暖気）が冷たくて重い空気（寒気）の上にゆるやかに上昇し、寒気を押しながら移

動する前線。前線の寒気側の広い範囲で曇りや雨になる。前線通過後は気温が上昇し、天気は回復する。

・**寒冷前線**：寒気が暖気の下にもぐり込み、暖気を押し上げながら移動する前線で、寒冷前線付近では積乱雲が発生し、天気が荒れる。雷雨や突風を伴う強い雨が狭い範囲に降り、前線の通過後は気温が急激に下がる。

・**停滞前線**：寒気と暖気の勢力がほぼ等しいとき、両方の気団が動かず停滞する。

◆**台風**

熱帯地方で生じる熱帯低気圧で、10分間の平均で求めた最大風速が 17.2m/s 以上のものを台風という。

◆**日本の天気**

冬	シベリア上空にシベリア高気圧が発達し、日本の東海上に低気圧が生じて、西高東低の気圧配置になる。そのため北西の季節風が吹く。日本海側に大雪が降る一方、太平洋側は乾燥した晴天が続く
春	揚子江付近から移動性高気圧がやってきて、天気は周期的に変化する
梅雨	北のオホーツク海高気圧と南の小笠原高気圧（太平洋高気圧）の間に、梅雨前線が生じ雨が続く。湿った空気が梅雨前線に流れ込むと豪雨になることもある。小笠原高気圧の勢力が強まり、前線が押し上げられると、梅雨が明ける
夏	小笠原高気圧が日本列島を覆い、南高北低の気圧配置になる。高温多湿で南寄りの風が吹く
秋	春と同じく移動性高気圧と低気圧が交互にやってきて、天気は周期的に変化する

◆**海洋の役割**

海水は比熱が大きいため、多くの熱を蓄えている。海洋は大気全体の約30倍の熱量を蓄える。この熱は海流によって、高緯度地域に運ばれたり、大気を温める。さらに海洋には多量の二酸化炭素が溶け込み、その量は大気の数十倍といわれる。

ワン・ポイント　エルニーニョ現象

ペルー沖の海水温が平年より上昇する現象のこと。このとき、日本では梅雨が長引いたり、冷夏、暖冬になる。逆に、ペルー沖の海水温が異常に低くなる現象をラニーニャ現象といい、日本では夏が猛暑で冬の寒さが厳しくなる。

◆**環境問題**

（1）**地球温暖化**

二酸化炭素は赤外線を通過させず、地球の熱放射を遮断し気温が上昇する。これを温暖化という。温暖化で海水面の上昇や、勢力の強い台風が多く発生したり、病原となる生物の生存域が広まる危険がある。

（2）**オゾン層の破壊**

冷却剤や洗浄剤に含まれるフロンガスがオゾン層を破壊する。オゾン層に穴（オゾンホール）が開くと紫外線が直接地表に達し、皮膚ガンや目の障害の危険が増す。

（3）**酸性雨**

化石燃料の燃焼で生じる硫黄酸化物や窒素酸化物が酸性雨となって地表に降り注ぐ。酸性雨の影響で、湖沼のプランクトンが死滅し生態系が破壊されたり、土壌のアルミニウムなどが溶け出し植物に被害が及ぶ。

（4）**森林伐採・砂漠化**

熱帯林が焼畑農業、過剰放牧、伐採などで破壊され、表土の流出などが生じ森林が失われる。土壌中の塩分が地表に蓄積する塩害も大きな問題となっている。

（5）**光化学スモッグ**

車の排気ガスや工場の排煙に含まれる窒素酸化物や揮発性有機化合物が紫外線によってオゾンやホルムアルデヒドに変化する。これらの濃度が高くなると目や呼吸器に障害を引き起こす光化学スモッグとなる。

03 大気と海洋・気象・環境問題

レッスン 04 地球の自転と公転・太陽系

地球の自転と公転の証拠・太陽と太陽系の惑星の特徴をまとめる。太陽の構成や太陽系の惑星の特徴が頻出分野だ。

◆地球の自転と公転

・**天体の日周運動**…天体が約 1 日の周期で、東から西へ移動することを日周運動という。地球の自転による見かけの運動である。

> **用語 天球**：地球を中心とした天体を投影する球。
> **天の赤道**：地球の赤道面を拡大してできる天球上の円。
> **天の黄道**：天球上で太陽が 1 年かけて移動する道筋。
> **天の北極**：地球の北極の延長線が天球と交わる点。
> **天頂**：地上の観測者の真上の点。
> **天の子午線**：天の北極、南極、天頂を結ぶ円。

・**南中**…恒星が天の子午線を通過することを南中という。そのときの南の地平線から測った高度を南中高度という。

> **南中高度の求め方（北半球）**
> ①春分、秋分の日の太陽は天の赤道上にあるので、（90°−観測点の緯度）
> ②夏至の日の太陽では、太陽が天の赤道から 23.4°北にずれるので、90°−（緯度−23.4°）
> ③冬至の日では、南に 23.4°ずれるので、90°−（緯度＋23.4°）

・**周極星**：地平線に没せず常に地平線上にある恒星を、周極星という。

・**出没星**：東の地平線から出て、西の地平線に没する恒星を出没星という。

◆地球の自転の証拠

地球は地軸を中心に 23 時間 56 分 4 秒で西から東へ 1 回転する。これを 1 恒星日という。地軸は地球の公転軌道面と垂直な方向から 23.4°傾いている。

(1) フーコーの振り子

長い針金に重い振り子をつるして振ると、北半球では振り子の振動面が時計回りに移動する。これは、振り子の振動面は回転しないが、観測者が地球の自転で移動しているため、振動面が移動していると感じるからである。赤道上では振動面は回転せず、北極上では 1 日に 1 回転する。

(2) コリオリの力

地球の自転により、運動する物体に対してはたらく見かけの力。転向力ともいう。北半球では運動の向きが右へそれ、偏西風などの原因となる。

◆地球の公転の証拠

地球は太陽の周りを 365.25 日で一周する。これを 1 恒星年という。公転の向きは、北極の上空から見て反時計回りである。地球の公転の証拠には次のようなものがある。

・**年周視差**：遠くの恒星の位置は変化しないが、近くの恒星は地球の公転によって季節ごとに見える位置が異なる。このと

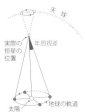

きのずれの最大角の 1/2 を年周視差という。

- **年周光行差**：地球が公転しているので、恒星からの光は、実際の方向より斜め前からくるように見える。恒星の真の方向と、見かけの方向の角度を年周光行差という。

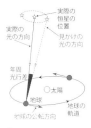

◆太陽

太陽は、大半が水素で、次いでヘリウムからできている。半径は地球の約 109 倍、質量は地球の約 33 万倍である。

太陽の表面部分を光球とよぶ。その表面温度は約 6000 K（ケルビン）で、光球面に現れる黒い斑点を黒点といい、周囲より温度は低い（約 4000 K）。

太陽の大気は、光球の外側の厚さ約 2000km の層である彩層、彩層の外側の層のコロナ（温度は 100 万 K 以上）からなり、彩層から出る炎のような突起をプロミネンス（紅炎）という。

> **用語** **フレア、デリンジャー現象：**フレアは黒点付近の彩層が急に燃え上がる現象で、多量の紫外線、X 線、荷電粒子などが放出される。地球では電離層が乱れて、通信障害が発生する。これをデリンジャー現象という。

◆恒星・惑星・衛星

自ら光を発する星を恒星という。恒星の周りを公転する星を惑星といい、惑星の周りを公転する星を衛星という。

◆太陽系の惑星

- **地球型惑星**：水星、金星、地球、火星。惑星は小さく、重力が小さいため軽い大気を引きとめられず、二酸化炭素や窒素が薄い大気層を作る。
- **木星型惑星**：木星、土星、天王星、海王星。惑星は大きく、重力が大きい。多くの衛星や環を持ち、水素やヘリウムが厚い大気層を作る。

◎主な惑星の特徴

水星	大気がなく、昼の温度と夜の温度の差が 600℃ 近くになる。表面に多数のクレーターがある
金星	二酸化炭素の雲に覆われ、温室効果のため、表面温度が 470℃ に達する。自転周期は約 243 日である
火星	赤茶けた惑星で大気は薄く、極冠と呼ばれる氷が存在し、かつては水が流れていた。自転周期はほぼ地球と同じ
木星	太陽系最大の惑星。水素とヘリウムを主成分とする大気に覆われている
土星	微細な岩石や氷の粒でできた環を持つ惑星

> **ワン・ポイント　恒星の明るさと距離**
>
> 星の明るさは等級で表し、数字が大きくなるほど暗い星を示す。年周視差 1"(1秒) になる距離（3.26 光年）を 1 パーセクという。恒星を 10 パーセクの距離に置いたときの明るさの等級を絶対等級という。

> **🎀 出題パターン**
>
> 　恒星の性質に関する記述として、最も妥当なものはどれか。
> (1) 地球から見た天体の明るさを見かけの等級といい、明るい星ほど等級は大きくなる。
> (2) 地球と太陽間の平均距離に対して呼応性のなす角を年周視差といい、遠方の恒星ほど大きくなる。
> (3) 恒星までの距離を表す単位にパーセクがあり、1 パーセクは光が 1 年間に進む距離である。
> (4) すべての恒星を 10 パーセクの距離において見たと仮定したときの恒星の明るさの等級を絶対等級という。
> (5) 恒星は表面温度の違いによって色が異なり、赤い恒星は青い恒星より表面温度が高い。
>
> 解答（4）

No.1

$$\begin{cases} -x-5 > 2(x-1) \quad \cdots A \\ \dfrac{4x-3}{3} \geqq \dfrac{2x-1}{2} \cdots B \end{cases}$$

の解として、正しいのはどれか。

(1) $x > -1$
(2) $x < -1$
(3) $x \geqq \dfrac{3}{2}$
(4) $-1 < x \leqq \dfrac{3}{2}$
(5) 解なし

正答：(5)

まず、A を解くと

$-x-5 > 2x-2$

$-3x > 3$

$x < -1$

次に、B を解く。両辺に 6 をかけて、分母を払うと

$2(4x-3) \geqq 3(2x-1)$

$8x-6 \geqq 6x-3$

$2x \geqq 3$

$x \geqq \dfrac{3}{2}$

A、B を同時にみたす x は、数直線より、解なし。

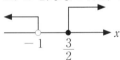

No.2 頂点の座標が $(1, -1)$ で、y 切片が 1 である 2 次関数の式として、正しいのはどれか。

(1) $y = (x-1)^2 - 1$
(2) $y = (x+1)^2 - 1$
(3) $y = 2(x-1)^2 - 1$
(4) $y = 2(x+1)^2 - 1$
(5) $y = \dfrac{1}{2}(x-1)^2 - 1$

正答：(3)

頂点の座標が $(1, -1)$ である 2 次関数の式は

$y = a(x-1)^2 - 1$　とおける。

y 切片が 1、つまり $x = 0$ のとき $y = 1$ なので、代入すると

$$1 = a(0 - 1)^2 - 1$$
$$1 = a - 1$$
$$2 = a$$

よって、求める 2 次関数は

$$y = 2(x - 1)^2 - 1$$

No.3　x の方程式

$$x^2 + 2x - 3 + a = 0$$

が実数解をもつ自然数 a の個数として、正しいのはどれか。

(1) 1 個　(2) 2 個　(3) 3 個
(4) 4 個　(5) 5 個

練習問題

正答：(4)

x の係数が偶数なので、判別式 $\dfrac{D}{4}$ を用いる。実数解をもつとき、$\dfrac{D}{4} \geqq 0$ なので

$$1^2 - 1 \cdot (-3 + a) \geqq 0$$
$$1 + 3 - a \geqq 0$$
$$-a \geqq -4$$
$$a \leqq 4$$

a は自然数なので

$a = 1$、2、3、4　の 4 個

No.4　第 4 項が 6、第 7 項が 48 である等比数列の初項の値として、正しいのはどれか。

(1) 3　(2) $\dfrac{3}{2}$　(3) $\dfrac{3}{4}$

(4) $\dfrac{3}{8}$　(5) $\dfrac{3}{16}$

正答：(3)

初項を a、公比を r とおくと、一般項は

$$a_n = ar^{n-1}$$

第 4 項が 6 なので、$a_4 = ar^{4-1} = ar^3 = 6$　……①
第 7 項が 48 なので、$a_7 = ar^{7-1} = ar^6 = 48$　……②

②÷①より　$\dfrac{ar^6}{ar^3} = \dfrac{48}{6}$

$$r^3 = 8 = 2^3$$

これを①に代入して

$ar^3 = a \times 8 = 6$

$$a = \frac{6}{8} = \frac{3}{4}$$

No.5　直線道路上で停止していた車が、一定の加速度で加速し、10秒後に8.0m/sの速度に達した。その後30秒間等速で直進した後、ブレーキをかけて一定加速度で減速し5秒後に停止した。車が動き出してから止まるまでに進んだ距離として、正しいのはどれか。

（1）150m

（2）240m

（3）300m

（4）420m

（5）560m

正答：（3）

　速度と時間と加速度の関係式は、初速度 v_0(m/s)、t秒後の速度 v_t(m/s)、加速度 a(m/s^2)、時間 t(s) とすると、$v_t = v_o + at$ である。ここでは、初速度が0なので、初めの加速度は 8.0/10(m/s^2) となる（速度の変化を、かかった10秒で割っても同じ）。

　また、この間に移動した距離は、$v^2 = 2ax$ より（v：速度、a：加速度、x：移動距離）

　　$8.0^2 = 2 \times 8.0/10 \times x$

　$x = 40$m である。

　等速直線運動での移動距離は、$8.0 \times 30 = 240$m である。

　減速時の加速度は $0 = 8.0 + a \times 5.0$ より、$a = -8.0/5$(m/s^2) であり、その間の移動距離は、$0^2 - 8.0^2 = 2 \times (-8.0/5) \times x$

　$x = 20$m である。よって、移動距離の合計は、$40 + 240 + 20 = 300$m となる。

No.6　図の抵抗は、$R_1 = 9\ \Omega$、$R_2 = 10\ \Omega$、$R_3 = 15\ \Omega$ である。AC間の合成抵抗の大きさと、AC間に120Vの電圧をかけたとき、R_2 に流れる電流の大きさの組み合わせとして、最も妥当なのはどれか。

（1）6 Ω、20A

（2）12 Ω、15A

（3）15 Ω、7.2A

（4）12 Ω、8.4A

（5）15 Ω、4.8A

正答：（5）

　BC間の合成抵抗は、$\dfrac{1}{R} = \dfrac{1}{10} + \dfrac{1}{15} = \dfrac{5}{30}$ より、$R = 6\ \Omega$ である。よってAC間の合成抵抗の大きさは、$9 + 6 = 15\ \Omega$ である。

　R_1 を流れる電流は、オームの法則より $\dfrac{120}{15} = 8$A であり、R_1 にかかる電圧は $8 \times 9 = 72$V である。

　よってBC間にかかる電圧は $120 - 72 = 48$V で、これが R_2、R_3 にかかるので、R_2 を流れる電流は $\dfrac{48}{10} = 4.8$A となる。

No.7　次の各物質の中で、物質量が最大のものと、最小のものはどれか。原子量は H:1　C：12　O：16　アボガドロ定数は 6.0×10^{23}/mol とする。

(1) 0.20mol の水素中の水素原子

(2) 3.6g の水分子

(3) 標準状態で 5.6L の二酸化炭素

(4) 炭素原子 3.6×10^{23} 個

(5) 13.2g の二酸化炭素

正答：最大（**4**）　　最小（**2**）

それぞれの物質量は以下の通り。

(1) 水素分子 1mol 中には、水素原子 2mol が含まれるので、0.40mol

(2) $3.6 \div 18 = 0.20$mol

(3) $5.6 \div 22.4 = 0.25$mol

(4) $3.6 \times 10^{23} \div 6.0 \times 10^{23} = 0.60$mol

(5) $13.2 \div 44 = 0.30$mol

No.8　物質の状態変化に関する記述中の空所 A 〜 C に当てはまる語句の組み合わせとして、最も妥当なのはどれか。

あらゆる物質は、温度と圧力が決まると、固体、液体、気体のいずれかの状態をとる。この 3 つの状態を物質の三態という。固体から液体への変化を（　A　）、その逆の変化を凝固という。また、液体から気体への状態変化を蒸発、その逆の変化を（　B　）という。このほか、固体が直接気体になる変化を（　C　）といい、その逆の変化を凝華という。

	A	B	C
(1)	融解	凝縮	揮発
(2)	溶解	凝縮	揮発
(3)	融解	蒸留	昇華
(4)	溶解	蒸留	揮発
(5)	融解	凝縮	昇華

正答：（5）

固体から液体への変化を融解、その逆の変化を凝固という。また、液体から気体への状態変化を蒸発（もしくは気化）、その逆の変化を凝縮（もしくは凝結）という。固体が直接気体になる変化を昇華、気体から固体になる変化を凝華という。融解の起こる温度を融点、液体の内部から蒸発が生じる現象を沸騰といい、沸騰の起こる温度を沸点という。液体は沸点に達しなくても表面から蒸発が起こる。沸騰は液体内部からの蒸発であり、沸点は蒸気圧と大気圧が等しくなる時の温度である。

また、融解の際に必要な熱は融解熱と呼ばれ、凝固の際に放出される熱は凝固熱と呼ばれる。融解熱と凝固熱の値は等しい。また、蒸発の際に必要な熱を蒸発熱といい、凝縮の際に放出される熱を凝縮熱という。

No.9　合金に関する次の記述のうち、正しいものはどれか。

(1) 銅にニッケルを含む合金を黄銅といい、硬貨などに使われている。

(2) アルミニウムにクロムやニッケルを含むものをジュラルミンといい、航空機の機

体に使われている。

(3) 鉄に銅、マグネシウムなどを含むものをステンレスといい、さびにくい性質を持つ。

(4) 有害な鉛を含まない、スズ、銀、銅を含むはんだを無鉛はんだという。

(5) 銅にスズを含む合金を白銅といい、ブロンズ像などに使われる。

正答：(4)

(1) ✕ 銅にニッケルを含む合金を白銅という。50 円硬貨や 100 円硬貨に使われている。黄銅は銅と亜鉛の合金である。

(2) ✕ アルミニウムに銅、マグネシウムなどを含む合金をジュラルミンという。軽くて強度に優れるので、航空機のボディーに使用されている。

(3) ✕ 鉄にクロム、ニッケルを含む合金をステンレス鋼という。さびにくい特徴がある。

(4) ○ 鉛は人体に有害なので、最近でははんだに使用せず、スズ、銀、銅を含む無鉛はんだが使われるようになってきている。

(5) ✕ 銅にスズを含む合金を青銅（ブロンズ）という。

No.10 DNA と RNA に関する次の記述のうち、最も妥当なのはどれか。

(1) DNA は五炭糖、塩基、リン酸でできるヌクレオチドが縮合してできたポリヌクレオチドであり、遺伝情報を含む。

(2) DNA は分子鎖間に水素結合があり、そのため二重らせん構造をとる。この際、塩基のアデニンとグアニン、シトシンとチミンの間で相補的対合をする。

(3) RNA は 1 本の分子鎖の構造をしており、構成する糖はリボースである。構成塩基は、アデニン、グアニン、シトシン、チミンである。

(4) DNA は核酸の一種であり、細胞内のリボソームに含まれている。

(5) RNA の働きは、DNA の遺伝情報を読み取り、ミトコンドリア内でアミノ酸の配列を行いタンパク質の合成を行わせることである。

正答：(1)

(1) ○ DNA の基本構造単位はヌクレオチドと呼ばれる。塩基とリン酸、デオキシリボース（五炭糖）が結合したものである。ヌクレオチドはさらに糖とリン酸が結合（縮合）してポリヌクレオチドができる。これが DNA である。

(2) ✕ DNA は 2 本のヌクレオチド鎖の間で、塩基どうしが水素結合で結ばれた二重らせん構造をしている。その際、対になる塩基の種類は決まっており、アデニンとチミン、グアニンとシトシンが対になる。これを塩基の相補性という。

(3) ✕ RNA を構成する塩基は、アデニン、グアニン、シトシン、ウラシルである。

(4) ✕ DNA は染色体の本体であり、細胞の核内に存在する。

(5) ✕ RNA は、DNA に遺伝情報を m-RNA に転写し、t-RNA がアミノ酸をリボソームに運んできてそこで結合し、タンパク質が合成される。

No.11 次のそれぞれのホルモンのうち、体内の血糖値を下げる働きをするものとして最も妥当なのはどれか。

(1) インスリン
(2) グルカゴン
(3) アドレナリン
(4) チロキシン
(5) 糖質コルチコイド

正答：(1)

(1) ○　インスリンはすい臓で分泌され、糖をグリコーゲンに合成する反応を促し、血糖値を下げる働きをする。
(2) ×　グルカゴンもすい臓で分泌されるが、グリコーゲンを分解してグルコースにする反応を促進し、血糖値を上昇させる。
(3) ×　アドレナリンは副腎髄質から分泌され、肝臓中のグリコーゲンの分解を促進し血糖値を増加させる。
(4) ×　チロキシンは甲状腺ホルモンであり、代謝を促進し体温上昇に働く。
(5) ×　糖質コルチコイドは副腎皮質から分泌され、タンパク質や脂肪からグルコースを作り出して、血糖値を上昇させる。

No.12　火成岩に関する記述として、最も妥当なものはどれか。
(1) マグマが固化してできた火成岩には、深成岩、火山岩、堆積岩の3種類がある。
(2) 火山岩の特徴を示す斑状組織は、細かい結晶やガラス質の集まりである斑晶と、大きな結晶である石基からなる。
(3) 深成岩は、粒径のそろった鉱物結晶の集合体で、ガラス質は含まれない。
(4) 火成岩は、ケイ長質鉱物と呼ばれる鉄やマグネシウムを含む黒っぽい鉱物からなる。
(5) 深成岩に分類される例として、流紋岩、結晶片岩、大理石がある。

正答：(3)

(1) ×　火成岩には、深成岩、火山岩の2種類がある。
(2) ×　斑状組織の細かい結晶やガラス質の集まりが石基であり、大きな結晶が斑晶である。
(3) ○　深成岩は、粒径のそろった鉱物結晶の集合体で、ガラス質は含まれない。これを等粒状組織という。
(4) ×　石英や長石をケイ長質鉱物といい、これらは白色もしくは無色の鉱物である。
(5) ×　深成岩に分類される岩石には、かんらん岩、斑れい岩、閃緑岩、花崗岩がある。

No.13　海抜0mのA点から25℃の空気が山脈に沿って上昇し、高度1000mのB点で雲が生じ、雨を降らせながら2000mの山頂に達した。その後空気は山脈を下り海抜0mのC点に達した。乾燥断熱減率を1℃/100m、湿潤断熱減率を0.5℃/100mとして、C点での気温として、最も妥当なのはどれか。
(1) 15℃
(2) 20℃

(3) 25℃

(4) 30℃

(5) 35℃

正答：(4)

A 点から B 点までは乾燥断熱減率で気温が低下する。B 点から頂上までの間に雨が降り出したので、湿潤断熱減率で気温が低下する。その後、C 点までは乾燥断熱減率で気温は上昇する。各地点での気温は次のとおりである。

B 点での気温　25 − 1 × 1000/100 ＝ 15℃

山頂での気温　15 − 0.5 × 1000/100 ＝ 10℃

C 点での気温　10 + 1 × 2000/100 ＝ 30℃

A 点から山頂までの気温低下が 15℃であったのに対し、山頂から C 点間での気温上昇は 20℃であった。このような現象をフェーン現象という。発達した低気圧が日本海側に発生すると、太平洋側から湿った空気が吹き込む。湿った空気は山を登り、雨を降らせ日本海側に下るとき、高温になる。その逆に日本海側からの風で、太平洋側が高温になることもある。

No.14　我が国の気象に関する記述として、最も妥当なのはどれか。

(1) 等圧線に囲まれ、周囲よりも気圧の高い所を高気圧、周囲よりも気圧の低い所を低気圧といい、高気圧、低気圧を決める基準は 1000hPa である。

(2) 低気圧の地上付近では、周囲の大気が集まって下降気流となり、雲が発達しやすく天気がくずれやすい。

(3) 地上の風は、北半球では低気圧の中心を左前方に見て吹き込むので、低気圧の中心よりも西では、南からの暖気が強く、寒気の上にはい上がり、温暖前線ができる。

(4) 北西太平洋海域または南シナ海で発生した熱帯低気圧のうち、最大風速がおよそ 17m/s 以上のものを台風という。

(5) 台風の強さは、台風に伴う風速 15m/s 以上の領域の半径を基準にして決められ、猛烈な、非常に強い、強い、表現しない、の 4 段階で表現される。

正答：(4)

(1) ×　何 hPa 以上が高気圧で、以下が低気圧といった基準はなく、周囲との気圧の差で決められる。

(2) ×　低気圧の地上付近では、周囲の風が吹き込み上昇気流となり、雲が発達しやすく天気がくずれやすい。

(3) ×　地上の風は、北半球では低気圧の中心を左前方に見て吹き込むので、低気圧の中心よりも東側では、南からの暖気が強く、寒気の上にはい上がり温暖前線ができ、西側では北からの寒気により寒冷前線が生じる。

(4) ○　北西太平洋で発達した熱帯低気圧のうち、10 分間の平均で求めた最大風速が 17.2m/s 以上に発達したものを台風という。

(5) ×　台風の強さは、台風に伴う風速 15m/s 以上の領域の半径（強風域）を基準にして決められ、猛烈な、非常に強い、強いの 3 段階で表現される。

警察官 III類・B 合格テキスト

4章

一般知能

重要度
★★

レッスン 01 整数問題

約数・倍数（最大公約数・最小公倍数）を中心として、整数についての方程式を立てる文章題、n 進法についての問題が主な出題と考えられる。

◆約数と倍数

2 つの整数 a、b に対し、

$$a = kb$$

をみたす整数 k が存在するとき、

・b を a の約数または因数とよぶ。

・a を b の倍数とよぶ。

また、1 と自分自身しか約数をもたない 2 以上の自然数を素数とよび、素数である約数のことを特に素因数とよぶ。

これに対し、1 と素数以外の自然数は合成数とよび、合成数を素因数の積として表すことを素因数分解とよぶ。

◆公約数

2 つ以上の整数に対し、

・そのすべてに共通する約数を公約数とよぶ。

・公約数の中で最大のものを最大公約数とよぶ。公約数は、必ず最大公約数の約数となる。

また、2 つの整数 a、b の最大公約数が 1 であるとき、a と b は互いに素であるという。

例

12 の約数は 1、2、3、4、6、12 である。18 の約数は 1、2、3、6、9、18 である。よって 12 と 18 の公約数は 1、2、3、6 であり、最大公約数は 6 となる。

◆公倍数

2 つ以上の整数に対し、

・そのすべてに共通する倍数を公倍数とよぶ。

・公倍数の中で最小のものを最小公倍数とよぶ。

公倍数は、必ず最小公倍数の倍数となる。

例

12 の倍数は 12、24、36、48、60、72、…… である。18 の倍数は 18、36、54、72、90、…… である。よって 12 と 18 の公倍数は 36、72、…… であり、最小公倍数は 36 となる。

◆倍数の判定法（九去法）

・2 の倍数 ⇔ 一の位が 2 の倍数

・3 の倍数 ⇔ 各位の数の和が 3 の倍数

・4 の倍数 ⇔ 下 2 桁が 4 の倍数

・5 の倍数 ⇔ 一の位が 0 か 5

・6 の倍数 ⇔ 一の位が 2 の倍数、かつ、各位の数の和が 3 の倍数

・8 の倍数 ⇔ 下 3 桁が 8 の倍数

・9 の倍数 ⇔ 各位の数の和が 9 の倍数

◆割り算と最大公約数

2 つの自然数 a、b $(a > b)$ に対し、a を b で割ったときの余りを r とすると、

（a と b の最大公約数）

＝（b と r の最大公約数）

が成立する。

> **ワン・ポイント　ユークリッドの互除法**
>
> 2 つの自然数 a、b $(a > b)$ に対し、a を b で割った余りを r_1、b を r_1 で割った余りを r_2、r_1 を r_2 で割った余りを r_3、…r_{n-2} を r_{n-1} で割った余りを r_n とし、r_{n-1} が r_n で割り切れたとする。
> すると、a と b の最大公約数は r_n となる。つまり割り切れた式における割る数が、もとの 2 数の最大公約数となる。

例 $a = 328$、$b = 14$ の場合

328 を 14 で割ると　余り 6

14 を 6 で割ると　　余り 2

6 を 2 で割ると　　余り 0

よって、328 と 14 の最大公約数は 2 である。

◆位取り記数法

各位の数字を上の位から順に並べて数を表す方法を位取り記数法とよぶ。

例

12345.67

$$= 1 \times 10^4 + 2 \times 10^3 + 3 \times 10^2 + 4 \times 10 + 5 \times 1 + 6 \times \frac{1}{10} + 7 \times \frac{1}{10^2}$$

10^4の位　10^3の位　10^2の位　10の位　1の位　$\frac{1}{10}$の位　$\frac{1}{10^2}$の位

◆ n 進法

2 以上の自然数 n に対し、n を位取りの基礎とする記数法を n 進法とよび、右下に $_{(n)}$ をつけて表す。10 進法のときの $_{(10)}$ は、普通省略する。

n 進法で各位に用いる数字は 0、1、2、……、$n - 1$ である。ただし、$n \geq 11$ のときは、0 〜 9 の次に A、B、C、……等の文字を用いる。

例

12345.67$_{(8)}$

$$= 1 \times 8^4 + 2 \times 8^3 + 3 \times 8^2 + 4 \times 8^1 + 5 \times 8^0 + 6 \times \frac{1}{8} + 7 \times \frac{1}{8^2}$$

8^4の位　8^3の位　8^2の位　8の位　1の位　$\frac{1}{8}$の位　$\frac{1}{8^2}$の位

＋アルファ　n 進法における四則演算は、n が位取りの基礎であることに注意すれば、10 進法のときと同様である。

例

$$\begin{array}{r} 1101_{(2)} \\ +\ \ 110_{(2)} \\ \hline 10011_{(2)} \end{array}$$

◆循環小数

小数のうち、小数部分が無限に続くものを無限小数とよび、無限小数のうち、いくつかの数字の配列が繰り返されるものを循環小数とよぶ。循環小数は有理数である。またこのとき繰り返される文字

の個数を循環節とよぶことがある。

例

・$0.111\cdots = 0.\dot{1}$

・$0.1232323\cdots = 0.1\dot{2}\dot{3}$

・$0.123123123\cdots = 0.\dot{1}2\dot{3}$

循環小数を表すときは、循環する数字の上（3 つ以上のときは両端の数字の上）に・をつける。

循環小数を分数に直すときは、循環小数を x として、循環節の長さ k に対し、$10^k x - x$ を計算し、循環する小数部分を消去する。

例

$0.1\dot{2}\dot{3} = x$ とすると、

$$\begin{array}{r} 100x = 12.32323\cdots\cdots \\ -\ )\ \ \ \ x = \ \ \ 0.12323\cdots\cdots \\ \hline 99x = 12.2 \end{array}$$

$$x = \frac{12.2}{99} = \frac{122}{990} = \frac{61}{495}$$

また、

分数が循環小数となる。

⇔分母の素因数に、2 と 5 以外の数がある。

◆三角数

$$1 + 2 + 3 + \cdots\cdots + n = \frac{1}{2} n (n + 1)$$

◆四角数

$$1 + 3 + 5 + \cdots\cdots + (2n - 1) = n^2$$

レッスン 02 平面図形と立体図形

ほぼ毎回出題される単元である。基本的に中学校の範囲の公式で角度・長さ・面積・体積等を求めるが、高校の三角比の公式を用いた方が早い場合もある。

◆三平方の定理

$\triangle$ABC において、
$\angle$ A $= 90°$
$\Leftrightarrow$ AB^2 + AC^2 = BC^2

◆三角定規型の三角比

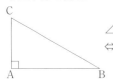

◆平行線と線分化

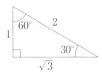

図において、
BC//DE
$\Leftrightarrow$
$\begin{cases} \text{・AB：BD = AC：CE} \\ \text{・AB：AD = AC：AE} \\ \qquad\qquad\quad = \text{BC：DE} \end{cases}$

図において、
CB//DE
$\Leftrightarrow$ AB：AD = AC：AE
$\qquad\qquad\quad$ = BC：DE

◆内分点・外分点

線分 AB 上にあって、AP：PB = m：n をみたす点 P を、線分 AB を m：n に内分する点とよぶ。特に $m = n$ のときは中点とよぶ。

線分 AB の延長上にあって（線分 AB 上にはない）、AQ：QB = m：n（$m \neq n$）をみたす点 Q を、線分 AB を m：n に外分する点とよぶ。

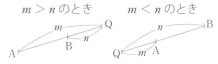

$m > n$ のとき　　　$m < n$ のとき

◆角の二等分線の性質

$\triangle$ABC において、
$\angle$ A の二等分線と辺 BC との交点を D とする。$\Leftrightarrow$ BD：DC = AB：AC

$\triangle$ABC において、
$\angle$ A の外角の二等分線と辺 BC の延長との交点を E とする。$\Leftrightarrow$ BE：EC = AB：AC

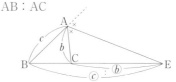

◆メネラウスの定理

$\triangle$ABC において、1 つの直線が 3 辺 AB、BC、CA またはその延長と頂点以外の点 P、Q、R で交わる。

$\Leftrightarrow \dfrac{\text{AP}}{\text{PB}} \cdot \dfrac{\text{BQ}}{\text{QC}} \cdot \dfrac{\text{CR}}{\text{RA}} = 1$

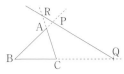

◆チェバの定理

△ABC とその周またはその延長上にない点 M において、3 辺 AB、BC、CA またはその延長上の点 P、Q、R に対し、3 直線 AQ、BR、CP が 1 点 M で交わる。

$$\Leftrightarrow \frac{AP}{PB} \cdot \frac{BQ}{QC} \cdot \frac{CR}{RA} = 1$$

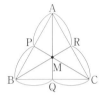

◆円周角の定理

1 つの弧に対する円周角の大きさは一定であり、その弧に対する中心角の半分である。

 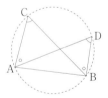

逆に、4 点 A、B、C、D において、2 点 C、D が直線 AB に対し同じ側にあり、∠ACB ＝∠ADB が成り立つならば、4 点 A、B、C、D は同一円周上にある。

◆円に内接する四角形

四角形が円に内接する

 ⇔ ・対角の和は 180°である。
・内角は、その対角の外角と等しい。

◆円に外接する四角形

四角形 ABCD が円に外接する
⇔ AB ＋ CD ＝ BC ＋ DA

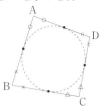

出題パターン

次の図のように、1 辺 8cm の正方形が円に外接し、さらにその円に正方形が内接している。このとき、内側の正方形の面積として正しいのはどれか。

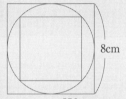

8cm

(1) 25cm²
(2) $\frac{256}{9}$ cm²
(3) 32cm²
(4) 36cm²
(5) $\frac{128}{3}$ cm²

解答（3）

【解説】

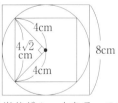

8cm

まず円の直径が 8cm なので、半径は 4cm である。よって、内側の正方形の対角線の長さの半分が 4cm となる。このとき、図のように円の中心と内側の正方形の頂点を結ぶ補助線を引くと、正方形の対角線は直交するので、直角二等辺三角形ができる。よって、三角定規型の三角比より、内側の正方形の一辺の長さは $4\sqrt{2}$ cm であり、面積は、

$$4\sqrt{2} \times 4\sqrt{2} = 32\text{cm}^2$$

◆接弦定理

円の弦 AT と、T における接線が作る角∠ATX は、弧 AT の円周角∠ABT に等しい。

🎵出題パターン

図のように、三角形 ABC の外接円の外部の点 P からこの円に接線 PA、PB を引く。このとき、∠APB の大きさとして、正しいのはどれか。なお、図は必ずしも正確ではない。

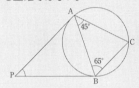

(1) 40°
(2) 45°
(3) 50°
(4) 55°
(5) 60°

解答（1）

【解説】

まず、△ABC の内角の和から、
∠ACB ＝ 180° －（45° ＋ 65°）＝ 70°
次に、接弦定理から、
∠PAB ＝∠ACB ＝ 70°
∠PBA ＝∠ACB ＝ 70°
よって、△PAB の内角の和から
∠APB ＝ 180° －（70° ＋ 70°）＝ 40°

◆方べきの定理

点 P を通る 2 直線 AB、CD において、4 点 A、B、C、D が同一円周上にある。
⇔ PA・PB ＝ PC・PD

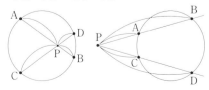

点 P を通る 2 直線 AB、PC において、2 点 A、B を通る円が、点 C で直線 PC と接する。
⇔ PA・PB ＝ PC²

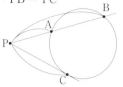

◆面積比・体積比
(1) 三角形の面積比

・底辺が等しい→高さの比
・高さが等しい→底辺の比
・1 角が等しい→等角をはさむ 2 辺の積の比

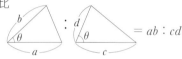

(2) 立体の体積比

2 つの立体が相似で、相似比（辺の長さの比）が $k : l$ のとき、
・表面積の比は $k^2 : l^2$
・体積比は $k^3 : l^3$

◆立体図形
(1) 球

半径を r とすると、

・体積 $V = \dfrac{4}{3}\pi r^3$

・表面積 $S = 4\pi r^2$

(2) 円柱

半径を r、高さを h とすると、
・体積 $V = \pi r^2 h$

・表面積 $S = \underbrace{2\pi r^2}_{円2つ} + \underbrace{2\pi rh}_{長方形}$

(3) 円錐

半径を r、高さを h とすると、

・体積 $V = \dfrac{1}{3}\pi r^2 h$

・表面積 $S = \underbrace{\pi r^2}_{円} + \underbrace{\pi r\sqrt{r^2 + h^2}}_{おうぎ形}$

出題パターン

図1のような底面の円の半径がrで高さがrの円錐と、半径rの半球を組み合わせた立体がある。(1) 〜 (5) の各平面図形を直線lを回転の軸として1回転したときにできる立体の体積が、図1の立体の体積と同じになるものとして、正しいのはどれか。ただし、円周率はπを用いてよい。

【図1】

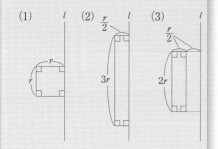

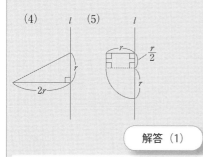

解答（1）

【解説】

まず図1の立体の体積を求める。下部の半球は、半径rなので、

$\dfrac{4}{3}\pi r^3 \div 2 = \dfrac{2}{3}\pi r^3$ であり、

上部の直円錐は、底面の半径rで高さもrなので、

$\dfrac{1}{3}\cdot \pi r^2 \cdot r = \dfrac{\pi}{3} r^3$ である。

よって、求める体積は、

$\dfrac{2}{3}\pi r^3 + \dfrac{\pi}{3}\pi r^3 = \pi r^3$ となる。

これより各設問を考える。

(1) の立体は、底面の半径rで高さrの直円柱なので、体積は、

$\pi r^2 \cdot r = \pi r^3$

となる。

(2) の立体は、底面の半径$\dfrac{r}{2}$で高さ$3r$の直円柱なので、体積は、

$\pi \left(\dfrac{r}{2}\right)^2 \cdot 3r = \dfrac{3}{4}\pi r^3$

となる。

(3) の立体は、底面の半径rで高さ$2r$の直円柱から、底面の半径$\dfrac{r}{2}$で高さ$2r$の直円柱をくり抜いたものなので、体積は、

$\left\{\pi r^2 - \pi \left(\dfrac{r}{2}\right)^2\right\}\cdot 2r = \dfrac{3}{4}\pi r^2 \cdot 2r$

$= \dfrac{3}{2}\pi r^3$

となる。

(4) の立体は、底面の半径$2r$で高さrの直円錐なので、体積は、

$\dfrac{1}{3}\pi (2r)^2 \cdot r = \dfrac{4}{3}\pi r^3$

となる。

(5) の立体は、下部が半径rの半球で、上部が底面の半径rで高さが$\dfrac{r}{2}$の直円柱なので、体積は、

$\dfrac{4}{3}\pi r^3 \div 2 + \pi r^2 \cdot \dfrac{r}{2}$

$= \dfrac{2}{3}\pi r^3 + \dfrac{\pi}{2} r^3 = \dfrac{7}{6}\pi r^3$

となる。

(4) 角柱・角錐

底面積をS、高さをhとすると、

・角柱の体積 $V = Sh$

・角錐の体積 $V = \dfrac{1}{3}Sh$

・表面積は展開図を考える。

02
平面図形と立体図形

重要度
★★

レッスン
03

場合の数と確率

樹形図や表を用いた数え上げでは解きにくい問題が多いので、高校の場合の数（順列・組み合わせ）の公式をしっかりマスターしておく必要がある。

◆場合の数

（1）和の法則

2つの事柄 A、B は同時に起こらないとする。A の起こり方が m 通り、B の起こり方が n 通りあるとき、A または B の起こる場合の数は $m + n$ 通りある。

（2）積の法則

2つの事柄 A、B があり、A の起こり方が m 通り、その各々に対し B の起こり方が n 通りあるとき、A と B がともに起こる場合の数は $m \times n$ 通りである。

◆順列

異なる n 個のものから r 個をとり出し、一列に並べたものを、n 個から r 個とる順列とよび、その総数を $_nP_r$ と表す。

$$_nP_r = \underbrace{n\,(n-1)\,(n-2)\,\cdots\cdots\,(n-r+1)}_{r \text{ 個の数の積}}$$

特に、$r = n$ のとき $_nP_n = n!$ と表し、n の階乗とよぶ。

$$n! = n(n-1)(n-2)\,\cdots\cdots 1$$

これを用いると、

$$_nP_r = \frac{n!}{(n-r)!}$$

と表せる。ただし、$0! = 1$ と約束する。

（1）円順列

異なる n 個のものを円形に並べたものを円順列とよび、その総数は、

$$(n-1)!\,\text{通り}$$

である。

（2）重複順列

異なる n 個のものから、重複を許して（何回とってもよい、とらなくてもよい）r 個をとり出し、一列に並べたものを重複順列とよび、その総数は、

$$n^r\,\text{通り}$$

である。

（3）同じものを含む順列

n 個のものの中に、p 個、q 個、r 個、…の同じものがあるとき、この n 個すべてを一列に並べる順列の総数は、

$$\frac{n!}{p!\,q!\,r!\cdots} = {}_nC_p \cdot {}_{n-p}C_q \cdot {}_{n-p-q}C_r\cdots\text{通り}$$
$$(p + q + r + \cdots\cdots = n)$$

◆組み合わせ

異なる n 個のものから r 個をとり出し、順序を考えずに一組にしたものを、n 個から r 個とる組み合わせとよび、その総数を $_nC_r$ と表す。

$$_nC_r = \frac{_nP_r}{r!}$$
$$= \frac{n(n-1)\cdots(n-r+1)}{r(r-1)\cdots 1}$$
$$= \frac{n!}{r!\,(n-r)!}$$

一般に

- $_nC_r = {}_nC_{n-r}$
- $_nC_r = {}_{n-1}C_{r-1} + {}_{n-1}C_r$

◉重複組み合わせ

異なる n 個のものから、重複を許して r 個とる組み合わせの総数は

$$_{n+r-1}C_r$$

◆確率

(1) 事象と確率

ある試行において、事象 A の起こることが期待される割合を事象 A の起こる確率とよび、P(A) と表す。

ある試行における根元事象のどれが起こることも同程度に期待できるとき、これらの根元事象は同様に確からしいとよぶ。このとき、全事象 U の要素の個数 $n(U)$、事象 A の要素の個数 $n(A)$ に対し、

$$P(A) = \frac{n(A)}{n(U)}$$

となる。

(2) 確率の加法定理

2 つの事象 A、B に対し、A または B が起こるという事象を和事象とよび、A ∪ B と表す。

A と B がともに起こるという事象を積事象とよび、A ∩ B と表す。

また、A と B が同時に起こり得ないとき、A と B は互いに排反、互いに排反事象であるという。

$$P(A \cup B)$$
$$= P(A) + P(B) - P(A \cap B)$$

特に A と B が互いに排反であるとき、

$$P(A \cup B) = P(A) + P(B)$$

また、事象 A に対し、A が起こらないという事象を余事象とよび、$\bar{A}$ と表す。

$$P(\bar{A}) = 1 - P(A)$$

◆独立な試行の確率

2 つの試行が、互いに他の結果に影響しないとき、この 2 つの試行は独立であるという。

2 つの試行 T_1、T_2 が独立であるとき、T_1 で事象 A が起こり、T_2 で事象 B が起こる確率は、

$$P(A \cap B) = P(A) \cdot P(B)$$

◉反復試行の確率

独立な試行を何度も繰り返し行うという試行を反復試行とよぶ。

1 回の試行で事象 A の起こる確率が p であるとき n 回中ちょうど k 回事象 A の起こる確率は、

$$_nC_k p^k (1 - p)^{n-k}$$

出題パターン

12 本の同じ鉛筆を A、B、C の 3 人に配るとき、その配り方の数として、正しいのはどれか。ただし、どの人にも少なくとも 1 本は配るものとする。
(1) 55 通り
(2) 66 通り
(3) 76 通り
(4) 86 通り
(5) 96 通り

解答 (1)

【解説】

鉛筆を○で表す。

11 か所の間から 2 か所を選び、仕切りを立てて、図のように A の分、B の分、C の分を決めればよい。
よって、求める場合の数は、

$$_{11}C_2 = \frac{11 \cdot 10}{2 \cdot 1} = 55 \text{ 通り}$$

◆期待値

変数 X が $X = x_1$、x_2、……、x_n の値をとり、そのときの確率 P(X) がそれぞれ $P(X) = p_1$、p_2、……、p_n であるとき、
$$E(X) = x_1 p_1 + x_2 p_2 + \cdots + x_n p_n$$
((X のとる値)×(そのときの確率)の和)
を X の期待値または平均とよぶ。

03
場合の数と確率

重要度
★★★

特殊算

ほぼ毎回出題される単元である。中学入試の様に図を用いて解く解法もあるが、一つ一つのパターンを覚えるのは大変なので、未知数をおいて方程式・連立方程式を立てる。

◆鶴亀算

問題の内容によって、和差算、差集め算、過不足算、消去算などのよび方がある。

例 鶴が x 匹、亀が y 匹いるとき、
- 個体数は $(x + y)$ 匹
- 足の数は $(2x + 4y)$ 本

このように、未知数を2つおいて、2つの条件を用いて、連立方程式を立てる。

◆旅人算

（道のり）＝（速さ）×（時間）
であることを用いて、道のり、速さ、時間のいずれかを未知数において、いずれかの条件を用いて方程式を立てる。

出題パターン

　A氏は、B息子と自宅を午前7時0分に、時速4kmの速度で歩いて出発した。15分後、A氏は忘れ物をしたことに気が付き時速6kmの速度で走って自宅に戻り、B息子はそのまま歩き続けた。忘れ物を5分で探したA氏は直ちに自転車でB息子を追いかけ、午前7時45分にB息子に追いついた。このとき、自転車の速度として、正しいのはどれか。ただし、全ての移動に関する速度は一定だったものとする。
(1) 10km/h
(2) 12km/h
(3) 14km/h
(4) 16km/h
(5) 18km/h

解答（2）

【解説】

まず、忘れ物に気づいたのは15分後＝$\frac{15}{60} = \frac{1}{4}$時間後なので、自宅から4km/h $\times \frac{1}{4}$時間＝1kmの地点である。ここからA氏が自宅に戻るのに1km÷6km/h＝$\frac{1}{6}$時間＝10分間かかり、忘れ物を5分で探したので、A氏が再び自宅を出発したのは15＋10＋5＝30分より午前7時30分となる。よって午前7時45分にB息子に追いつくまでの時間は15分で、このときまでにB息子は4km/hで45分間＝$\frac{45}{60}$時間＝$\frac{3}{4}$時間歩いているので、4km/h $\times \frac{3}{4}$時間＝3kmを自転車で走ることになる。

$3\text{km} \div \frac{1}{4}\text{h} = 12\text{km/h}$

(1) 通過算

例 A列車の速さを a(m/s)、長さを x(m)、B列車の速さを b(m/s)、長さを y(m) とする。

- A列車が w(m) のトンネルを通過するのにかかる時間は $\frac{w + x}{a}$(s)

- A列車とB列車がすれ違うのにかかる時間は $\frac{x + y}{a + b}$(s)

- A列車をB列車が追い抜くのにかかる時間は $\frac{x + y}{b - a}$(s)

㋭長さ 200m、速さ 20m/s の列車が長さ 2000m のトンネルを通過するのにかかる時間は、

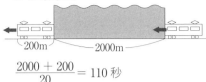

200m　　2000m

$$\frac{2000 + 200}{20} = 110 \text{ 秒}$$

(2) 流水算

㋭静水時の船の速さを a（km/h）、川の流れの速さを f（km/h）、航行距離を x（km）とする。

・上りにかかる時間は $\dfrac{x}{a - f}$（h）

・下りにかかる時間は $\dfrac{x}{a + f}$（h）

◆濃度算

食塩水において、

$$濃度（\%） = \frac{食塩の量}{食塩水の量} \times 100$$

であることを用いて、食塩水の量と食塩の量で方程式を立てる。

◆仕事算

仕事の全体量を 1 とする。

㋭ A さん 1 人だと a 日、B さん 1 人だと b 日かかる仕事は、

・A さんは 1 日に $\dfrac{1}{a}$

・B さんは 1 日に $\dfrac{1}{b}$

終えることができるので、A、B の 2 人同時にすると、1 日に $\dfrac{1}{a} + \dfrac{1}{b}$ だけ終えることができる。

◆ニュートン算

水の量の問題のときは水槽算、ポンプ算等のよび方がある。

㋭ 1 つの窓口に開場前に並んでいた人が a 人、その後毎分 b 人並び、x 分後に行列が無くなったとき、窓口の処理能力は、

$$\frac{a + bx}{x}（人 / 分）となる。$$

◆その他特殊算

(1) 植木算

㋭ x（m）の直線の道に、端から端まで y（m）間隔で木を植えるとき、必要な木は $\dfrac{x}{y} + 1$（本）となる。

(2) 年齢算

㋭現在 a 歳の人は n 年後に $a + n$ 歳となる。

(3) 平均算

㋭ a_1、a_2、……、a_n の n 個の値の平均は

$$\frac{a_1 + a_2 + \cdots\cdots + a_n}{n} となる。$$

04
特殊算

🎽 出題パターン

　ある料理教室で、調理台 1 台につき 4 人を割り当てると、参加者のうち 3 人が使えなくなる。そこで、調理台 1 台につき 5 人を割り当てることにすると、4 人で使う調理台が 2 台、誰も使わない台が 1 台できる。このとき、料理教室に参加している人数として、最も妥当なのはどれか。

(1) 23
(2) 43
(3) 63
(4) 83
(5) 103

解答（2）

【解説】

調理台を x 台とすると、参加者の人数は、1 台につき 4 人だと、3 人使えないので、
　　$4x + 3$（人）…①
1 台につき 5 人だと、4 人の台が 2 台で、使わない台が 1 台なので、
　　$5(x - 3) + 4 \cdot 2$（人）…②
①＝②より　$4x + 3 = 5(x - 3) + 4 \cdot 2$
　　　　　　$4x + 3 = 5x - 15 + 8$
　　　　　　$-x = -10$
　　　　　　$x = 10$（台）
よって①に代入して、求める人数は、
　　$4 \cdot 10 + 3 = 43$（人）

レッスン 05 比・割合と集合

解法パターンとしては、比例定数をおいて方程式を立てるか、集合の要素の個数についての公式を利用する。このいずれかがほとんどである。

◆比・割合

相当算、分配算等のよび方がある。

例

・$A:B = x:y$、$B:C = z:w$ のとき、
$A:B:C = xz:yz:yw$ となる。

・$A:B = x:y$、$A+B = t$ のとき、
$A = \dfrac{x}{x+y}\,t$、$B = \dfrac{y}{x+y}\,t$

【例題】ある専門学校の今年度の入学者は、昨年度と比べて、女子が5%減り男子が10%増えた結果、全体として7%の増加となった。昨年度の入学者が男女合わせて200人だとすると、今年度の女子の入学者数として、最も妥当なのはどれか。

(1) 38人
(2) 40人
(3) 44人
(4) 47人
(5) 50人

【解説】昨年度の女子の入学者を x 人とおくと、昨年度の男子の入学者は $(200-x)$ 人となる。

このとき、女子が5%減り、男子が10%増えた結果、全体は7%増えたので、今年の入学者数で式を立てると、

$$\left(1-\frac{5}{100}\right)x + \left(1+\frac{10}{100}\right)(200-x) = \left(1+\frac{7}{100}\right)\cdot 200$$

$$\frac{95}{100}x + \frac{110}{100}(200-x) = \frac{107}{100}\cdot 200$$

$$95x + 110(200-x) = 107\cdot 200$$
$$95x + 22000 - 110x = 21400$$
$$-15x = -600$$
$$x = 40$$

よって、今年の女子の入学者は、

$\left(1-\dfrac{5}{100}\right)x = \dfrac{95}{100}\,x$ に代入して、

$\dfrac{95}{100}\cdot 40 = 38$ 人

答 (1)

出題パターン

A君の期末試験における数学の点数を100とすると、国語は85、英語は90で表すことができる。いま、A君の数学の点数が80点であるとすると、A君の数学、国語、英語の3科目の平均点として、最も妥当なのはどれか。ただし、小数点第1位で四捨五入する。

(1) 69点
(2) 70点
(3) 71点
(4) 72点
(5) 73点

解答 (5)

【解説】
A君の点数の比は
(数学):(国語):(英語) = 100:85:90
$= 20:17:18$
$= 80:68:72$
なので数学が80点なら、国語は68点、英語は72点である。よって平均点は、
$$\frac{80+68+72}{3} \fallingdotseq 73$$

◆集合

⦿集合の要素の個数

　要素の個数が有限個である集合を有限集合という。有限集合 X の要素の個数を $n(X)$ と表す。

・$n(A \cup B)$
$= n(A) + n(B) - n(A \cap B)$

・$n(\overline{A}) = n(U) - n(A)$

・$n(A \cup B \cup C) = n(A) + n(B) + n(C)$
$\quad - n(A \cap B) - n(B \cap C) - n(C \cap A)$
$\quad + n(A \cap B \cap C)$

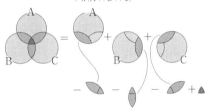

出題パターン

　30 人にアンケートを行ったところ、夏季休暇に国内旅行に行きたい人は 20 人、海外旅行に行きたい人は 12 人いた。また国内旅行だけ行きたい人の数は、国内旅行にも海外旅行にも行きたい人の数のちょうど 4 倍だった。これらのことから、確実に言えるのはどれか。

(1) どちらも行きたくない人は 0 人である。
(2) 海外旅行だけ行きたい人の数は、両方行きたい人の数よりも少ない。
(3) 国内旅行だけ行きたい人の数は、海外旅行だけ行きたい人の数のちょうど 2 倍いる。

(4) 国内旅行だけ行きたい人の数はアンケートをとった人の数の半分である。
(5) 両方行きたい人の数は、どちらも行きたくない人の数と同じである。

解答（3）

【解説】

　全体集合 U をアンケートをとった人 30 人、集合 A を国内旅行に行きたい人 20 人、集合 B を海外旅行に行きたい人 12 人とおく。このとき、国内旅行にも海外旅行にも行きたい人を x 人とすると、国内旅行だけ行きたい人はその 4 倍なので $4x$ 人となる。すると国内旅行に行きたい人について、

$$x + 4x = 20$$
$$5x = 20$$
$$x = 4$$

これより次のベン図を得る。

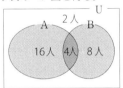

これより設問を考える。

(1) どちらも行きたくない人は 2 人である。
(2) 海外旅行だけ行きたい人は 8 人で、両方行きたい人 4 人より多い。
(3) 国内旅行だけ行きたい人は 16 人で、海外旅行だけ行きたい人 8 人のちょうど 2 倍である。
(4) 国内旅行だけ行きたい人は 16 人で、アンケートをとった人は 30 人であり、半分ではない。
(5) 両方行きたい人は 4 人、どちらも行きたくない人は 2 人であり、同じ人数ではない。

レッスン 01 図形把握（空間把握）

毎回必ず出題され、最も多く出題される単元である。軌跡、断面図、展開図、投影図、拡大・縮小、一筆書きが主な出題と考えられる。

◆軌跡

例

・1定点 A からの距離が常に等しい点 P の軌跡は、点 A を中心とする円である。

・2定点 A、B からの距離が常に等しい点 P の軌跡は、線分 AB の垂直二等分線である。

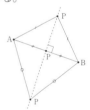

・2定点 A、B に対し、∠APB が常に一定である点 P の軌跡は、弧 AB である。
特に∠APB ＝ 90°のときは半円となる。

・1定直線 l からの距離が常に等しい点 P の軌跡は l と平行な直線である。

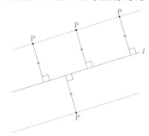

・交差する2定直線 l、m からの距離が常に等しい点 P の軌跡は、l と m のなす角の二等分線である。

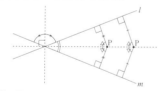

◆断面図

例

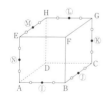

図の立方体 ABCD － EFGH において、I、J、K、L、M、N は辺の中点とするとき、切断面について、次のことがいえる。
・△ACH は正三角形
・四角形 ABGH は長方形
・四角形 ACLM は等脚台形

・六角形 IJKLMN は正六角形

◆展開図

例

・円錐→おうぎ形と円

・円柱→長方形と円2つ

・四角錐→三角形4つと四角形1つ

・三角柱→長方形3つと三角形2つ

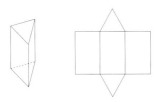

◆投影図

例

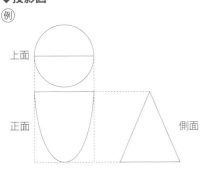

上面

正面　　　　側面

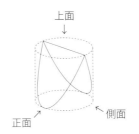

上面
↓

正面↗　　　側面↖

◆拡大・縮小

例　横方向へ拡大

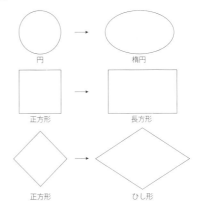

円　　　　　　楕円

正方形　　　　長方形

正方形　　　　ひし形

◆一筆書き

　集まる辺の数が偶数本である頂点を偶数点、奇数本である頂点を奇数点とよぶ。一筆書きをするとき奇数点は始点か終点にしかなれない。

図形が一筆書きできる。⇔奇数点の個数は0個か2個である。

例

奇数点　　　奇数点

左図は奇数点が2個なので、一筆書きできる。

【例題】正方形の紙を次のように点線で谷折りに2回折り、A図の形にした後、線 *a*、*b* で切り離して広げたときにできる図形の形と枚数の組み合わせとして、正しいのはどれか。

A図

(1) 4枚　6枚　0枚
(2) 4枚　0枚　4枚
(3) 4枚　2枚　2枚
(4) 3枚　2枚　3枚
(5) 2枚　0枚　2枚

【解説】
A図をもとの正方形に戻すと、線 *a*、*b* は図のようになる。

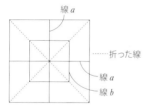

線 *a*
------ 折った線
線 *a*
線 *b*

これを線 *a*、*b* で切り離すと図のようになる。

よって、□ が4枚
└┐ が4枚

答（2）

出題パターン

体積が1cm³である小立方体を64個積み上げて、大きい立方体を作り、その表面すべてに着色をした。着色後に分解すると、もとの小立方体は、無着色のもの、1面だけ着色されたもの、2面だけ着色されたもの、3面着色されたものに分けられる。このとき、無着色の小立方体と3面着色された小立方体の個数の比として、最も妥当なのはどれか。

	無着色の小立方体		3面着色された小立方体
(1)	2	:	1
(2)	1	:	2
(3)	1	:	1
(4)	3	:	2
(5)	2	:	3

解答（3）

【解説】

まず、立方体（正六面体）には頂点が8個、辺は12本、面は6面ある。64個の小立方体のうち、3面に着色されたものは大立方体の頂点にあるもので8個、2面に着色されたものは大立方体の頂点以外の辺上にあるもので1辺当たり2個あるから、

2 × 12 = 24個、

1面に着色されたものは大立方体の頂点と辺以外の面上にあるもので、1面当たり4個あるから、

4 × 6 = 24個、

無着色のものはこれら以外なので、

64 − (8 + 24 + 24) = 8個。

よって求める個数の比は、

(無着色) : (3面着色) = 8 : 8 = 1 : 1

レッスン 02 発言表（対応表）

与えられた条件で特定可能な対応表を作り、残った空欄が特定可能かどうか考える。そして設問と照らし合わせていく。

発言者と発言内容の対応表を作成し、与えられた条件を表に記入する。

・発言内容に嘘があるときは、表から矛盾を見つける。

・発言内容に嘘がないときは、表の空欄のうち特定可能な欄を特定する。不可能な欄については数パターンの表を作成する。

そして設問と照らし合わせて正答を導く。

（例）

「A さんは赤が好きだが黒は嫌いだ。」
「B さんは黒は好きだが青は嫌いだ。」
「C さんは赤も青も好きだ。」

これを表にすると、次のようになる。

好きな色 ＼ 人	A	B	C
赤	○		○
黒	×	○	
青		×	○

🔔 出題パターン

A～E の 5 人は柔道部、剣道部、弓道部、茶道部のいずれか 1 つの部に所属している。次のア～ウのことが分かっているとき、確実に言えるのはどれか。

ア　A、B、C の 3 人は異なった部に所属しており、A は剣道部か弓道部に、B は柔道部か弓道部に、C は柔道部か剣道部に所属している。

イ　A、C、E の 3 人は異なった部に所属しており、E は弓道部か茶道部に所属している。

ウ　D は他の 4 人とは異なった部に所属しているが、それは柔道部でも弓道部でもない。

(1) A は弓道部に所属している。
(2) B は柔道部に所属している。
(3) C は柔道部に所属している。
(4) D は剣道部に所属している。
(5) E は茶道部に所属している。

解答 （3）

【解説】

まず、所属していない部に注目して対応表を作る。

	A	B	C	D	E	
柔道部	×			×	×	（○：所属している
剣道部		×			×	×：所属していない）
弓道部			×	×		
茶道部	×	×	×			

ウから、D が剣道部だとすると A、C は剣道部ではないので、A は弓道部、C は柔道部となるが、B も柔道部か弓道部のいずれかなのでアに反する。

よって D は茶道部と特定でき、ア、ウから対応表が次のように確定する。

	A	B	C	D	E
柔道部	×	×	○	×	×
剣道部	○	×	×	×	×
弓道部	×	○	×	×	○
茶道部	×	×	×	○	×

これより各設問を考える。

(1) A は剣道部である。
(2) B は弓道部である。
(3) C は柔道部である。
(4) D は茶道部である。
(5) E は弓道部である。

試合

主にトーナメント戦とリーグ戦がある。トーナメント戦では敗者復活等の特別ルールの有無、リーグ戦では勝ち点等の順位の決め方の有無に注意する。

◆トーナメント戦（勝ち抜き戦）

・1位以外の順位の決め方に特殊なルールが与えられる場合があるので注意する。

・トーナメント表にチーム名が記入されていない場合は、与えられた条件から特定していく。

ワン・ポイント nチームでトーナメント戦を行ったとき、敗者復活がなければ、総試合数はn−1試合となる。

(例)

A B C D E F G H

出題パターン

A〜Gの7チームがトーナメント方式でバスケットボールの試合を行ったところ、下図のような結果になった。トーナメント表の太い線は勝ち上がっていく様子を表すもので、次のア〜エのことがわかっているとき、確実に言えることとして、最も妥当なのはどれか。

ア AはDと試合をしていない。
イ Bは決勝に進出した。
ウ CはEに勝ったが、Gに敗れた。
エ Fは2試合目で敗れた。

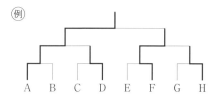

(1) AとBは試合をした。
(2) DはFに敗れた。
(3) Eは初戦で敗れた。
(4) FはAに勝った。
(5) Gは優勝した。

解答（3）

【解説】

図のようにトーナメント表に1〜7の番号をつける。

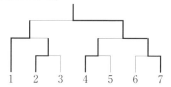

1 2 3 4 5 6 7

まずイよりBは1か7、ウよりCは1か2か4、エよりFは1か2か4である。もしCが1だとEが2でGが7となりイに反する。よって、Cは2か4となり、トーナメント表は図のいずれかとなり、アの条件も満たされている。

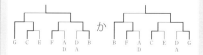

か

G C E F A D B   B F A C E D G
      D   A   D   A

これより各設問を考える。
(1) AとBは試合をしたかどうか分からない。
(2) DはFに敗れたかどうか分からない。
(3) Eは初戦で敗れた。
(4) FはAに勝ったかどうか分からない。
(5) Gは優勝したかどうか分からない。

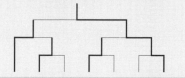

◆リーグ戦（総当たり戦）

- 1つのチームが戦う試合数と、その
  チームの勝ち数、負け数、引き分け数
  の合計は必ず等しい。
  このことと、与えられた条件から対戦
  表を特定していく。
- 順位の決め方が勝敗でなく勝ち点や得
  失点差等の場合があるので注意する。

 重要ポイント n チームでリーグ戦
を行ったとき、総試
合数は $_nC_2 = \dfrac{n(n-1)}{2}$ 試合となり、1
つのチームが戦う試合数は $n-1$ 試合
となる。

（例）

	A	B	C	D	E	勝敗
A		○	○	○	△	3勝1分
B	×		×	△	×	3敗1分
C	×	○		○	×	2勝2敗
D	×	△	×		○	1勝2敗1分
E	△	○	○	×		2勝1敗1分

＋アルファ 基本的にトーナメント戦は
リーグ戦より易しい問題が多
い。特殊なルールが示されていても、落
ち着いて従えばよい。

 出題パターン

　A～Fの6人による剣道の試合が1
回戦の総当たり形式で行われた。Aは5
戦全勝、Bは3勝2敗、CはBに勝ちD
と引分け、Dは2勝2敗1引分け、Fは
1勝4敗であった。勝ちを2点、引分け
を1点、負けを0点として勝ち点を計算
したとき、確実に言えることとして、最
も妥当なのはどれか。なお、引分けの試
合は全試合中2試合で、同じ点数の者は
なく、1勝もできなかった者はいなかった。
(1) CはEに勝った。
(2) Cの勝ち点は4点であった。

(3) Eの勝ち点はFより2点多かった。
(4) EはCに勝った。
(5) FはEに勝ったがCには負けた。

解答（2）

【解説】
　まず、与えられた条件で対戦表を作る。

	A	B	C	D	E	F	勝敗	勝ち点
A		○	○	○	○	○	5勝	10
B	×		×	○	○	○	3勝2敗	6
C	×	○			△			
D	×	×	△		○	○	2勝2敗1分	5
E	×	×	△	×				
F	×	×		×			1勝4敗	2

（○：勝ち　×：負け　△：引き分け）
　この時点で勝敗が確定していないのは
CとEであり、全試合中引き分けが2試
合あることからCとEは引き分けであ
る。
　また、全試合数は $_6C_2 = \dfrac{6 \cdot 5}{2 \cdot 1} = 15$（試
合）で、引き分けが2試合あることから
勝ち数、負け数の合計は $15 - 2 = 13$ な
ので、CとEの勝ち数の和は2、負け数
の和は5である。
　そして1勝もできなかった者はいない
のでC、Eとも1勝している。つまりC
は1勝2敗2分、Eは1勝3敗1分で、
このとき6人の勝ち点は異なる。
　よって対戦表が次のように確定する。

	A	B	C	D	E	F	勝敗	勝ち点
A		○	○	○	○	○	5勝	10
B	×		×	○	○	○	3勝2敗	6
C	×	○		△	△	×	1勝2敗2分	4
D	×	×	△		○	○	2勝2敗1分	5
E	×	×	△	×		○	1勝3敗1分	3
F	×	×	○	×	×		1勝4敗	2

これより各設問を考える。
(1) CはEと引き分けた。
(2) Cの勝ち点は4である。
(3) Eの勝ち点はFより1点多い。
(4) EはCと引き分けた。
(5) FはEに負けCに勝った。

レッスン 04 位置関係

一列、並列、円形、平面のパターンが考えられ、与えられた条件で特定可能ないくつかのパーツを作り、それらを組み合わせていく。

◆一列

条件から特定できるパーツを考え、位置を特定する。

（例） ☐☐☐☐☐ （5人が一列に並ぶ）

に対し、パーツが A －○－○－ B（A と B の間に 2 人いる）と C －○－ D（C と D の間に 1 人いる）なら、位置関係は、

| C | A | D | | B |

か

| A | | C | B | D |

となる。

◆並列

（例）

☐☐ ／ ☐☐ （6人が3人ずつ二列に並ぶ）

に対し、パーツが

A －○－ B（A と B の間に 1 人いる）と

C
D （C の後ろは D）なら、位置関係は、

| A | C | B |
| | D | |

か

| | C | |
| A | D | B |

となる。

◆円形

（例）

 （6人が円形に並ぶ）に対

し、パーツが

A
○ ○
○ ○
B
（A の正面が B）と

C
○ ○
○ ○
D
（C の 1 人おいて左が D）なら、

位置関係は、

	A	
C		D
	B	

か

	A	
D		C
	B	

となる。

【例題】 A ～ H の 8 人が円上で等間隔に円の中心を向いて手をつないでいる。この 8 人の並び方について A ～ C の 3 人が次のように話しているとき、確実にいえることとして、最も妥当なのはどれか。

A 　私は B と手をつないでおり、D と手をつないでいる人は B と手をつないでいる。

B 　C と 1 人置いた隣に D がおり、F は D と手をつないでいる。

C 　E と F は正面で向き合っており、私は G と手をつないでいる。

（1）A の右隣は B か F である。

（2）B の正面にいるのは G である。

（3）C の左隣は E か G である。

（4）D の正面の人の右隣に A がいる。

（5）E の正面の人の右隣に B がいる。

【解説】
　まずパーツは、

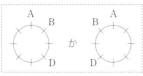

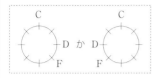

 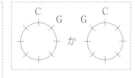

　これらを組み合わせると、下図の2通りの位置関係が共に成立する。

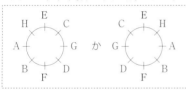

これより各設問を考える。
(1) Aの右隣はBかHである。
(2) Bの正面にいるのはCである。
(3) Cの左隣はEかGである。
(4) Dの正面の人の右隣はAかEである。
(5) Eの正面の人の右隣はBかDである。

答（3）

◆平面
　　北
西—┼—東　に対し、パーツが
　　南

C
｜
A—B　（Aの北にC、東にB）と

D—B（Dの東にB）なら、位置関係は、
　C　　　　　　　C
　｜　または　　｜　　　となる。
D—A—B　　　　A—D—B

出題パターン

　次の図のような正方形の4つの頂点と対角線の交点の位置に椅子a、b、c、d、eが置いてある。A、B、C、Dの4人が好きな椅子に座り、次のことが分かっているとき、5つの椅子のうち空いているものとして、正しいのはどれか。
ア　Aの真南には誰もいない。
イ　Bの北東の方向にAがいる。
ウ　Cの真西にDがいる。

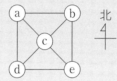

(1) a
(2) b
(3) c
(4) d
(5) e

解答（5）

【解説】
　まずパーツは

A　　　　　A
｜　　　　＼
×　　　B　　　D—C
ア　　　イ　　　ウ

　ウのパーツは⒟—⒠か⒜—⒝のいずれかであるが、⒟—⒠とすると、イのパーツは⒞—⒝となり、アに反する。
　よって、位置関係は次のように確定する。

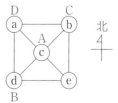

これより、空いている椅子はeである。

241

重要度
★★

レッスン 05 順序関係

位置関係の一列・並列のパターンにおける左右が上位・下位になったと考えられるので解法は基本的に同じである。与えられた条件によって特定できるいくつかのパーツを作り、それを組み合わせていく。

◆順序

位置関係における一列・並列の場合と同様に、与えられた条件によって特定できるいくつかのパーツを作り、それを組み合わせていく。マラソンをした場合の5人の順序を、同着がないとして考えてみる。

(1) ゴール地点のみの条件

に対し、パーツが上位からA→○→○→B（Aの3人後ろにB）とC→○→D（Cの2人後ろにD）なら、順序関係は、

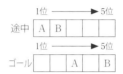

または、

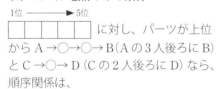

となる。

(2) 途中（折り返し地点）とゴール地点の条件

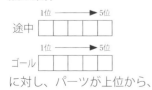

に対し、パーツが上位から、

A→○→○
○→○→A　（Aは2つ順位を下げた）と

B→○→○→○
○→○→○→B　（Bは3つ順位を下げた）なら、順序関係は、

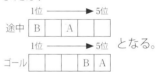

または、

となる。

【例題】A〜Eの5人で100m競走を行った。その結果について、次のアとイがわかっているとき、確実にいえるのはどれか。ただし、同着はいないものとする。

ア　AはDより前で、Bは2位ではなく、Eは4位ではない。

イ　Cは3位でBとEの間には2人いた。

(1) AはCより早くゴールした。
(2) BはDより遅くゴールした。
(3) CはBより遅くゴールした。
(4) DはCより早くゴールした。
(5) EはAより遅くゴールした。

【解説】

まず□□□□□に対し、パー

ツは

A → ? → D、○→Ｂ→○→○→○、

○→○→○→Ｅ→○、○→○→C →

○→○、B →○→○→E か E →○

→○→ B

　これらを組み合わせる。B が E よ
り上位だったとすると、B が 1 位で
E が 4 位か、B が 2 位で E が 5 位と
なるが、いずれもアに反する。

　よって E が B より上位となり、
図のように 2 通りの順序関係がとも
に成立する。

1位 ──────▶ 5位

| E | A | C | B | D |

か

1位 ──────▶ 5位

| A | E | C | D | B |

これより各設問を考える。

(1) A は C より早くゴールした。

(2) B は D より遅くゴールしたと
　　は限らない。

(3) C は B より早くゴールした。

(4) D は C より遅くゴールした。

(5) E は A より遅くゴールしたと
　　は限らない。

答（1）

🨞 **出題パターン**

　スタート地点を出発して折り返し地点
を折り返し、同じ道を戻ってゴールと
なるマラソン競走をしている A ～ F の 6
人が、それぞれ 7m ほどの間隔で折り返
し地点にさしかかった。折り返し地点で
は各選手は互いにすれ違う相手を識別で
き、その状況をゴール後に A、B、E、F
の 4 人が次のように話したとき、確実に
言えることとして、最も妥当なのはどれ
か。

A　私は 4 人目に F とすれ違ったが、4
　位ではなかった。

B　私は D に次いで折り返した。C は 6

　位ではなかった。

E　私は 3 人目に B とすれ違った。

F　折り返し地点で同順位の者はなく、
　折り返し後も 6 人の順位は変わらな
　かった。

(1) A は 1 位であった。

(2) B は 3 位であった。

(3) C は D の次にゴールインした。

(4) D は A より後にゴールインした。

(5) E は 6 位であった。

解答（2）

【解説】

パーツは左から上位で、

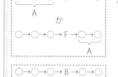

これらを組み合わせ
る。

　まず F を 5 位、B を 4 位とすると、D
は 3 位で、A と E が 1 位と 2 位になるが、
C が 6 位となって条件に反する。

　よって、F が 5 位で B が 3 位か、F が
4 位で B が 3 位のいずれかとなり、順序
関係は次のようになる。

A → D → B → C → F → E、

C → D → B → F →○→○
　　　　　　　　　　A、E

これより各設問を考える。

(1) A の順位は分からない。

(2) B は 3 位である。

(3) C と D の順序は分からない。

(4) D と A の順序は分からない。

(5) E の順位は分からない。

重要度
★★

命題・暗号

命題では、与えられた命題の対偶をすべて作り、つながりを考える。暗号では、与えられた例の文字数と暗号の文字数に注目する。

◆命題と条件

正しいか、誤りであるか、明確に判断できる事柄を命題とよび、主に文字を含む文章や式で文字の値を決めると命題となるものを条件とよぶ。

多くの命題は2つの条件 p、q を用いて「p である、ならば、q である」という形をしている。これを単に「$p \Rightarrow q$」と表す。このとき p を仮定、q を結論とよぶ。

◆命題の真偽と真理集合

条件 p をみたすものを要素とする集合 P を、条件 p の真理集合とよぶ。

条件 p、q の真理集合 P、Q に対し、P $\subset$ Q が成り立つとき命題 $p \Rightarrow q$ は真であるといい、成り立たないとき命題 $p \Rightarrow q$ は偽であるという。

また、命題が偽となる具体例を反例とよぶ。

・$p \Rightarrow q$ が真のとき 真は100％成立しないとダメ

・$p \Rightarrow q$ が偽のとき 偽は1つでも反例があればOK

◆条件の否定

条件 p に対し、「p でない」という条件を p の否定といい $\bar{p}$ と表す。このとき、条件 $\bar{p}$ の真理集合は $\bar{P}$（P の補集合）となる。

〈主な否定〉
・p かつ（$\cap$）q $\longleftrightarrow$ $\bar{p}$ または（$\cup$）$\bar{q}$

・すべての〜 $\longleftrightarrow$ ある特定の（少なくとも1つ）〜でない
・$\geqq$ $\longleftrightarrow$ $<$
・$=$ $\longleftrightarrow$ $\neq$

◆逆・裏・対偶

条件 p、q に対し、

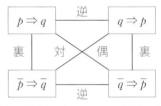

対偶の関係にある2つの命題の真偽は必ず一致し、偽であるときの反例も一致する。

逆・裏の関係にある2つの命題の真偽は一致することも、しないこともある。

【例題】ある野球チームでは選手たちが次のように守備につくことができる。このとき確実にいえるのはどれか。
ア　投手ができる選手は遊撃手もできる。
イ　捕手ができる選手は捕手しかできない。
ウ　一塁手ができる選手は投手もできる。
エ　二塁手ができる選手は三塁手もできる。
オ　三塁手ができる選手は外野手もで

きる。
カ　遊撃手ができる選手は二塁手も
　　三塁手もできる。

(1) 一塁手ができる選手は外野手も
　　できる。
(2) 二塁手ができる選手は一塁手も
　　できる。
(3) 三塁手ができる選手は遊撃手も
　　できる。
(4) 遊撃手ができる選手は捕手もで
　　きる。
(5) 外野手ができる選手は三塁手も
　　できる。

【解説】条件、設問ともに「できる」
のみなので、対偶を考えず、条件の
つながりを調べる。
(1) ウ→ア→カ→オとつながる。
(2) 条件に、一塁手へつながるもの
　　はない。
(3) オの後がつながらない。
(4) 条件に、捕手へつながるものは
　　ない。
(5) 条件に、外野手からつながるも
　　のはない。

答（1）

◆暗号

与えられた単語に対する暗号の文字数
（記号数）と、単語の平仮名・ローマ字・
漢字での文字数の対応から単語の字体を
特定し、五十音・アルファベット順など
の規則性から暗号を解読する。

(例)

11	10	9	8	7	6	5	4	3	2	1	
ん	わ	ら	や	ま	は	な	た	さ	か	あ	i
	り		み	ひ	に	ち	し	き	い	ii
		る	ゆ	む	ふ	ぬ	つ	す	く	う	iii
		れ		め	へ	ね	て	せ	け	え	iv
	を		ろ	よ	も	ほ	の	と	そ	こ	お	v

上の暗号表を用いると、

桜　⟷　3 i 2 iii 9 i
横浜　⟷　8 v 2 v 6 i 7 i
となる。

出題パターン

　次のA～Cの命題より論理的に正し
く導くことができるア～エの命題の組み
合わせとして、最も妥当なのはどれか。
A　りんごが好きでないならば、スイカ
　　が好きである。
B　バナナが好きでないならば、みかん
　　が好きである。
C　スイカが好きであれば、みかんが好
　　きでない。
ア　りんごが好きでないならば、バナナ
　　が好きでない。
イ　スイカが好きであれば、バナナが好
　　きでない。
ウ　バナナが好きでないならば、りんご
　　が好きである。
エ　みかんが好きであれば、りんごが好
　　きである。
(1) ア、イ　　(2) ア、エ
(3) イ、ウ　　(4) イ、エ
(5) ウ、エ

解答（5）

【解説】
　りんご、スイカ、バナナ、みかんが好
きであるという条件を、それぞれ、り、ス、
バ、み、と表し、その否定つまり好きで
ないという条件をそれぞれり、ス、バ、
みと表す。
　　A：り⇒ス、対偶は、ス⇒り
　　B：バ⇒み、対偶は、み⇒バ
　　C：ス⇒み、対偶は、み⇒ス
ア　り⇒バは A、C、B の対偶でり⇒バ
　　となる。
イ　ス⇒バは、C、B の対偶でス⇒バと
　　なる。
ウ　バ⇒りは、B、C の対偶、A の対偶で、
　　バ⇒りとなる。
エ　み⇒りは、C の対偶、A の対偶で、
　　み⇒りとなる。
　以上より、正しい命題の組み合わせは
ウ、エである。

表の読み取り

レッスン 01

毎回必ず出題される単元である。指数・構成比のみであるか、実数（全体の数値・基準時の数値）が与えられているかに注意する。

◆単純集計表

一つの標識（統計単位の性質として与えられる年齢、職業などの特性）に関して、度数（データの個数）を記入した表を単純集計表とよぶ。

特に、統計資料を階級（小さな区間）に分けて、各階級に含まれる度数を記入した表を度数分布表とよぶ。このとき、各階級の中央の値を階級値という。

◆相対度数（構成比）

度数全体に対する、各階級の度数の占める割合を相対度数とよぶ。相対度数の総和は1となる。

◆累積度数

度数を階級毎に分けて記入する代わりに、度数分布表でデータの値が小さい順に各階級の度数を加えた値を累積度数とよぶ。

例 ある高校生のクラスの体重の度数分布表

階級 (kg)	度数	相対度数	累積度数
40 以上 45 未満	1	0.05	1
45 〜 50	4	0.2	5
50 〜 55	6	0.3	11
55 〜 60	7	0.35	18
60 〜 65	2	0.1	20
計	20	1	20

◆クロス集計表

二つ以上の標識に関して、度数を記入した表をクロス集計表とよぶ。

◆対前年比

一つの標識において、前年のデータを x_1、当年のデータを x_2 としたとき、

$$\frac{x_2}{x_1} \times 100$$

で求められる値を対前年比（%）とよぶ。

◆対前年増加・減少率

一つの標識において、前年のデータを x_1、当年のデータを x_2 としたとき、

$$\frac{x_2 - x_1}{x_1} \times 100 \quad (x_2 \geqq x_1)$$

で求められる値を対前年増加率（%）とよび、

$$\frac{x_1 - x_2}{x_1} \times 100 \quad (x_1 \geqq x_2)$$

で求められる値を対前年減少率（%）とよぶ。

◆指数

一つの標識において、異なる時点間におけるデータを比較するために、基準となる時点（基準時）を100として、他の時点でのデータを相対的に表した値を指数とよぶ。

例 平成25年のデータを85、平成26年を105、平成27年を95とすると、平成26年の対前年増加率は、

$$\frac{105 - 85}{85} \times 100 \fallingdotseq 23.5\%$$

平成27年の対前年減少率は、

$$\frac{105 - 95}{105} \times 100 \fallingdotseq 9.5\%となる。$$

🎵 出題パターン

　次の表は、2022 年度における産業別個人企業の 1 事業所当たりの営業状況を示したものである。この表からいえることとして、最も妥当なのはどれか。

	売上高 （1,000 円）	売上原価 （1,000 円）	営業費 （1,000 円）	従業者数 （人）
製造業	10,944	3,239	5,399	2.69
卸売業、小売業	24,490	16,447	6,321	3.12
宿泊業、飲食サービス業	10,751	3,525	5,204	3.30
サービス業	9,913	825	5,948	2.18

(1) 従業者 1 人当たりの売上高は、最も大きい産業では 800 万円を超えている。
(2) 「サービス業」の従業者 1 人当たりの売上原価は、30 万円に満たない。
(3) 従業者 1 人当たりの営業費が最も大きいのは、「卸売業、小売業」である。
(4) 売上総利益（＝売上高−売上原価）が最も大きいのは、「宿泊業、飲食サービス業」である。
(5) 営業利益（＝売上総利益−営業費）が最も大きいのは、「サービス業」である。

解答（5）

01
表の読み取り

【解説】

　表の数値は実数なので計算が可能である。そこで、各設問について考える。
(1) 従業者 1 人当たりの売上高が最も大きい産業は、分母の従業者数に大きな差が無いので、分子の売上高が最大の「卸売業、小売業」であり、計算すると、24,490 ÷ 3.12 ≒ 7,849（千円）であり、800 万円を超えていない。よって、誤り。
(2) 「サービス業」の従業員 1 人当たりの売上原価は、825 ÷ 2.18 ≒ 378（千円）であり、30 万円を超えている。よって、誤り。
(3) 計算すると、「製造業」は、5,399 ÷ 2.69 ≒ 2,007（千円）、卸売業、小売業は、6,321 ÷ 3.12 ≒ 2,025（千円）、「宿泊業、飲食サービス業」は、5,204 ÷ 3.30 ≒ 1,576（千円）、「サービス業」は、5,948 ÷ 2.18 ≒ 2,728（千円）であり、「卸売業、小売業」は最も大きくはない。よって、誤り。
(4) 売上総利益は、「宿泊業、飲食サービス業」よりも「製造業」の方が、引かれる売上高が大きく、引く売上原価が小さい。よって、計算するまでも無く「宿泊業、飲食サービス業」は最も大きくはない。よって、誤り。
(5) 営業利益は簡単に分かりにくいので計算してみると、「製造業」は 10,944 − 3,239 − 5,399 = 2,306 であり、「卸売業、小売業」は 24,490 − 16,447 − 6,321 = 1,722 であり、「宿泊業、飲食サービス業」は 10,751 − 3,525 − 5,204 = 2,022 であり、「サービス業」は 9,913 − 825 − 5,948 = 3,140 であり、最も大きいのは「サービス業」である。よって、正しい。

グラフの読み取り

毎回必ず出題される単元である。数値・比率が与えられているか、グラフの目盛で読み取るかに注意する。

◆**棒グラフ**

縦軸にデータ量をとり、棒の高さでデータの大小を表したグラフ。データの大小を比較する際によく用いる。

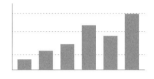

◆**折れ線グラフ**

縦軸にデータ量を、横軸に月や年などの時間をとり、それぞれのデータを折れ線で結んだグラフ。データの増減をみる際によく用いる。

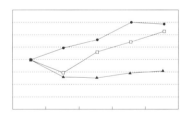

◆**帯グラフ**

長さをそろえた横棒を縦に並べて、棒の中に構成比の仕切りを入れたグラフ。構成比の比較をする際によく用いる。

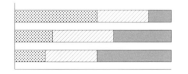

◆**円グラフ**

円を全体とし、円の中の構成比を、おうぎ形の面積で表すように仕切りを入れたグラフ。構成比を表す際によく用いる。

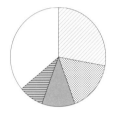

◆**ヒストグラム**

度数分布表において、度数を縦軸、階級を横軸とし、各階級の度数を長方形の面積として表したグラフ。データの散らばり具合をみる際によく用いる。

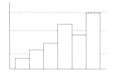

ワン・ポイント 数値が与えられていない、グラフの目盛を読み取る問題のときは、目の子（ざっと読み取る）でよい。微妙な数値の違いで解答が変わることはないと考えてよい。

出題パターン

次のグラフは、住宅の所有の関係についてまとめたものである。このグラフからいえることとして、最も妥当なのはどれか。

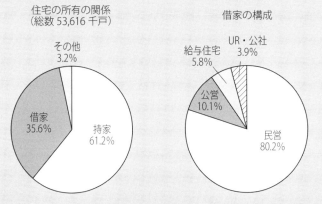

住宅の所有の関係
（総数 53,616 千戸）

借家の構成

(1) 持家の戸数は、民営の借家の戸数の 2 倍より少ない。
(2) 公営の借家と給与住宅の借家の戸数を合わせると、持家の戸数の 10%より多い。
(3) その他の戸数は、公営の借家の戸数より多い。
(4) 持家の戸数に対して、UR・公社の借家の戸数の割合は 2 ％より大きい。
(5) 持家の戸数と借家全戸の戸数の差は、民営の借家の戸数より多い。

解答（4）

【解説】

グラフの数値は構成比であるが総数が記されているので実数の計算が可能である。しかし、各設問を見ると実数は不要なので構成比で計算する。

(1) 民営の借家の戸数の 2 倍は、35.6％× 80.2％× 2 ≒ 57.1％であり、持家の戸数は 61.2％なので、民営の借家の戸数の 2 倍より多い。よって、誤り。

(2) 持家の戸数の 10％は、61.2％× 10％≒ 6.1％であり、公営の借家と給与住宅の借家の戸数の合計は、35.6％×（10.1 ％ +5.8％）≒ 5.7％なので、持家の戸数の 10％より少ない。よって、誤り。

(3) 公営の借家の戸数は、35.6％× 10.1％≒ 3.6％であり、その他の戸数は 3.2％なので、公営の借家の戸数より少ない。よって、誤り。

(4) 持家の戸数に対する UR・公社の借家の割合は、
$$\frac{35.6\% \times 3.9\%}{61.2\%} \times 100 = \frac{1.4\%}{61.2\%} \times 100 ≒ 2.3\%$$ であり、2％より大きい。
よって、正しい。

(5) 民営の借家の戸数は、35.6％× 80.2％≒ 28.6％であり、持家の戸数と借家全戸の戸数の差は、61.2％－ 35.6％≒ 25.6％なので、民営の借家の戸数より少ない。よって、誤り。

練習問題

No.1 すべての辺の長さが等しい立体のうち、あり得ないものとして、正しいのは
どれか。

（1）四角柱
（2）五角錐
（3）五角柱
（4）六角錐
（5）六角柱

正答：（4）

（1） 　　　　（2）

（3） 　　　　（5）

（1）、（2）、（3）、（5）は図のようにあり得るが、（4）は、

側面となる正三角形6枚と、底面の正六角形が合同であるため錐にならない。

No.2 右の図のような1辺の長さ3cmの立方体の頂点 A、C、F、
H を頂点とする正四面体の体積として、正しいのはどれか。

（1）9cm³
（2）10cm³
（3）12cm³
（4）14cm³

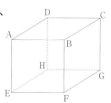

(5) 15cm³

正答：(1)

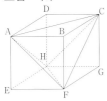

　求める四面体 ACFH の体積を V とすると、

V ＝（立方体 ABCD － EFGH）－{（四面体 AEFH）＋（四面体 CFGH）＋（四面体 ABCF）＋（四面体 ACDH）}

ここで { } 内の四面体の体積は全て等しく、底面積 $\frac{1}{2}\cdot 3\cdot 3 = \frac{9}{2}$ で、高さ 3 なので、

$$\frac{1}{3} \cdot \frac{9}{2} \cdot 3 = \frac{9}{2}$$

よって

$$V = 3^3 - \frac{9}{2} \times 4 = 27 - 18 = 9$$

練習問題

No.3　A ～ D の 4 人に、りんご、みかん、ぶどうの好き嫌いを聞いたところ、4 人とも 2 種類の果物が好きであった。各人が 4 人の好き嫌いについて次のように述べているとき、確実に言えることとして、最も妥当なのはどれか。

　A「私はりんごが好きだ。りんごを好きな人は私を含めて 3 人いる。」
　B「私はぶどうが好きだ。ぶどうを好きな人は私を含めて 3 人いる。」
　C「私は、みかんが好きだが、ぶどうは嫌いだ。」
　D「私はりんごが好きだ。」
(1) A はみかんが好きである。
(2) B はりんごが好きである。
(3) D はみかんが好きである。
(4) A と C は好き嫌いが一致している。
(5) A と D は好き嫌いが一致している。

正答：(5)

　まず、B、C の発言から、ぶどうを好きな人が 3 人いて C は嫌いであることから、A、B、D はぶどうが好きである。また、4 人とも 2 種類の果物が好きなので、ぶどうの嫌いな C はりんごとみかんが好きである。すると、A、D の発言からりんごが好きな 3 人は A、C、D となる。以上より、次のように発言表が特定される。

	A	B	C	D
りんご	○	×	○	○
みかん	×	○	○	×
ぶどう	○	○	×	○

(○は好き ×は嫌い)

これより各設問を考える。

(1) ×　A はみかんが嫌いである。

(2) ×　B はりんごが嫌いである。

(3) ×　D はみかんが嫌いである。

(4) ×　A と C の好き嫌いは一致していない。

(5) ○　A と D の好き嫌いは一致している。

No.4　A ～ G の 7 チームが野球のトーナメント戦を行った。

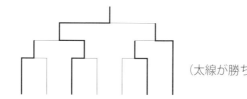

(太線が勝ち上がり)

　A、E、G は 1 試合目に勝ち、2 試合目に負け、特に E と G は対戦した。B、C、D は 1 試合目に負け、特に B は E に負けた。F は A と C に勝った。このとき確実に言えることとして、最も妥当なのはどれか。

(1) 決勝は F と A であった。

(2) 決勝は F と E であった。

(3) 決勝は F と G であった。

(4) G は A に勝った。

(5) G は D に勝った。

正答：(3)

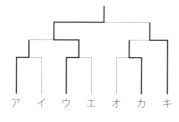

　左のようにア～キをおく。まず、7 チームで 2 勝以上しているのは F だけなので、優勝のウは F である。また、F は A と C に勝っているので C はエ、A はアかキである。しかし、A をキとすると、1 試合目に勝った E、G はア、カとなり対戦していない。よって A はア、そして B は E に負けたので B はオ、E はカ、G はキとなる。よって次のようにトーナメント表が特定される。

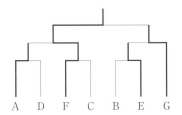

これより、各設問を考える。
(1) × 決勝はFとAではない。
(2) × 決勝はFとEではない。
(3) ○ 決勝はFとGである。
(4) × GとAは対戦していない。
(5) × GとDは対戦していない。

No.5 父、母、長男、長女、次男、次女の6人が円卓で食事をした。そのときの席は、父の右隣りは長女、母の右隣りは次男、長男の左隣りは次女であった。このとき、確実に言えることとして、最も妥当なのはどれか。
(1) 父の正面は長男であった。
(2) 母の正面は長女であった。
(3) 父と母の間は男性であった。
(4) 母と次女の間は男性であった。
(5) 母の両隣りは男性であった。

正答：(4)
まずパーツは

これらを組み合わせると、位置関係は次のいずれかに確定する。

これより、各設問を考える。
(1) × 父の正面は長男とは限らない。
(2) × 母の正面は長女とは限らない。
(3) × 父と母の間は男性とは限らない。
(4) ○ 母と次女の間は長男か次男で男性である。
(5) × 母の両隣りは男性とは限らない。

No.6 日本、アメリカ、カナダ、中国、ドイツ、フランスの6か国の代表がリレーを行った。ゴールした時の状況について次のことが分かっているとき、確実に言えることとして、最も妥当なのはどれか。

A. 中国は日本より先にゴールし、間に1か国入った。

B. アメリカはドイツより先にゴールし、間に2か国入った。

C. カナダはフランスより先にゴールし、間に入ったのは3か国ではなかった。

(1) 1位は中国であった。

(2) 2位はアメリカであった。

(3) 3位はフランスであった。

(4) 4位はカナダであった。

(5) 5位は日本であった。

正答：(2)

　日本、アメリカ、カナダ、中国、ドイツ、フランスを、それぞれ日、米、加、中、独、仏と表すことにする。

　まず、パーツは上位から

中→○→日、　米→○→○→独、　加→仏
　　　A　　　　　B　　　　　　C

　これらを組み合わせる。B、Cより米と独の間の2か国を加、仏とすると、Aの中と日の間に入る国がなくなり条件に反する。よって米と独の間の2か国のうち1か国は中か日となり、Cより加と仏の間は1か国となるので、順序関係は次のいずれかに確定する。

加→米→仏→中→独→日、中→米→日→加→独→仏

　これより各設問を考える。

(1) ×　1位は中国とは限らない。

(2) ○　2位はアメリカである。

(3) ×　3位はフランスとは限らない。

(4) ×　4位はカナダとは限らない。

(5) ×　5位は日本ではない。

No.7　ある暗号では「青」が「0115」、「桜」が「190111211801」、「警官」が「110509110114」である。この暗号で「25011301」が表すのは次のうちどれか。

(1) 山

(2) 川

(3) 海

(4) 空

(5) 星

正答：(1)

　まず文字数に注目する。「青」は漢字で 1 文字、平仮名で「あお」なので 2 文字、ローマ字で「AO」なので 2 文字、暗号は数字 4 個。「桜」は漢字で 1 文字、平仮名で「さくら」なので 3 文字、ローマ字で「SAKURA」なので 6 文字、暗号は数字 12 個。「警官」は漢字 2 文字、平仮名で「けいかん」なので 4 文字、ローマ字で「KEIKAN」なので 6 文字、暗号は数字 12 個。これらよりこの暗号はローマ字 1 個に数字 2 個が対応していると推測できる。

　このとき、A は 01、O は 15、S は 19、K は 11、U は 21、R は 18、E は 05、I は 09、N は 14 なので、アルファベット順と一致する。

A	B	C	D	E	F	G	H	I	J	K	L	M
01	02	03	04	05	06	07	08	09	10	11	12	13

N	O	P	Q	R	S	T	U	V	W	X	Y	Z
14	15	16	17	18	19	20	21	22	23	24	25	26

これより「25011301」は「YAMA」
つまり山である。

No.8　60 と 84 の正の公約数の個数として、正しいのはどれか。

(1)　4 個
(2)　6 個
(3)　8 個
(4)　10 個
(5)　12 個

正答：(2)

　それぞれを素因数分解すると、
$$60 = 2^2 \cdot 3 \cdot 5,\ 84 = 2^2 \cdot 3 \cdot 7$$
なので、最大公約数は $2^2 \cdot 3 = 12$ である。

　求める公約数の個数は 12 の約数の個数なので、1、2、3、4、6、12 の 6 個となる。

No.9　2 桁の正の整数 a の十の位の数字と一の位の数字を入れ換えた整数を b とすると、b は a より大きく、a と b の和は 99 であった。このような a の値として考えられるものの個数はどれか。

(1)　2 個
(2)　4 個
(3)　6 個
(4)　8 個
(5)　10 個

正答：(2)

a の十の位の数字を x、一の位の数字を y とすると、
$a = 10x + y$、$b = 10y + x$ とおける。ただし、a、b は 2 桁の正の整数なので x、y は自然数である。このとき、
$b > a$ より、

$$10y + x > 10x + y$$
$$9y > 9x$$
$$y > x \quad \cdots\cdots ①$$

$a + b = 99$ より、

$$(10x + y) + (10y + x) = 99$$
$$11x + 11y = 99$$
$$x + y = 9 \quad \cdots\cdots ②$$

①、②を同時に満たす自然数 $(x、y)$ は、

$(x、y) = (1、8)、(2、7)、(3、6)、(4、5)$

よって、$a = 18、27、36、45$ の 4 個

No.10

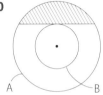

円 A の半径は 2、円 B の半径は 1 で中心は一致している。円 A の弦が円 B に接しているとき、斜線部の弓形の面積として、正しいのはどれか。

(1) $\dfrac{4}{3}\pi - \sqrt{3}$

(2) $\pi - 2$

(3) $\dfrac{4}{3}\pi$

(4) $\dfrac{9}{4}\pi$

(5) 3π

正答：(1)

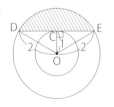

弦を DE とし、接点を C とおく。まず OC = 1、OD = 2、∠OCD = 90° なので、三角定規型の三角比より CD = $\sqrt{3}$、∠COD = 60° となる。

同様に CE = $\sqrt{3}$、∠COE = 60° なので、求める弓形の面積は、

（おうぎ形 OED）－（△OED）

$= \pi \times 2^2 \times \dfrac{120°}{360°} - \dfrac{1}{2} \times 2\sqrt{3} \times 1$

$= \dfrac{4}{3}\pi - \sqrt{3}$

No.11 10 本のくじの中に 3 本の当たりくじが入っている。A、B の 2 人がこの順に 1 本ずつくじを引いて、引いたくじは戻さないとき、B が当たりくじを引く確率として、正しいのはどれか。

(1) $\dfrac{2}{30}$

(2) $\dfrac{3}{20}$

(3) $\dfrac{7}{30}$

(4) $\dfrac{3}{10}$

(5) 求められない

正答：(4)

　Bが当たりくじを引くのは、（ア）A、Bともに当たり、（イ）Aははずれ Bは当たり、のいずれかである。

（ア）のとき、

Aが当たる確率は $\dfrac{3}{10}$、このときくじは9本で当たりは2本なのでBが当たる確率は $\dfrac{2}{9}$。

よって、A、Bとも当たりの確率は、

$$\dfrac{3}{10} \times \dfrac{2}{9} = \dfrac{2}{30}$$

（イ）のとき、

Aがはずれる確率は $1 - \dfrac{3}{10} = \dfrac{7}{10}$、このときくじは9本で当たりは3本なので、Bが当たる確率は $\dfrac{3}{9}$。

よって、Aははずれ Bは当たりの確率は、

$$\dfrac{7}{10} \times \dfrac{3}{9} = \dfrac{7}{30}$$

（ア）、（イ）は排反なので、Bが当たる確率は、

$$\dfrac{2}{30} + \dfrac{7}{30} = \dfrac{9}{30} = \dfrac{3}{10}$$

No.12　A、Bの2人の歩く速さはそれぞれ 3km/h、5km/h で一定である。いま、池の周りを2人が散歩する。同時に同じ地点から、逆向きに歩き出すと9分後にすれ違った。このとき、同じ向きに歩き出すと、追い越すまでにかかる時間として、正しいのはどれか。

(1) 12分

(2) 24分

(3) 36分

(4) 48分

(5) 60分

正答：(3)

　まず、池の周囲を求める。

池の周囲は、逆向きに歩いている A、B の 2 人が歩いた距離の合計と一致する。

まず、A が歩いた道のりを求める。A は 1 時間に 3km 進む速さで歩くので、

9（分）$= \dfrac{9}{60}$（h）で、A が歩いた道のりは $3 \times \dfrac{9}{60} = \dfrac{9}{20}$（km）。

次に、B は 1 時間に 5km 進む速さで歩くので、B が歩いた道のりは、$5 \times \dfrac{9}{60} = \dfrac{15}{20}$（km）。

池の周囲は A と B が歩いた距離の合計なので、$\dfrac{9}{20} + \dfrac{15}{20} = 1.2$（km）である。

次に、同時に同じ向きに歩き出したときの追い越すまでにかかった時間を x（分）$= \dfrac{x}{60}$（h）とおく。同じ向きに歩いているため、追い越した x（分）後の時点で、B は A より 1.2（km）多く歩いたことになる。よって、次の式が成り立つ。

$$3 \times \dfrac{x}{60} + 1.2 = 5 \times \dfrac{x}{60}$$

$$3x + 72 = 5x$$

$$x = 36 \text{（分）}$$

No.13 △ ABC の内角について、∠ A、∠ B、∠ C の大きさを A、B、C と表すと、A：B ＝ 1：2、B：C ＝ 4：9 が成り立つ。このとき B の値として正しいのはどれか。

(1) 24°

(2) 48°

(3) 60°

(4) 84°

(5) 108°

正答：(2)

A：B ＝ 1：2 ＝ 2：4 なので、A：B：C ＝ 2：4：9 である。また三角形の内角の和から A ＋ B ＋ C ＝ 180° より、求める∠ B の大きさは、

$$\angle B = \dfrac{4}{2 + 4 + 9} \times 180° = 48°$$

No.14 次ページの表は、刑法犯少年の検挙・補導人員をまとめたものである。この表から言えることとして、最も妥当なのはどれか。

年次	総数	凶悪犯	殺人	強盗	放火	強制性交等	粗暴犯	窃盗犯	知能犯	風俗犯	その他
犯罪少年検挙人員											
R2	17,466	522	50	323	33	116	3,060	9,222	731	400	3,531
R3	14,818	410	35	214	27	134	2,815	7,421	923	469	2,780
R4	14,887	495	49	235	38	173	2,844	7,503	750	477	2,818
触法少年補導人員											
R2	5,086	55	1	3	25	26	864	3,111	33	174	849
R3	5,581	54	3	3	28	20	975	3,270	28	206	1,048
R4	6,025	77	4	0	39	34	1,123	3,464	30	191	1,140

資料：総務省統計局より

(1) 犯罪少年検挙人員の総数に占める、粗暴犯の割合が最も高いのは令和2年である。
(2) 触法少年補導人員の総数に占める、窃盗犯の割合が最も高いのは令和4年である。
(3) 犯罪少年検挙人員の知能犯の、令和4年における対前年減少率は20%を上回っている。
(4) 犯罪少年検挙人員の凶悪犯に占める、強盗の割合が最も高いのは令和2年である。
(5) 触法少年補導人員の凶悪犯に占める、放火の割合が最も高いのは令和4年である。

正答：(4)

　表の数値は実数なので、割合が計算可能である。そこで各設問を考える。

(1) ×　犯罪少年検挙人員の総数に占める、粗暴犯の割合は、令和2年は3,060÷17,466×100≒17.5%、令和3年は2,815÷14,818×100≒19.0%、令和4年は2,844÷14,887×100≒19.1%であり、**令和4年**が最も高い。

(2) ×　触法少年補導人員の総数に占める、窃盗犯の割合は、令和2年は3,111÷5,086×100≒61.2%、令和3年は3,270÷5,581×100≒58.6%、令和4年は3,464÷6,025×100≒57.5%であり、**令和2年**が最も高い。

(3) ×　犯罪少年検挙人員の知能犯の、令和4年における対前年減少率は、(923−750)÷923×100≒18.7%であり、20%を**下回っている**。

(4) ○　犯罪少年検挙人員の凶悪犯に占める、強盗の割合は、令和2年は323÷522×100≒61.9%、令和3年は214÷410×100≒52.2%、令和4年は235÷495×100≒47.5%であり、**令和2年**が最も高い。

(5) ×　触法少年補導人員の凶悪犯に占める、放火の割合は、令和2年は25÷55×100≒45.5%、令和3年は28÷54×100≒51.9%、令和4年は39÷77×100≒50.6%であり、**令和3年**が最も高い。

練習問題

No.15 次の図は、若年無業者（15 〜 34 歳無業者）及び 35 〜 44 歳無業者の数および人口に占める割合の推移を示したものである。この図からいえることとして、最も妥当なのはどれか。

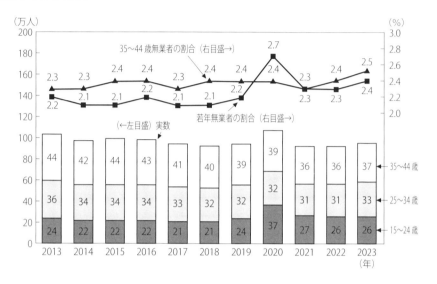

（1）若年無業者の数は、2015 年と 2018 年では変わっていない。
（2）35 〜 44 歳無業者の数は、2015 年と 2018 年では変わっていない。
（3）2023 年の 15 〜 44 歳の総人口は、3,800 万人を上回っている。
（4）35 〜 44 歳人口は、2021 年よりも 2023 年の方が多い。
（5）15 〜 34 歳人口を比較すると、2019 年は 2013 年の 9 割を下回っている。

正答：（3）
　図の数値は実数とその割合なので、母数が計算可能である。そこで各設問を考える。
（1）×　若年無業者の数は、2015 年は 34 万人＋ 22 万人＝ 56 万人、2018 年は 32 万人＋ 21 万人＝ 53 万人であり、減っている。
（2）×　35 〜 44 歳無業者の数は、2015 年は 44 万人、2018 年は 40 万人であり、減っている。
（3）○　2023 年の 15 〜 44 歳人口は、（33 万人＋ 26 万人）÷ 2.4％＋ 37 万÷ 2.5％ ≒ 2,600 万＋ 1,500 万人≒ 4,100 万人であり、3,800 万人を上回っている。
（4）×　35 〜 44 歳人口は、2021 年は 36 万人÷ 2.3 ％≒ 1,570 万人、2023 年は 37 万人÷ 2.5％≒ 1,480 万人、よって 2021 年の方が多い。
（5）×　15 〜 34 歳について、2013 年と 2019 年では無業者の割合がどちらも 2.2％と同じなので、無業者の人数によって人口の比較が可能である。よって、（32 万人＋ 24 万人）÷（36 万人＋ 24 万人）× 10 ＝ 9.3 割であり、9 割を上回っている。

さくいん

本書に関する正誤情報等は、下記のアドレスでご確認ください。
http://www.s-henshu.info/pkgt2409/

上記掲載以外の箇所で正誤についてお気づきの場合は、**書名・発行日・質問事項（該当ページ・行数・問題番号**などと**誤りだと思う理由）・氏名・連絡先**を明記のうえ、お問い合わせください。
・webからのお問い合わせ：上記アドレス内【正誤情報】へ
・郵便またはFAXでのお問い合わせ：下記住所またはFAX番号へ
※電話でのお問い合わせはお受けできません。

[宛先] コンデックス情報研究所
　　　「警察官Ⅲ類・B合格テキスト'26年版」係
　　　住　　所　〒359-0042　所沢市並木3-1-9
　　　FAX番号　04-2995-4362　（10:00〜17:00　土日祝日を除く）

※**本書の正誤以外に関するご質問にはお答えいたしかねます。**また、受験指導などは行っておりません。
※ご質問の受付期限は、2025年10月までに実施される各試験日の10日前必着といたします。ご了承ください。
※回答日時の指定はできません。また、ご質問の内容によっては回答まで10日前後お時間をいただく場合があります。
あらかじめご了承ください。

■**編著：コンデックス情報研究所**
　1990年6月設立。法律・福祉・技術・教育分野において、書籍の企画・執筆・編集、大学および通信教育機関との共同教材開発を行っている研究者・実務家・編集者のグループ。

■**表紙デザイン：上筋英彌（アップライン株式会社）**

警察官Ⅲ類·B 合格テキスト '26年版

2024年11月20日発行

編　著　コンデックス情報研究所

発行者　深見公子

発行所　成美堂出版
　　　　〒162-8445　東京都新宿区新小川町1-7
　　　　電話(03)5206-8151　FAX(03)5206-8159

印　刷　大盛印刷株式会社

©SEIBIDO SHUPPAN 2024　PRINTED IN JAPAN
ISBN978-4-415-23900-2